P9-CFU-559

Tiempo de México

A la distancia...

Recuerdos y testimonios

En primera persona

A la distancia...

Recuerdos y testimonios

Jesús Silva Herzog

OCEANO

A LA DISTANCIA...
Recuerdos y testimonios

D. R. © 2007, EDITORIAL OCEANO DE MÉXICO, S.A. de C.V.
Blvd. Manuel Ávila Camacho 76, 10° piso,
Colonia Lomas de Chapultepec, Miguel Hidalgo,
Código Postal 11000, México, D.F.
☎ (55) 9178 5100 (55) 9178 5101
✉ info@oceano.com.mx

PRIMERA EDICIÓN

ISBN 978-970-777-354-7

IMPRESO EN MÉXICO / PRINTED IN MEXICO

ÍNDICE

AGRADECIMIENTOS

Después de más de cuarenta años de servicio público —casi ininterrumpido— y con cientos de colaboradores con quienes compartí esfuerzos, sueños y desvelos, son muchas las deudas de agradecimiento que se acumulan. Imposible mencionarlas.

No puedo dejar de mencionar a quienes me hicieron el favor de leer partes del libro y presentar valiosas sugerencias: Francisco Santoyo y Roberto Molina Pasquel, el capítulo de INFONAVIT; Francisco Suárez Dávila, el de Hacienda, y Peter Bauer y Alberto Foncerrada el de la aventura electoral en el Distrito Federal. Mención aparte merece el trabajo eficaz y meticuloso de mi secretaria, Maru Gutiérrez.

Un libro también puede llevar una dedicatoria. Lo hago con sentido familiar: a mis padres; a mi mujer, Hilde; a mis hijos, Tere, Eugenia, Chucho, y a mis nietos, Rodrigo, Santiago, Chucho, Diego, Tomás, Andrés y Emilio. En la lectura de estas páginas confío transmitirles mi máxima ambición: ser un hombre de bien.

A la distancia vemos claro...

Víctor Hugo
L'Art d'être grandpère

Como ser abuelo

Palabras iniciales

Una nota personal

Ingresé al servicio público mexicano hace muchos años. Pertenezco a una generación (1953-1957) de la Escuela Nacional de Economía (hoy Facultad) de la Universidad Nacional Autónoma de México (UNAM), que consideraba que un economista debía trabajar en el gobierno. La mayoría de mis compañeros así lo hicieron.

Ingresar al sector público era una manera de atender la "responsabilidad social" que la escuela nos había transmitido e iniciar una carrera que podía ser ascendente en el escenario nacional. Además, el espacio de trabajo en el sector privado era muy reducido.

En enero de 1956 entré a trabajar al Departamento de Estudios Económicos del Banco de México, cuando cursaba el cuarto año de la carrera y tenía algo menos de 21 años. El director general del banco era Rodrigo Gómez, un autodidacta sabio y generoso por quien mi admiración y respeto no han disminuido en el curso de los años y quien, junto con mi padre, contribuyó de manera importante a mi formación personal y profesional.

Mis tareas iniciales eran de recolector de datos. Había que estimar el flujo de la inversión extranjera directa a nuestro país para la elaboración de la balanza de pagos. Obtener la información del Registro Público de la Propiedad, de la Dirección del Impuesto sobre la Renta en la Secretaría de Hacienda, de los bufetes de abogados que intervenían en los aspectos legales de estos flujos y en las propias empresas extranjeras fueron mis primeras responsabilidades. Ganaba el salario mínimo bancario. En las tardes, me trasladaba a la Ciudad Universitaria para continuar con mis estudios.

El Banco de México es una institución formadora de jóvenes profesionistas. De disciplina y responsabilidad. Ha logrado permanecer un tanto inmune a las presiones políticas y al influyentismo de cada sexenio. Es una de las pocas instituciones en las que se lleva a cabo un auténtico servicio civil de carrera. El ascenso se gana con trabajo y eficiencia. A los pocos meses de mi ingreso y convencido de la buena labor realizada, solicité una entrevista con el jefe del Departamento de Estudios Económicos, el licenciado Octaviano Campos Salas para pedir un aumento de sueldo. Su respuesta fue desconcertante y aleccionadora: "¿Qué méritos ha hecho usted?". Salí con un cierto desaliento, pero aprendí la lección.

La promoción 1953-1957 de economistas ha sido una generación sobresaliente. Varios de sus miembros han destacado como funcionarios públicos en diversos campos y en la política. Me vienen a la memoria los casos de David Ibarra, Eliseo Mendoza Berrueto, Gerardo Bueno, Luis Bravo, Israel Nogueda, Agustín Olachea, Guillermo Prieto Fortún y Agustín Acosta Lagunes, entre otros. En el grupo, varios llegaron a gobernadores de sus entidades, secretarios y subsecretarios de estado, embajadores. Mantengo una larga y entrañable amistad con algunos de ellos.

En el verano de 1960, el banco me concedió una beca para realizar estudios de posgrado en la Universidad de Yale. Nos trasladamos a New Haven, Connecticut —yo, mi mujer y mi hija Tere, con apenas cuarenta días de nacida—, en septiembre de ese año. La experiencia de los estudios en el extranjero fue, en algunos momentos, traumática, pero contribuyó no sólo a mi mejor preparación académica, sino sobre todo, a mi formación humana.

A lo largo de mi vida estudiantil había sido un alumno destacado. Nuestra formación en la UNAM giraba mucho alrededor de "lo que debiera ser", y no tanto del análisis objetivo de "lo que era" la realidad. Esto hizo difícil el acomodo intelectual e ideológico con las enseñanzas de los profesores de Yale. Una noche, después de un resultado poco satisfactorio de uno de mis exámenes, pensé en el reconocimiento del fracaso y en la necesidad de retornar a México con estudios inconclusos. La consulta con la almohada es siempre útil. Decidí continuar y terminar con los planes de estudio hasta recibir el título de maestría. Mis calificaciones fueron razonablemente buenas.

Por cierto, para la obtención del grado era necesario aprobar un examen de una lengua extranjera. Alemán y francés eran las dos únicas aceptadas. Hice un cursillo rápido para aprender francés. Me presenté al examen, que consistía en una traducción de un texto económico en francés al inglés. Lo hice con una cierta audacia e irresponsabilidad. El profesor me regresó el examen con la siguiente anotación: "Su inglés es muy deficiente y su francés es inexistente." Meses después lo pude aprobar.

Al regreso de la experiencia en el extranjero, con el conocimiento de lo último en la moda económica, uno se siente con capacidad de manejar la política económica del país y enmendar las decisiones del secretario de Hacienda y del director general del Banco de México. Por ello, con la sabiduría de don Rodrigo, a los que regresábamos de estudios de posgrado nos colocaban en la "congeladora", una oficina en la que no había nada que hacer. Empieza la frustración y poco a poco se reducen las ínfulas y está uno en mejor posición para trabajar.

Después de dos años de estudios de posgrado y de una breve estancia de un año y medio en el Banco Interamericano de Desarrollo en Washington, se inició una etapa de ascenso en mi carrera burocrática. Fui jefe de la oficina técnica de la dirección y coordinador del Banco de México, para después dar un salto inesperado a la Dirección General de Crédito en la Secretaría de Hacienda, en diciembre de 1970. En esos días, yo ocupaba la oficina del subdirector del Banco de México, contigua a la de Ernesto Fernández Hurtado, nombrado director general en septiembre de ese año. Mi nombramiento de subdirector sería anunciado después de conocer el equipo de Hacienda. Me enteré de mi cambio a Palacio Nacional por la televisión.

El director de crédito era en aquellos años un funcionario muy importante dentro de la administración pública federal. Su oficina tenía a su cargo la política financiera, no sólo de la banca, sino también de los otros intermediarios financieros, públicos y privados, el endeudamiento público y la relación con los organismos internacionales. Las necesidades de recursos de crédito de todas las entidades públicas eran materia de su atención, así como la coordinación de actividades de las instituciones supervisoras y reguladoras, como la Comisión Bancaria, la de Seguros y la de Valores.

El inicio de la administración del presidente Luis Echeverría contagió al gobierno de una mística y entrega hoy difícil de imaginar. Las jornadas eran extenuantes, pero con un muy elevado ánimo y convencimiento de que estábamos contribuyendo a mejorar cosas importantes en la vida del país.

La forma de trabajar en el gobierno de Echeverría ha dado lugar a anécdotas casi de leyenda. Juntas de trabajo interminables que se prolongaban hasta la madrugada, con decenas y decenas de participantes. En ocasiones, el objetivo no era claro y prevalecía una alta dosis de desorden. En una reunión en Tijuana fui el orador número ochenta y me tocó hablar a las tres de la mañana. Todos estaban dormidos.

Recuerdo, incluso, actitudes exageradas y poco racionales. A principios de 1971, resentí fiebres altas casi a diario. Lo atribuí a una fuerte gripa. La calentura la controlaba con aspirinas para seguir trabajando. Le pedí a mi secretaria, Lucrecia Franco, que fuera a la Clínica Médica de Hacienda y le explicara mis síntomas al doctor, pues yo no tenía tiempo para ello. En un viaje a Nueva York para negociar la primera emisión de bonos del gobierno mexicano después de treinta años de ausencia en el mercado de valores estadunidense, me tuvieron que llevar de emergencia al hotel, con más de 40 grados de temperatura. A mi regreso, ingresé de urgencia al hospital. Una infección de salmonela que se había incrustado en el hígado y que ponía en riesgo mi vida. Afortunadamente, el problema se resolvió no sin un susto importante.

A fines de 1971, el presidente de la República convocó a la Comisión Nacional Tripartita para analizar, junto con los trabajadores y los empresarios, los grandes problemas nacionales.

Después de numerosas reuniones e innumerables y largas discusiones, surgió la idea de constituir el Instituto del Fondo Nacional de la Vivienda para los Trabajadores (INFONAVIT). Por cierto, pocas personas saben que la idea original del INFONAVIT fue de Ernesto Fernández Hurtado, director general del Banco de México. Contó con el apoyo de Hugo B. Margáin, secretario de Hacienda, y después de algunos ajustes recibió la aprobación de empresarios y trabajadores. Al término del desfile obrero del primero de mayo de 1972 nació la nueva institución pública. Unos días antes, para mi sorpresa, me enteré de que el presidente Echeverría me había designado como su primer director general. Tenía 37 años.

Fue una etapa preciosa. Tal vez, la mejor experiencia de mi vida profesional. Con un grupo de profesionistas jóvenes, ayudamos a crear, con emoción y entrega, una nueva institución de la República.

Al finalizar la administración y contra mis expectativas de ascenso en la vida pública, me quedé sin trabajo. En aquellos primeros días de diciembre de 1976, el famoso telefonazo no llegó. Mi enfrentamiento con los principales líderes del movimiento obrero me hacía una persona incómoda para el nuevo gobierno. Me reincorporé al Banco de México, y, al inicio, sin responsabilidades definidas; al mismo tiempo, El Colegio de México me ofreció su hospitalidad como investigador académico.

A los pocos meses de mi reincorporación al Banco Central, me encargaron instrumentar un programa de restructuración financiera para empresas grandes con problemas de endeudamiento en moneda extranjera. El programa, ideado por Leopoldo Solís y denominado "Depósito-crédito" fue todo un éxito y se pudo apoyar a empresas importantes del país. Fue el antecedente más directo del Fideicomiso para la Cobertura de Riesgos Cambiarios (FICORCA).

Año y medio después, Miguel de la Madrid, entonces subsecretario de Hacienda, me invitó a volver como director de Crédito de la dependencia. Transcurrieron algunos meses y, como resultado de cambios en el gabinete del presidente López Portillo,[1] pasé —en contra de la opinión del secretario David Ibarra, quien proponía a su amigo Óscar Levín— a la subsecretaría de Hacienda, en la misma oficina de Palacio Nacional que había ocupado mi padre tres décadas antes. La satisfacción personal y familiar que ello produjo fue enorme. A mediados de marzo de 1982, el presidente de la República me designó titular de la dependencia, al inicio de una de las grandes crisis de la vida económica de México.

La experiencia de la Secretaría de Hacienda —como director general, subsecretario y secretario— ha sido la más relevante, intensa y a veces angustiosa de mi vida profesional. La responsabilidad del manejo de asuntos que afectan, de una u otra manera, la vida de la totalidad de los habitantes de nuestro país se siente con gran intensidad. Hacer frente a una crisis —que detonó la llamada "crisis de la deuda externa" en el mundo— es algo que inunda la memoria con recuerdos dramáticos.

Lo que siguió fue una etapa de intensidad y angustia personal: la crisis de la deuda externa, la nacionalización de la banca y el establecimiento del control de cambios, el cambio de gobierno, los programas de ajuste económico, las negociaciones con los organismos financieros internacionales y la banca privada extranjera, las buenas noticias y los nuevos tropiezos, el terremoto de septiembre de 1985 y el desplome de los precios del petróleo en 1986, hasta culminar con mi renuncia irrevocable en junio de 1986.

[1] Miguel de la Madrid fue nombrado secretario de Programación y Presupuesto, en sustitución de Ricardo García Sainz.

En esos años, el secretario de Hacienda tenía una amplia presencia pública. Se le mencionaba como puntero en la sucesión presidencial. Sin embargo, conflictos dentro del equipo de gobierno —con el presidente de la República y con el secretario de Programación Carlos Salinas, principalmente— me obligaron a presentar mi renuncia. La decisión provocó gran revuelo político, y el sistema lanzó una embestida sin precedentes en mi contra. El periódico del gobierno, *El Nacional*, publicó un punzante editorial en primera plana, y el partido, el PRI, llegó al extremo de calificarme como desleal a las causas superiores del país. El frío a mí alrededor dominó mi vida por un tiempo; las miradas me rehuían y los "amigos" se retiraban. Otra experiencia que enriquecía mi vida y hacía que la piel se endureciera. Recuerdo la frase de Stefan Zweig "Sólo quien ha conocido el ascenso y la caída, sólo éste ha vivido de verdad."

En una pequeña oficina prestada por un querido amigo, me lancé a la vida académica y a dictar conferencias en México y en el extranjero. Pasé varias temporadas en las universidades de Stanford, Illinois, Princeton y visité Harvard, Yale, Columbia y Canning House, en Londres, junto con presencia en muy diversos foros mexicanos. Fue una buena etapa.

Además, la experiencia universitaria en Estados Unidos fue importante para reconocer que la vida había cambiado. Después de todo lo que rodea a un secretario de Estado, en especial al de Hacienda (gente a su servicio, secretarias, edecanes, choferes, comedor privado, coches, etcétera). Me alojé, tanto en Urbana, Illinois (Universidad de Illinois), como en Palo Alto, California (Stanford), en un pequeño departamento, de los llamados *efficiency*, que en un sólo cuarto combinan recámara, sala y comedor. Hubo que aprender a lavar la ropa de cama y preparar uno su propia comida. Un cambio, sin duda, formativo.

El problema de la deuda externa era el tema dominante en la discusión económica y política en todos los foros nacionales e internacionales. Fui invitado a dar conferencias sobre el tema en los medios académicos, empresariales y políticos en muchas partes del mundo. Fui miembro de varios grupos de trabajo para discutir el problema y ofrecer soluciones. Por cierto, en esos meses los honorarios por las conferencias me produjeron un ingreso del doble de lo que ganaba como secretario de Hacienda. Hubo algunas pláticas por las que me pagaron 15,000 dólares más gastos. Permanecí muy ocupado, y con presencia en los medios mexicanos.

En algún momento de esos meses de 1987, el secretario de Relaciones Exteriores, Bernardo Sepúlveda, amigo mío de verdad, me transmitió la invitación del presidente De la Madrid para ser embajador de México en España. Le expresé mi aceptación y agradecimiento. Sin embargo, en la entrevista con el presidente, después de manifestar su beneplácito por mi aceptación, me dijo que el nombramiento sería "un perdón del sistema". Sorprendido por la expresión, rechacé de inmediato su ofrecimiento. Yo no podía aceptar ir a Madrid como embajador perdonado por defender mis convicciones como responsable de la Secretaría de Hacienda. Me pidió que lo meditara una semana. Al término de esos días, ratifiqué mi rechazo.

A mediados de 1988, Miguel Mancera, director general del Banco de México, me planteó la posibilidad de buscar la elección como director del Centro de Estudios Monetarios Latinoamericanos (CEMLA), cuya sede es la ciudad de México y que acaba de cumplir 50 años de fundado. El Centro es una institución formada por los Bancos Centrales del continente y cuya función básica es la formación de técnicos y funcionarios de esas instituciones y la realización de investigaciones sobre cuestiones monetarias y financieras. La Asamblea de Gobernadores me eligió como director, cargo que asumí en las primeras semanas de 1989. Algo más de dos años permanecí en el puesto. Fue una experiencia magnífica. Una ocasión para conocer mejor la problemática de América Latina, desde una tribuna excepcional. La clara orientación hacia el exterior de la nueva responsabilidad, con poca atención a los problemas internos de México, hizo que la clase política del país prestara poca atención a ese nombramiento.

El doctor Javier Márquez —mi suegro, y luego mi exsuegro—, a quien le guardo un recuerdo de admiración y respeto, había sido inspirador y director del CEMLA por muchos años. Seguir su ejemplo fue para mí importante estímulo.

A principios de 1991, el presidente Salinas de Gortari me ofreció la embajada de México en Madrid, España. Acepté. Mi relación con el presidente Salinas era distante. El conflicto entre los dos me había orillado a la renuncia a Hacienda, en junio de 1986. Desde el inicio de su mandato me había hecho ofertas para colaborar en su gobierno, mismas que no había aceptado. Mis opiniones críticas sobre su administración —privatizaciones, deuda externa, apertura comercial, principalmente— sin duda no eran de su agrado. La embajada en España era una manera de incorporarme a su equipo y, al mismo tiempo, tenerme afuera. Así lo entendí. El

8 de mayo de 1991 —día de mi cumpleaños— aterricé en el aeropuerto de Barajas para iniciar mi primera aventura diplomática.

Carlos Salinas fue un gran operador político. Sabía utilizar el poder para sus propósitos. Yo era en esos momentos un elemento incómodo, que gozaba de presencia pública y respetada. Durante varios meses me cortejó: invitaciones a Los Pinos a jugar tenis, una canasta enorme de Navidad, etcétera. Cuando recibí una de ellas, le comenté a un familiar cercano que pronto vendría un ofrecimiento en su gobierno. Y así fue.

Treinta meses de un embajador "a la carrera". Experiencia, también, maravillosa. Representar a México en el exterior es, sin duda, una oportunidad y un honor excepcionales. El país se siente más cerca de la piel.

España es un país maravilloso. Lleno de historia y de vida actual. Visité la mayor parte del país, di muchas conferencias y traté de establecer el mayor número de contactos posibles. La tarea del embajador de México en España depende mucho de la decisión personal. Yo me dediqué a trabajar y lo disfruté mucho. Participé con entusiasmo en las numerosas festividades que tuvieron lugar por la celebración de los 500 años del descubrimiento de América, del encuentro de dos mundos o, como me gustaba expresar, del "encontronazo" de dos mundos.

A los pocos días de mi regreso a la ciudad de México, a fines de noviembre de 1993, el presidente Salinas me ofreció ocupar la Secretaría de Turismo. El ofrecimiento fue secundado por Luis Donaldo Colosio, en ese momento ya candidato del PRI a la presidencia de la República. Unos años antes, durante los días difíciles de la crisis, yo había propuesto eliminar cuatro secretarías de Estado, entre ellas la de Turismo. Sin embargo, acepté el nombramiento. Error. Lo reconozco. Mi presencia política se desvalorizó y la impresión que se dio era que estaba dispuesto a aceptar cualquier oferta con tal de quedar dentro del gobierno.

La importancia del turismo en México es indudable. Sobre todo, su potencial. La Secretaría de Turismo tiene pocos instrumentos a su alcance para, de verdad, representar un apoyo serio a esa actividad prioritaria. En todos los foros lancé un llamado para hacer del turismo una verdadera prioridad nacional. No tuve éxito.

Los meses en esa secretaría, última parte del gobierno de Salinas, transcurrieron a gran velocidad. Tuve la oportunidad de apreciar, de modo directo, la enorme y diversa riqueza turística de nuestro país. El tianguis turístico de Acapulco, la Euro-Bolsa en la ciudad de Querétaro, así como asistencia a eventos internacionales, promoción del programa del mundo maya y el impulso al establecimiento del impuesto a la ocupación hotelera, fueron los aspectos medulares de ese tránsito, repito, equivocado desde el punto de vista personal.

Al segundo día después de la toma de posesión del presidente Zedillo, recibí, tarde en la noche, una llamada del secretario de Relaciones Exteriores, Ángel Gurría. Me ofrecía la embajada de México en Estados Unidos.

Mis planes eran incorporarme a la UNAM como investigador en el Centro Regional de Investigaciones Multidisciplinarias (CRIM) con sede en Cuernavaca. Sin embargo, la oferta de la embajada en Estados Unidos era muy atractiva, dada la enorme importancia de nuestra relación con el país vecino.

Después de cumplir con los arreglos personales y oficiales, y obtener la ratificación del senado, me trasladé a Washington a mediados de febrero de 1995. Se iniciaba entonces una de las etapas más difíciles de la relación bilateral: la crisis financiera de diciembre de 1994, la visibilidad de la corrupción y la multiplicación de actos de violencia, muchos de ellos ligados al narcotráfico. Por otra parte, la nueva composición del Congreso estadunidense, señalaba la presencia de numerosos legisladores poco amigos de México.

La experiencia fue formidable. Como se dijo antes; representar a México en el exterior es, sin duda, un gran honor. Pero hacerlo en Estados Unidos es un reto de 24 horas de atención. Es estar —como lo sentenció José Martí— en las entrañas del monstruo.

A los problemas de la emergencia económica había que agregar el arresto del hermano del expresidente Salinas, la detención o fuga de un capo de la droga, la muerte de algún indocumentado en el desierto de Arizona o la acusación de prácticas desleales en la venta de productos mexicanos. El presidente Salinas había sido un magnífico vendedor de la imagen de México en el exterior. La crisis de 1994 fue como una bomba en la percepción de nuestro país. La gente se sintió engañada y reaccionó como tal. Fueron tiempos en que atacar a México era una moda que, incluso, tenía beneficios políticos.

Durante años, los mexicanos cometimos el error de concentrar nuestros esfuerzos en Estados Unidos en la relación con el ejecutivo, a imagen y semejanza de la realidad mexicana. No se consideraba conveniente entablar contactos con el legislativo y con otros sectores de la vida estadunidense. Hubo que multiplicar la tarea. Hablar, hablar y hablar con el Congreso, con los medios de información, con los centros académicos y de investigación y con los numerosos grupos de la sociedad civil. Además, Estados Unidos no es Washington; es necesario palpar el sentir diverso en los muchos estados de la Unión Americana. Recorrí buena parte de su territorio y dicté conferencias, sin honorarios, por supuesto, en muchas de sus universidades. Establecí y/o fortalecí los contactos con los grupos hispanos, cuya importancia económica, política y social es, sin duda, cada día mayor.

En uno de tantos viajes al interior de Estados Unidos, al registrarme en el hotel, la gerente de relaciones públicas, después de darme la bienvenida, me preguntó si mi bronceado procedía de un viaje reciente a las Bermudas. Le respondí que no, que el color de mi piel tenía tres siglos de antigüedad. Confieso que la dejé un tanto confundida.

Fueron casi tres años de una labor intensa, a veces angustiosa y llena de tensión. Dificultades con la propia Secretaría de Relaciones Exteriores, con el subsecretario Rebolledo, encargado de América del Norte y que, con frecuencia, invadía terrenos propios del embajador, me hicieron expresar mi deseo de retornar a México, un tanto antes de tiempo. En noviembre de 1997, lo hice.

Varias entrevistas con el canciller Gurría y con el presidente Zedillo sobre este asunto fueron infructuosas. Rebolledo había sido el secretario particular del presidente Salinas y pieza importante en la designación de Zedillo como candidato a la presidencia, después del asesinato de Luis Donaldo Colosio.

Luego de los acomodos normales al regresar a la ciudad de México, inicié gestiones con la rectoría de la UNAM para incorporarme a su vida académica. A mediados de 1998 ingresé a la Coordinación de Humanidades como investigador. Conferencias, participación en seminarios, entrevistas varias e inicio de un libro sobre la relación México-Estados Unidos, fueron las tareas principales durante este lapso, tranquilo, apacible y muy grato. Tuve el honor de acompañar al rector Francisco Barnés de Castro y a Juan Pablo Arroyo, director de la Fundación UNAM, a establecer un capítulo de la propia fundación en San Antonio, Texas.

El 20 de abril de 1999 estalló un muy doloroso paro universitario que provocó la renuncia del rector Barnés y dejó un saldo de desprestigio a la UNAM. Ya no pude regresar a mi pequeño cubículo en el edificio del circuito Mario de la Cueva, no sólo por la suspensión de las labores universitarias, sino también porque estaba a punto de iniciar mi primera aventura electoral.

Francisco Labastida, amigo de muchos años y secretario de Gobernación, me invitó a cenar en su oficina de la calle Bucareli y me comunicó su intención de buscar la candidatura a la presidencia de la República por el Partido Revolucionario Institucional. Era obvio que para ello contaba con la bendición de Zedillo. Además, me comentó que le gustaría que yo lo acompañara como candidato a jefe de gobierno del Distrito Federal.

Unos meses antes, el partido había anunciado que la selección de sus candidatos sería a través de un proceso electoral interno. Era una manera de alentar la democracia interna y reducir o eliminar el "dedazo". El requisito de haber tenido un puesto de elección popular para aspirar a gubernaturas no se aplicaría al Distrito Federal. Esta condición parecía con dedicatoria para mí.

Mi relación con el PRI era y había sido distante, sobre todo después del trato equivocado e injusto que recibí a raíz de mi renuncia a la Secretaría de Hacienda. Eran públicas mis respuestas de que era "más o menos" un miembro del PRI. Sin embargo, debo subrayar que nunca escuché los llamados para irme a algún partido de la oposición y que, en esos momentos, el PRI continuaba siendo, a mi juicio, la mejor opción.

Con estos antecedentes, a fines del mes de mayo de 1999 me lancé en busca de la candidatura a jefe de gobierno del Distrito Federal.

Fueron algo más de doce meses de una actividad desenfrenada y que cambió, en buena medida, mi vida y la de mi familia. Primero, el proceso interno, que culminó el 7 de noviembre de ese año, y luego la contienda constitucional.

La experiencia electoral es enriquecedora. En lo profesional y en lo personal. Conocer por dentro al partido, a sus bases, entrar en contacto con los más diversos sectores de nuestra capital, conocer las intrigas, los egoísmos, la generosidad, la entrega de muchas personas y sentir, de modo directo, los graves problemas de la gente, fueron activos y pasivos que se manifestaban con fuerza casi a diario, durante toda la campaña.

El 2 de julio de 2000 el PRI pagó sus culpas. En el Distrito Federal no ganamos una sola posición. Fue terrible. En lo personal, dos meses antes de la elección me di cuenta de mis pocas probabilidades. No lo dije a nadie. El partido escatimaba su apoyo y la falta de recursos financieros me había desaparecido de los medios masivos de comunicación.

Obtuve casi un millón de votos, pero quedé relegado a un tercer lugar. Como alguien me comentaba en aquellos momentos: "Buen producto, pero mala marca".

El resultado lo acepté sin reparo. Debo señalar que, en ningún momento, sentí rencor o amargura y no busqué culpables. El 3 de julio regresé a la casa de campaña a concluir asuntos pendientes, agradecer apoyos, finiquitar las cuentas financieras y empezar a lanzar la mirada hacia un nuevo futuro.

Hace cinco años ingresé, por tercera ocasión, a las filas de los desempleados. Con cierta ironía se hace referencia a la Reserva Nacional de Talentos (RENATA). Es el periodo más largo de mi vida sin tener una responsabilidad en el servicio público. Por primera vez salí del país como turista y viajé al sureste asiático (Tailandia, Myanmar, Camboya) y visité Machu Picchu, las Galápagos y los Fiordos del sur de Chile.

Al inicio del nuevo gobierno, Jorge Castañeda, secretario de Relaciones Exteriores, me invitó a presidir una comisión plural para la reforma del servicio exterior mexicano. Acepté. El informe respectivo lo entregamos a mediados de junio de 2001. La ley correspondiente fue aprobada sin mayores problemas.

Junio de 2005

Hoy, a principios de 2006, permanezco desempleado. Voy a cumplir 71 años. Doy conferencias, participo en seminarios, presentación de libros, entrevistas, etcétera. Me mantengo ocupado y trato de estar al día en las cuestiones nacionales y en las principales tendencias en el mundo. Sigo siendo un optimista, aun cuando, a veces, me surgen voces pesimistas ante la falta de logros en nuestro país y la contemplación de una manera de hacer política que no está a la altura de lo que México necesita. En ocasiones quisiera gritar: "¡Qué nos pasa, México!".

Enero de 2006

Una explicación necesaria

Desde hace tiempo tenía la intención de escribir un libro. Un libro que describiera mis puntos de vista sobre momentos interesantes que me han tocado vivir a lo largo de una ya larga vida de servicio público en México.

Sin embargo, hasta ahora no lo había logrado.

Ahora sí, a mediados de 2006 y recién cumplidos 71 años, es hora de escribir. Siento la necesidad de hacerlo. A lo mejor, algunas de mis vivencias y tránsito por momentos importantes en la vida del país puedan ser útiles para un mejor conocimiento de ciertos aspectos de la realidad económica y política de México.

El libro no pretende ser autobiográfico. Sin embargo, no he podido evitar —como lo constatan las páginas anteriores— ciertos elementos personales.

He concentrado la atención en cuatro aspectos en los que he tenido la responsabilidad y el honor de participar. En primer lugar me ocupo de los primeros pasos del INFONAVIT, una "nueva" institución de la República. La parte medular del libro se concentra en los difíciles años de la crisis de la deuda externa y en los muy difíciles momentos que el país atravesó en los primeros años de la década de los ochenta. Es algo así como la memoria de una crisis.

En tercer lugar, mi experiencia diplomática en España y Estados Unidos tiene momentos que vale la pena recordar y apreciar. Por último, la aventura electoral está llena de vivencias intensas y, a veces, dramáticas. La crisis del PRI en el Distrito Federal, aparece con forma descarnada.

Una breve semblanza personal ocupa las primeras páginas del libro.

En muy diversas ocasiones, amigos, parientes, colaboradores me invitaban a escribir sobre momentos en los que me ha tocado participar.

"Es necesario", "esto se debe saber", "si no lo haces, la historia la escribirán otros", etcétera, eran expresiones recurrentes y cada vez más frecuentes.

La gran pregunta es por qué no lo había hecho. Por qué esperar tanto tiempo. No tengo una respuesta clara. Mis varios periodos de desempleo me daban la oportunidad y sin embargo, no los aproveché. Es cierto que otras actividades —conferencias, seminarios, viajes— fueron distracciones o excusas.

Una cierta modestia —que por cierto no practico mucho— me inhibía un tanto a contar mis cosas.

Un cierto respeto institucional de no hablar de asuntos que, en muchas ocasiones, respondían a razones de Estado, fue otro elemento presente en mi actitud.

El tiempo ha pasado. Tengo una perspectiva mejor y una mayor distancia, que me aleja de la influencia de la coyuntura.

Sea de ello lo que fuere, estoy aquí con la pluma y el papel, dispuesto a cumplir con una necesidad interior y, a lo mejor, con una responsabilidad pública. Lo que sigue es producto del recuerdo y de las vivencias personales. No pretendo hacer un análisis profundo con respaldo técnico y sustento estadístico. Eso lo dejo a otros analistas. Aquí está lo que salió, en distintos momentos, de manera espontánea.

Lo que sí quisiera transmitir es que, a lo largo de muchos años de servicio público, me encontré con cientos de miles de funcionarios y empleados con un profundo deseo de servir al país, con entrega, responsabilidad y honradez. Y quiero subrayarlo, son la gran mayoría.

INFONAVIT

Antecedentes

Es sabido que la Constitución de 1917 consagró el derecho de los trabajadores mexicanos a una vivienda digna. Empero, durante muchas décadas se quedó en letra muerta. Esfuerzos aislados de algunas empresas, créditos hipotecarios de la dirección de pensiones civiles, antecedente del Instituto de Seguridad y Servicios Sociales para los Trabajadores del Estado (ISSSTE) y algunos conjuntos habitacionales apoyados por el Banco Nacional de Obras y Servicios Públicos (BANOBRAS) y, sobre todo, por el programa financiero del Fondo Nacional de la Vivienda (FOVI) y la banca privada, fueron las únicas acciones en materia habitacional a lo largo de años. Esfuerzos claramente insuficientes. El déficit de vivienda en el país se agravaba de manera permanente. Además, el derecho obrero a la vivienda seguía siendo una simple aspiración.

En mayo de 1971, el presidente Luis Echeverría estableció la Comisión Nacional Tripartita, formada por un igual número de representantes del sector obrero, empresarial y del gobierno, con el objetivo de analizar y sugerir soluciones a problemas fundamentales del país (empleo, inversión, campo, industria, vivienda, etcétera.). El secretario de Hacienda, Hugo B. Margáin, junto con el del Trabajo, Rafael Hernández Ochoa, eran los máximos representantes del gobierno. Los más importantes líderes obreros y del sector privado formaron parte de este mecanismo de concertación nacional. El respaldo técnico del secretario Margáin era la dirección general de crédito, de la cual yo era director general.

Durante meses se trabajó afanosamente en las distintas mesas de trabajo. Cada una produjo su informe de consenso. La mesa que produjo resultados concretos fue la de vivienda. De sus trabajos se derivaron cambios en la Constitución, en la Ley Federal del Trabajo y la promulgación de una nueva ley que creaba el Instituto del Fondo Nacional de la Vivienda para los Trabajadores (INFONAVIT).

El tema de la vivienda no me resultaba atractivo. Envié, como representantes de Hacienda, al subdirector Patricio Ayala y a mi asesor Roberto Molina Pasquel. Yo me fui a la mesa de inversiones, de la cual salió un informe más bien teórico y al final anodino.

La mesa de vivienda fue avanzando y poco a poco aparecía como una posible solución más efectiva al problema de la vivienda de los trabajadores. El verdadero autor de la fórmula financiera aprobada fue Ernesto Fernández Hurtado, director del Banco de México, quien junto con Margáin, fue despejando las dudas naturales del sector obrero y de los empresarios.

Después del trayecto legislativo, el primero de mayo de 1972 nació el INFONAVIT. Unos días antes, el presidente de la República me designó como su primer director.

Semanas atrás había surgido un conflicto entre Hacienda y la Secretaría de Agricultura alrededor del funcionamiento del Banco Nacional de Crédito Rural (BANRURAL). Hacienda sostenía su ineficiencia, y Agricultura la necesidad de dotar al campo de mayores recursos. Se organizaron auditorías, a cargo de firmas de contadores con buena reputación, a las distintas oficinas del BANRURAL en todo el país. La coordinación de estos trabajos recayó en la Dirección de Crédito de Hacienda. En una de las últimas reuniones frente al presidente de la República, a fines de abril de 1972, hubo una interrupción, y tanto él como el licenciado Margáin me llamaron a una reunión en una sala de Los Pinos. El diagnóstico sobre BANRURAL era muy negativo y, claro, se hablaba del cambio de su director. Un frío helado me invadió ante esa posibilidad, pues estaba convencido de las enormes dificultades para enderezar ese Banco y se trataba de un campo que no era el mío. Pero no, el presidente me ofreció la dirección de la nueva institución. Tenía 37 años.

El nombramiento había que mantenerlo en la discreción. No fue hasta el día anterior al primero de mayo que el rumor empezó a correr. A Roberto Molina Pasquel, asesor de la Dirección de Crédito, le pedí unos cuantos días antes preparar un borrador de discurso para el secretario en ocasión del inicio de la nueva institución. Finalmente, ese discurso sería el que yo pronunciaría en aquella oportunidad. Fue un buen discurso, pero largo. Señalé, en aquella fecha trascendente para mí, entre otras cosas:

El instituto, a pesar de ser el instrumento más poderoso[...] no puede constituir la solución del problema de la vivienda en México [...]. No se trata de ninguna panacea.

La labor del instituto tendría enormes beneficios para el país, sobre todo "por el impulso que significa en la generación de empleos. No debe olvidarse que uno de los medios más eficaces para redistribuir el ingreso es elevar los coeficientes de ocupación".

Hice un llamado a los jóvenes profesionistas mexicanos para incorporarse a las labores del instituto "sin mayor requisito que su capacidad técnica y su deseo de servir al país por encima de intereses particulares". Asimismo, comprometí la acción del instituto para estimular los recursos humanos y técnicos de las diversas localidades del país. Resalté el carácter solidario de la institución, su función esencial de servicio social y su enorme capacidad para avanzar en la atención al problema de la vivienda en el país (*véase* anexo 1).

El anuncio de la creación del INFONAVIT dio lugar a muchas especulaciones, resaltando aquellas que subrayaban el enorme potencial de sus recursos financieros, procedentes, principalmente, 5% de la nómina de todos los trabajadores mexicanos que aportarían sus patrones. Sin quererlo, empecé a aparecer en la prensa y a convertirme en un personajillo de la política nacional.

La creación del INFONAVIT despertó gran interés en varios países latinoamericanos. A invitación expresa, visité en aquellos primeros meses Guatemala, Nicaragua, Perú y Uruguay.

Los primeros pasos

El presidente Echeverría había decidido personalmente rentar un edificio de once pisos en la esquina de Guadalquivir y Reforma como sede de la institución. Sin más instrumentos que la ley que la creaba y sin recursos, empezamos a trabajar el 2 de mayo de 1972. No había ni papel ni lápices. Hacienda nos facilitó los primeros implementos. Un puñado de excolaboradores en la Dirección de Crédito ocupó junto conmigo los amplios espacios del nuevo edificio. Las primeras entregas de la Secretaría de Hacienda fueron depositadas en una cuenta a mi nombre, pues el instituto aún no tenía personalidad jurídica propia. Durante varios meses, tuve que expedir, de manera personal, los cheques de la nómina. Recuerdo con enorme aprecio a los primeros colaboradores: Lucrecia Franco y Rosalía Malacara, mis secretarias; Julio Galvany, secretario particular; Roberto Molina Pasquel, asesor; Bernardo Reséndiz, chofer, e Isaac Pérez Arellano, mensajero.

Era un reto formidable. Ayudar a crear una nueva institución de la República.

Poco a poco se fue formando el equipo de trabajo. Al subdirector jurídico, Miguel González Avelar, lo designó el secretario del Trabajo; Marcelo Javelly, subdirector financiero, fue propuesto por el secretario de Hacienda, y Eduardo Rincón Gallardo, subdirector técnico, fue "propuesto" por el propio presidente de la República.

Cada uno de ellos fue designando, con mi visto bueno, a sus colaboradores más cercanos. En unos meses conformamos un equipo de trabajo multidisciplinario —abogados, economistas, arquitectos, ingenieros, sociólogos, urbanistas, actuarios, etcétera— en el que prevalecía la gente joven. La edad promedio era de menos de 30 años, y para un buen número era su primera experiencia laboral. No era una chamba como las otras. Se trataba de colaborar con algo nuevo, trascendente y útil para muchos miles de mexicanos. Esta convicción hizo que, en esos primeros años, se trabajara con entrega total y con emoción patriótica. Actitud difícil de entender en los tiempos actuales. Pero fue un hecho.

Quienes laboramos en ese primer tramo, lo hicimos utilizando una frase de mi padre, "con un profundo interés desinteresado", pensando en la responsabilidad que teníamos de poner los cimientos de una nueva institución de la República, con la dureza del concreto y la transparencia del cristal.

Las condiciones de trabajo eran inmejorables. Las establecimos a imagen y semejanza de las del Banco de México, las mejores en el país. Años más tarde, eso no fue suficiente para impedir problemas obrero-patronales, impulsados por agitadores incrustados en el sindicato de la institución.

Había que construir todo el andamiaje institucional —reglamentos, instructivos, formatos, manuales, reglas de operación, normas, etcétera— antes de dar los primeros pasos. Todo estaba por hacer.

El nombre mismo de la institución era demasiado largo. Había que buscarle algo más sencillo. Después de varias propuestas, escogimos el de INFONAVIT, con acento en la vivienda. El logotipo, diseñado por un amigo de Carlos Payán, lo puse a prueba frente a mis hijos: "¿Qué ven aquí?", "Casas y gente", y lo escogimos. Fue necesario llevar a cabo un intenso programa de difusión para dar a conocer las características principales de la nueva institución, a lo largo de todo el país.

Además, nacimos con una expectativa exagerada y equivocada. En todos los tonos y por todas las voces se anunció que el instituto haría cien mil casas en su primer año. Lo dijeron el presidente de la República y el secretario de Hacienda y la prensa lo recogió y difundió con gran amplitud. La cifra se obtuvo de dividir 5,000 millones de pesos que el instituto recibiría el primer año y un costo promedio por vivienda de 50,000 pesos. Ninguna de las dos cifras era correcta. El gobierno federal había ofrecido un capital semilla de 2,000 millones de pesos, que junto con las aportaciones de 5% de los trabajadores sumaban 5,000 millones. La Secretaría de Hacienda sólo aportó 200 millones. El costo promedio de una vivienda hacía muchos años no era de 50,000 pesos, sino, por lo menos, el doble. Además, no se tomaba en cuenta el tiempo necesario para que una nueva institución contara con la infraestructura para ejecutar un plan masivo, sin precedentes en el país. Total, era imposible cumplir con la meta anunciada. A veces, esas cosas pasan en nuestro país. En los meses siguientes, poco a poco, tratamos de ubicar el compromiso en su justa dimensión.

Sin embargo, fue una pesada carga para la administración del instituto, y pretexto para lanzar las primeras críticas, por falta de cumplimiento con lo ofrecido.

El 15 de agosto de 1972, a escasos tres meses y medio del nacimiento de la institución, iniciamos el programa de construcción de casas en Tijuana y en otras siete ciudades del país. En poco tiempo, la presencia del INFONAVIT se extendería por toda la república. El 23 de marzo de 1973 se hizo la entrega de los primeros créditos en 22 ciudades del país a trabajadores seleccionados con base en su necesidad de vivienda (*véase* anexo 2).

Hicimos casas en los grandes centros urbanos, en ciudades medias e incluso en localidades muy alejadas, en donde nunca había habido un conjunto habitacional, por ejemplo Guerrero Negro, en Baja California Sur y Pabellón de Arteaga, Aguascalientes.

Con el apoyo entusiasta de mi entrañable amigo Juan Foncerrada —hoy desaparecido— se establecieron delegaciones regionales en las principales entidades del país, así como las comisiones consultivas regionales.

Se estableció la política de apoyar a los constructores locales en la edificación de viviendas y, en lo posible, utilizar insumos regionales. Se trataba de estimular el desarrollo de las diversas regiones del país.

En aquellos años, la industria de la construcción era totalmente mexicana. Tiempos diferentes a los actuales en que, con frecuencia, se utilizan constructoras extranjeras —apoyadas por sus gobiernos en el financiamiento—, las que después subcontratan con empresas mexicanas.

A los diversos conjuntos habitacionales se trató de dotarlos de un adecuado equipamiento urbano y social: escuelas, locales comerciales, espacios de esparcimiento, deporte, centros sociales, etcétera. Nuestra responsabilidad social nos impedía limitarnos a la mera construcción de viviendas.

La presencia del conjunto habitacional del INFONAVIT fue punta de lanza para el futuro desarrollo urbano de las ciudades. Recuerdo el que está en Pedregal de Carrasco, construido sobre el Periférico Sur de la ciudad de México en un área totalmente virgen del Pedregal de San Ángel. Hoy en día, sufre ya las consecuencias de la saturación. Algo similar ocurrió en Monterrey, Guadalajara y Acapulco, entre otras.

En esos primeros años, el INFONAVIT fue un organismo financiero-constructor. Financiero porque financiaba la obra y concedía créditos para la adquisición de la vivienda. Constructor, porque hacía obra directa, a través de cientos de constructores en todo el país. La escasez de oferta de vivienda, fuera de unas cuantas localidades, nos obligó a intervenir en la construcción directa. Creo que no había otra alternativa. Había que hacerlo e incurrir en los riesgos correspondientes.

Treinta años después, el INFONAVIT subraya su carácter financiero y declara, con énfasis, que no construye casas. Y tiene razón. Pero hace treinta años, las condiciones eran completamente diferentes. Si me pusieran en la misma circunstancia, volvería a hacer lo que hicimos en aquellos primeros pasos. Además, muchos de los promotores actuales de vivienda, se iniciaron como constructores con el INFONAVIT.

La organización tripartita

Desde sus orígenes, el INFONAVIT surgió con un carácter tripartita. Todos sus órganos de gobierno —la asamblea general, el Consejo de Administración, la Comisión de Vigilancia, la Comisión de Inconformidades y Valuación y las Comisiones Regionales— mantenían ese carácter. En las labores de dirección los directores sectoriales de los trabajadores y empresarios acompañaban al director general. Muestra del deseo de dar al INFONAVIT una administración marcadamente tripartita es que, al momento de su nacimiento, contaba ya con 144 representantes en sus diversos órganos colegiados, sumando propietarios y suplentes.

Los órganos de gobierno sesionaron con toda regularidad. El Consejo de Administración —formado por cinco representantes de cada sector— se reunía dos veces al mes y designó múltiples comités para la elaboración de reglamentos y normas de todo tipo. Ello implicó una fuerte responsabilidad para la administración. En un principio, tengo la impresión de que los diferentes representantes respondieron claramente a los intereses de la institución; sin embargo, con el transcurso del tiempo aparecieron, de manera creciente, intereses de cada sector e incluso aquellos de carácter personal.

Puedo afirmar que todas las acciones del instituto en aquellos primeros años fueron aprobadas por los diferentes órganos de gobierno. En ocasiones, esto implicó largas horas de negociación y convencimiento. A veces, mucha paciencia.[1] A estas labores dedicaron una buena parte de su tiempo los consejeros del instituto, entre los que se contaban destacados líderes obreros y empresariales y altos funcionarios públicos.

En un organismo con el poderío económico del INFONAVIT y con su muy amplio campo de acción, las tentaciones para la corrupción son enormes. Compra de terrenos, adquisición de materiales de construcción, adjudicación de contratos de obra, otorgamiento de créditos individuales, etcétera. En todos los casos, establecimos reglas para evitar esa posibilidad. Sin embargo, no estoy seguro de que no haya habido manos que se aprovecharon. Ante evidencias claras, tuvimos que despedir a unos cuantos funcionarios deshonestos o de dudosa conducta. Empero, estoy convencido de que la administración, en su gran mayoría, tuvo un desem-

[1] Un representante obrero, Justino Sánchez Madariaga, director sectorial de los trabajadores, denunció en una sesión de consejo que las casas de una unidad habitacional en Durango, Durango, no tenían castillos en la estructura, lo cual representaba, sin duda, un peligro. Lo invité para trasladarnos al día siguiente a Durango y observar con nuestros propios ojos la realidad. Las casas, por supuesto, tenían los castillos necesarios. Sin embargo, en la siguiente sesión del consejo, afirmó, con gran desenfado, que las casas no tenían castillos. Era una manera torpe de enfrentar a la administración del instituto.

peño honrado. El dinero es algo que no se puede ocultar y, por ello, observando el nivel de vida de los principales funcionarios años después, puedo reafirmar el apego a la honradez en esos primeros tiempos.

Algunas políticas innovadoras

Desde los primeros meses de actividad nos percatamos de que para hacer frente a la magna tarea de llevar la cuenta individual de ahorro de millones de trabajadores y hacer una asignación eficiente y justa de los créditos hipotecarios, era necesario utilizar la tecnología más moderna.

Con el apoyo del Centro de Investigación en Matemáticas Aplicadas de la Universidad Nacional Autónoma de México (UNAM), decidimos establecer un centro de cómputo. Máquinas enormes que requerían aire acondicionado hicieron necesario construir un edificio especial, utilizando parte del terreno que habíamos adquirido recientemente,del Banco de México y en el que hoy se ubica el edificio sede de la institución.

Los trabajadores beneficiados eran seleccionados por la computadora, tomando en cuenta la información socioeconómica que cada uno consignaba en una tarjeta que hacía las veces de una solicitud. Edad, características de la familia, vivienda, antigüedad en el trabajo, salario mensual, etcétera, eran los datos en los que se basaba la selección. Se trataba de beneficiar a aquellos que tuvieran una mayor necesidad de vivienda. No se pedían datos sobre preferencia política ni filiación sindical. Hasta ahí, todo bien.

Sin embargo, con frecuencia el trabajador beneficiado no pertenecía a ningún sindicato, e incluso hubo casos en que resultaba enemigo del líder sindical correspondiente. Poco a poco, el movimiento obrero, principalmente la Confederación de Trabajadores de México (CTM) y su poderoso líder, Fidel Velázquez, se percataron de estos hechos y empezaron a dirigir fuertes ataques a la labor del instituto y de su director general. A partir del segundo año de labores, las críticas no cesaron, e incluso se llegó a pedir, en público, mi renuncia. Materiales de construcción, diseño, ubicación, etcétera, fueron objeto de las diatribas. Fueron momentos difíciles, en los que hubo necesidad de mantener entereza y verticalidad.[2]

[2] A unos meses de terminar mi gestión, hice una defensa vigorosa de la labor de instituto, tratando de responder a las críticas del movimiento obrero. El discurso fue duro. Lo publicamos íntegro en uno de los periódicos de la capital. Pensé que me iban a correr. El presidente me llamó para felicitarme (*véase* Anexo 4).

El equipo de trabajo, todo el equipo, respondía a esos ataques sin fundamento con convicción, evitando el enfrentamiento abierto, con inteligencia y astucia.

El fondo del problema era que los líderes obreros querían meter la mano en las tareas del instituto y asegurar el beneficio a favor de sus agremiados y de ellos mismos. Me resistí a ello con todas mis fuerzas, convencido que la apertura de las puertas equivaldría, como en alguna ocasión le señalara al propio presidente de la República, a convertir al instituto en una tesorería de la corrupción. Me temo que, años después, fue lo que sucedió.

Uno de los insumos más escasos en cualquier programa de vivienda es la tierra, sobre todo en un país que ha registrado un intenso proceso de urbanización. Por ello, desde el principio nos abocamos a adquirir terrenos, siempre con el visto bueno de las comisiones consultivas regionales. Fue una operación gigantesca y, me parece, acertada. Pudimos llevar a cabo obra en distintas etapas en varios años en una misma localidad, e incluso al término de nuestra gestión dejamos varios miles de hectáreas para la labor de la siguiente administración.

Por cierto, en una publicación realizada por el instituto al final de la administración, titulada *INFONAVIT, una nueva institución de la República, 1972-1976. Los primeros pasos*, se consigna con detalle la lista de los terrenos adquiridos hasta el mes de septiembre de 1976. La lista incluye la localidad, el número de acuerdo del Consejo de Administración, la superficie y el precio por m^2, el costo total y el nombre del vendedor. La superficie total adquirida fue de 66.8 millones de m^2, con una inversión de algo más de 2000 millones de pesos, a un precio promedio general de 31 pesos por metro cuadrado.

La tarea no estuvo exenta de problemas, dadas nuestras conocidas deficiencias en la titularidad de la tierra y el magnetismo de la corrupción. Recuerdo dos casos.

El primer conjunto habitacional del INFONAVIT fue en Tijuana y lo denominamos Lomas del Porvenir. Era un terreno en alto, conocido como el de la estación inalámbrica, perteneciente a la Secretaría de Comunicaciones y Transportes (SCT). Con motivo del XXX Aniversario del instituto, tuve la enorme satisfacción de ser invitado a la ceremonia conmemorativa en aquel lugar, y pude apreciar, con emoción, el mejoramiento en la calidad de vida de sus moradores. Poco tiempo después de haber hecho la primera entrega de casas, se presentó en las oficinas centrales una persona mostrando el título de propiedad de Lomas del Porvenir. El propietario no había sido la SCT, a la que, por supuesto, le habíamos pagado. Era una situación insólita, con miles de trabajadores convertidos en una especie de invasores. El asunto se negoció y fue resuelto mediante un pago adicional al legítimo propietario, que se incorporó al costo total del proyecto. La SCT no hizo ningún reembolso.

Acapulco ha padecido siempre de un grave problema habitacional, sobre todo para aquellos trabajadores ligados a la industria turística. Con buen tino decidimos hacer una compra masiva de tierra en una zona denominada El Coloso, situada en lo que ahora es la ubicación de crecimiento más dinámico del puerto, el llamado Acapulco Diamante. Compramos cerca de 350 hectáreas a un precio promedio de alrededor de ocho pesos por m^2. A través de varias etapas de desarrollo, hoy habitan ahí más de 50,000 personas con una casa cerca de su lugar de trabajo. El gobernador Israel Nogueda, compañero mío de la Escuela de Economía, había auspiciado la operación junto con un profesor guerrerense del Politécnico. El gobernador electo, Rubén Figueroa, hizo entonces una denuncia por fraude en la operación, que culminó con el desafuero y acusación penal de Nogueda. Tal parece que en el pago a los campesinos propietarios, les había llegado un pago menor al que el instituto había cubierto. Por cierto, el día del cierre del trato y el pago respectivo, llamé a la prensa de Acapulco e hice que la fotografía del cheque entregado apareciera en los periódicos locales del día siguiente. Fueron momentos muy difíciles en los que se mezcló el nombre del instituto en una operación dolosa, pero ajena.

Años después, he tenido oportunidad de escuchar explicaciones de Nogueda sobre este asunto. Me quedan, sin embargo, interrogantes importantes.

La dimensión misma de la institución planteó retos importantes en su operación inicial. Con frecuencia nos enfrentamos a dificultades en el suministro de diversos materiales de construcción: ladrillo, vidrio, cerraduras, puertas, etcétera. Recuerdo la anécdota que narra Miguel González Avelar, subdirector jurídico: "Uno de los primeros frentes de construcción fue la unidad Profesor Domingo Carballo, en La Paz, Baja California Sur. Visité ahí al único notario para adelantarle... Que se iban a necesitar ciento cincuenta escrituras. Me dijo: ¿Cómo quieren que en dos meses pueda hacer ese número de escrituras? No las hago ni en dos años.

De manera paralela y no muy convencida, en esos primeros años hicimos compras masivas y adelantadas de diversos insumos para la construcción de casas: cemento, ladrillo, cerraduras, vidrio, etcétera. Tal vez hayan servido para evitar, en alguna medida, mayores costos en la edificación.

En el terreno financiero hicimos innovaciones importantes. Los créditos iniciales del INFONAVIT se cubrían de acuerdo con una tabla de amortización con pagos iguales a lo largo de la vida del crédito. Así era la operación tradicional del crédito hipotecario en el país. Sin embargo, en aquellos primeros años la inflación empezaba a ser un problema y amenazaba con "comerse" las recuperaciones en un plazo corto. Fue necesario un arduo esfuerzo de la subdirección financiera, a cargo de Roberto Molina Pasquel después de la renuncia de Marcelo Javelly en 1974, para convencer al Consejo de Administración y, tras de vencer muchas resistencias, se logró el cambio en el sistema de amortización de los créditos. En lugar de una cuota fija que se iba a erosionar, se aprobó que el crédito se cubriera con el descuento de un porcentaje del salario del trabajador. Con ello, se amplió su posibilidad de adquirir una mejor vivienda y se logró proteger las finanzas de la institución.

Por otra parte, debo señalar que hace treinta años el instituto inició un programa muy exitoso: aprovechamiento de lotes baldíos en la ciudad de México o saturación urbana. Pequeños lotes de terrenos enclavados en el centro, donde edificamos pequeños conjuntos de vivienda, aprovechando toda la infraestructura urbana existente.

Una vez transcurridos los primeros meses de labores en la nueva institución, consideré que, para darle solidez institucional, convendría hacerle su propio edificio: "La casa de las casas." La aprobación del consejo no parecía fácil. Presenté para su consideración la compra de un avión para poder cubrir, de mejor manera, nuestras actividades en todo el territorio nacional.[3]

La solicitud, como lo había anticipado, fue rechazada. En la siguiente sesión de consejo, presenté la solicitud para comprar un terreno propiedad del Banco de México y edificar la sede de la institución. Apro-

[3] Hice giras casi todos los fines de semana de esos primeros años. Utilicé casi todos los aviones de las diferentes entidades gubernamentales —nunca de empresarios privados—, algunos de los cuales no estaban en las mejores condiciones. Salvo pequeños sustos, no tuvimos problemas mayores.

bado. De inmediato, iniciamos los trabajos: Teodoro González de León y Abraham Zabludovsky hicieron el proyecto y la empresa de Crescencio Ballesteros fue la encargada de la obra de construcción. El costo total fue muy razonable para aquellos años, y casi ridículo a los precios de hoy. En siete meses y con un trabajo frenético, el edificio fue inaugurado por el presidente de la República el primero de mayo de 1975. Un edificio espléndido —imitado después por el edificio de El Colegio de México y por varias sucursales de Banamex que han utilizado el concreto martelinado como elemento principal— que luce hoy, después de casi treinta años, con la presencia y el brillo con los que fue inaugurado.

Algunos problemas

En una institución recién nacida y que afectaba tantos intereses económicos y políticos, fueron muchos los problemas de toda índole que nos tocó enfrentar.

El mayor de todos, sin duda, fue el regaño del presidente de la República en su informe a la nación el primero de septiembre de 1975. En palabras improvisadas fuera del texto formal, el presidente Echeverría se hacía eco de los reclamos del movimiento obrero y expresaba su insatisfacción con nuestra labor. Las cámaras de televisión enfocaron mi cara de sorpresa e indignación. En la tarde le presenté mi renuncia al licenciado José López Portillo, secretario de Hacienda y presidente del Consejo de Administración del Instituto, misma que no me fue aceptada. El presidente anunció al día siguiente una visita personal a la sede de la institución. La mayoría del personal anunció una renuncia masiva, hecho que me conmovió profundamente. En poco más de 24 horas, preparamos un informe de nuestras labores en todos los frentes a lo largo de cuarenta meses de actividad. A la llegada del presidente, le hicimos entrega de un libro impreso con el informe correspondiente. Fue apabullante y reflejo de una reacción colectiva y emocionada ante lo que era, sin duda, una injusticia.

Años después, en conversación privada con el expresidente, me confesó que no había sido un ataque a la labor del instituto y a su director, sino que fue una manera de manifestar su cercanía política con el movimiento obrero. Días después, el licenciado López Portillo era "destapado" como candidato del Partido Revolucionario Institucional (PRI) a la presidencia de la República, por voz de Fidel Velázquez, presidente del

Congreso del Trabajo. El argumento nunca me convenció, y sigo pensando que fue un error y una injusticia.

Años más tarde, revisando papeles en mi casa, me encontré con cientos de cartas de renuncia de secretarias, ingenieros, arquitectos, mensajeros, etcétera. La emoción me volvió a invadir todo el cuerpo.

De otra naturaleza fue la inundación en el conjunto habitacional Domingo Carballo, en la ciudad de La Paz. El conjunto es precioso, pues se construyó en medio de una de las pocas huertas que existían en esa ciudad. El ciclón Liza azotó a La Paz el 30 de septiembre de 1975 y rompió unos diques de contención que no se habían terminado. El caudal de agua arrastró todo lo que encontró a su paso: casas, vehículos, animales y personas. A pesar de ciertas defensas de ingeniería que se habían construido en el conjunto, el agua hizo estragos importantes, e incluso algunas personas perdieron la vida. El clima de indignación surgió y amenazaba con crecer. Por recomendación del propio gobernador, Ángel César Mendoza, amigo entrañable mío, me trasladé al día siguiente para enfrentar el reclamo de cientos de mujeres. Fueron momentos dramáticos que, afortunadamente, se pudieron encauzar gracias, en buena medida, a la oportunidad de la respuesta.

En la ceremonia de entrega de un pequeño conjunto de viviendas en Ciudad Madero, Tamaulipas, zona petrolera, nos enfrentamos a un bloqueo de trabajadores de la CTM que impedían el acceso a la ceremonia y amenazaban con utilizar la violencia. Los beneficiarios de esas casas no pertenecían a esa central obrera, lo cual explicaba su enojo. El que arengaba lo hacía desde un camión de redilas y utilizaba un aparato de sonido. Al cabo de un rato, logré que me prestara el micrófono para pronunciar unas breves palabras con elevado tinte patriótico y resaltando el espíritu solidario de la institución. Los convencí y pudimos llevar a cabo la ceremonia como estaba previsto.

A mediados de los años setenta, el clima que se respiraba en la ciudad de México no era de tranquilidad. Había habido secuestros y grupos de inconformes amenazaban la paz social. Unas horas antes de iniciar una de las reuniones de la asamblea general en el auditorio del cuarto piso del edificio de Reforma, recibimos en mi oficina una llamada para avisarnos que a las 5:00 de la tarde al inciar la reunión, estallaría una bomba. Con una tranquilidad fingida, iniciamos una búsqueda por todos los rincones del edificio y llamamos al Estado Mayor Presidencial que envió a un grupo de técnicos en explosivos. Nada. Zozobra, nerviosismo. A las cinco de la tarde iniciamos la asamblea. Pasaron los minutos y afortunadamente no pasó nada. Los pocos que estábamos enterados respiramos con confianza y alivio.

Los últimos meses

Los últimos meses de la primera administración del INFONAVIT corrieron con gran velocidad. Tratamos de completar la tarea. Aceleramos los trabajos en todas las áreas de actividad del instituto: edificación, otorgamiento de créditos, regularización de asuntos pendientes, escrituración, etcétera. La entrega fue total. Se trabajó de sol a noche, incluyendo fines de semana. Hubo necesidad de solicitar trabajos voluntarios fuera del horario normal de trabajo, a lo que el sindicato se opuso. Sin embargo, fueron rebasados, y esas jornadas voluntarias se llevaron a cabo. Mi reconocimiento a la solidaridad, emoción y entrega de los trabajadores del instituto.

En la última gira presidencial del licenciado Echeverría, hicimos entrega del conjunto Pomona II, en Xalapa, Veracruz. Era el 28 de noviembre de 1976, en la tarde. Fue una fecha inolvidable, a la que acudimos la plana mayor del instituto, impregnados de emoción y con la sensación de haber cumplido con una tarea importante. En aquella ocasión, expresé frente al señor presidente de la República que “nada ha sido más grato y emocionante que participar en la creación de una institución de bien, para bien de México”.

No cabe duda que el INFONAVIT representa uno de los logros más importantes en la administración del presidente Echeverría.

Al finalizar la jornada unos días después, entregamos buenas cuentas. Una institución limpia y honesta; a los prietitos en el arroz se les combatió con firmeza. Presencia en más de 120 ciudades del país, en muchas de las cuales nunca se había hecho un conjunto habitacional; un número de créditos individuales sin precedente en la historia de México, y una amplia dotación de reservas territoriales para cubrir necesidades futuras. Yo no recuerdo, y lo digo con objetividad, una nueva institución que en sus primeros cuatro años y medio tuviera los resultados del INFONAVIT.

Por otra parte, debo reconocer que mis relaciones con el movimiento obrero no fueron y no quedaron en los mejores términos.

El 30 de noviembre de 1976 sonó la red privada del gobierno. Era Gustavo Carvajal, secretario particular del presidente electo. Me anunció el nombramiento de José Campillo Sainz como nuevo director de la institución. Pregunté si no había otro mensaje. No. Yo tenía confianza de recibir una invitación para incorporarme al equipo de trabajo del presidente López Portillo y continuar mi carrera en el gobierno, que era mi vida. La institución había hecho un buen trabajo y merecía reconocimiento. No fue así. Tal parece que mi conflicto con el sector de los trabajadores hacía poco aconsejable algún nombramiento destacado.

El 2 de diciembre tuvo lugar la asamblea general y la designación del nuevo director. Al término de la ceremonia, realizada en el auditorio de la planta baja del instituto, había que subir a mi oficina en el cuarto piso a recoger mis últimas pertenencias. Todo el personal se ubicó en los pasillos del patio central. Me desconectaron el elevador para obligarme a subir por las escaleras. Un aplauso largo y nutrido me acompañó los cuatro pisos. Emocionante; me costó mucho trabajo contener las lágrimas de emoción. Recuerdo imborrable que agradezco y me conmueve hoy como ayer.

Salí del edificio y abordé un coche que Carlos Abedrop me había prestado. Semanas después me incorporé al Banco de México y al Colegio de México, con la mente y el espíritu abiertos para enfrentar nuevos horizontes.

Durante varios años evité pasar por las calles de Barranca del Muerto. Le di vuelta a la hoja.

El grupo de fundadores y el regreso

La nueva administración buscó, desde el principio, recomponer sus relaciones con los líderes de los trabajadores. Una manera de hacerlo era criticar al equipo anterior. Suele suceder.

Para hacer frente a dicha actitud y para estar preparados en grupo para enfrentar cualquier eventualidad, se organizó el grupo de fundadores de INFONAVIT. Una idea loable que buscaba mantener una cierta unidad entre quienes habíamos colaborado en aquellos primeros esfuerzos.

El grupo se mantiene, después de más de treinta años. Un círculo más íntimo nos reunimos cada mes y medio o dos meses, y el grupo más general celebra, por lo menos, una cena-baile cada diciembre. En las últimas ocasiones, nos hemos reunido más de trescientas personas, en un ambiente de camaradería y buenos recuerdos. Muchos años han transcurrido y ello se refleja en nuestra apariencia física. Se mantiene el espíritu alto que reconoce que, en muchos casos, trabajar en el INFONAVIT ha sido la experiencia más valiosa de nuestras vidas. Lo digo no sólo yo, sino muchos.

La administración actual del instituto, de manera generosa, facilitó la publicación de un folleto celebrando los primeros treinta años de actividad. El título fue acertado: "Los cimientos de una fuerza". En él, Miguel González Avelar expresa: "Es un motivo de satisfacción y orgullo haber podido participar en una obra de esa magnitud, vocación y alcance social". Roberto Molina Pasquel habla de la "oportunidad extraordinaria" y Julio Millán, primer director sectorial empresarial, reconoce que "fue un punto de inflexión en mi vida". Francisco Santoyo, secretario del Consejo de Administración y posteriormente subdirector financiero de la institución expresa: "Haber trabajado aquellos días en el instituto cambió el rumbo de mi desempeño profesional, al darme cuenta que es factible conciliar los más diversos intereses cuando se tiene vocación por el servicio público y cuando se siente amor por México". "Cuando estaba todo por hacerse, es una de las experiencias que recuerdo con mayor satisfacción", dice Víctor García Lizama. Fernando Ordóñez señaló que "fue una gran satisfacción trabajar en el instituto desde sus inicios, fue la mejor y mayor experiencia para alguien interesado en el sector de la vivienda", y René Acuña, hoy en activo en la institución, nos comenta que ha sido "la experiencia más intensa y gratificante de mi vida profesional".

No cabe la menor duda que la vida da muchas vueltas. El primero de mayo de 1982, en mi calidad de secretario de Hacienda regresé a la asamblea general del INFONAVIT. Al ingresar al edificio sede se me agolparon recuerdos estimulantes y la presencia de críticas que nos habían lastimado. El personal se arremolinó alrededor de los patios y me tributaron un aplauso emocionado, de esos que permanecen en la memoria. Fue una manera, así lo sentí, de expresar un reconocimiento sincero y sentido a todos aquellos que pusimos la primera piedra de una gran institución.

A manera de conclusión

Es indudable que uno de los logros importantes del gobierno del presidente Vicente Fox fue su política de vivienda. La construcción de casas y el otorgamiento de créditos para su adquisición no tiene precedente. Los promotores de vivienda han estado muy activos. Me temo, sin embargo, que en el corto plazo se puede generar una sobreoferta de viviendas frente a la demanda real, sobre todo ante una posible alza de la tasa de interés. La banca privada que ha concentrado sus activos en créditos hipotecarios y al consumo, ha aprovechado el bajo nivel de las tasas de interés. Sin embargo, el pivote fundamental ha sido el dinamismo del INFONAVIT. Hoy en día, uno de cada diez mexicanos vive mejor gracias a la labor de esa institución. En buena hora.

Decía García Lorca: "Yo ya no soy yo, mi casa no es ya mi casa". Ahora millones de mexicanos pueden decir: "Yo ya soy yo, mi casa es ya mi casa".

La crisis del 82 y después[1]

México disfrutó durante cuatro décadas, de un largo periodo de crecimiento y desarrollo. En todo este tiempo, el año próximo sería o podría ser mejor que el presente. Los ojos miraban siempre al porvenir. La mayoría de los mexicanos mejoraron su nivel de vida y su horizonte. Por supuesto que otros muchos no sintieron los beneficios del progreso. Pero el país creció y se desarrolló dentro de un amplio clima de estabilidad política y social. Con frecuencia se le destacaba como ejemplo para otros esfuerzos.

En agosto de 1976, con la devaluación del peso mexicano —cuya paridad con el dólar había sido la misma desde 1954— se marca el fin de una época en la vida económica del país.

La etapa anterior —de desarrollo estabilizador— fue criticada por concentrar la atención en aquellos aspectos cuantitativos del desarrollo, descuidando las cuestiones sociales y la distribución del ingreso. Se inicia, pues, un esfuerzo de "desarrollo compartido" que pretendía continuar el crecimiento, pero para distribuir mejor sus frutos. El instrumento utilizado fue esencialmente gastar más. El resultado, sin embargo, bajo la influencia de otros factores internos y externos, fue un aceleramiento de la inflación, una baja en la tasa de crecimiento de la economía, una devaluación y un aumento explosivo de la deuda externa. Los esfuerzos por mejorar el bienestar social fueron cancelados por el efecto perverso de la inflación.

Fue una primera y clara lección de los riesgos que implica olvidar lo elemental. No se puede gastar más de lo que se tiene por mucho tiempo.

[1] Las primeras 31 páginas de este capítulo fueron escritas en el mes de noviembre de 1986. Algunas adiciones y ajustes se hicieron nueve años después.

Sobre todo si no hay quien pague la diferencia de manera adecuada. Esto es cierto en los individuos, las empresas y los países. Bueno, en casi todos los países. La lección iba a ser olvidada poco tiempo después.

Había que corregir los errores y los excesos. En 1977 se establece un programa de ajuste interno, con apoyo del Fondo Monetario Internacional. El programa se cumple de manera cabal en el primer año, ayudado por coincidir también con el comienzo de una administración gubernamental. Después, el país inicia una etapa de expansión sin precedentes. El petróleo y el crédito externo serían los grandes impulsos. La explicación del auge y sus manifestaciones servirá posteriormente para entender la crisis de aquellos años.

En 1978, el descubrimiento de ricos mantos petroleros[2] en la zona de Campeche, en el Golfo de México, cambió la actitud fundamental del gobierno y de la sociedad en su conjunto. Y la del mundo externo. Éramos un país rico en petróleo, y el petróleo era un bien codiciado por todo el mundo; su precio estaba en franco ascenso. Una porción importante de la inversión pública total se canalizó al sector petrolero y los resultados no se hicieron esperar. La producción se elevó de quinientos mil barriles diarios en 1976 a 2.3 millones de barriles en 1981. Las exportaciones registran aumentos considerables en volumen y valor: de doscientos dos mil barriles diarios y 987.7 millones de dólares en 1977, a más de novecientos mil barriles diarios y 15,622.7 millones de dólares en 1982. El incremento es notable. Sin precedente. De la noche a la mañana México se convierte en uno de los productores y exportadores de petróleo más importantes del mundo.[3]

La oportunidad había que aprovecharla. Se podía acelerar el proceso de desarrollo económico y social del país de manera inusitada.

La banca internacional disponía de altos niveles de liquidez, producto de los depósitos cuantiosos de los países productores de petróleo y del poco dinamismo de la demanda de crédito en las naciones industria-

[2] Las reservas probadas totales pasaron de dieciséis mil millones de barriles en 1977 a más de cuarenta mil en 1978. El yacimiento de Cantarell, uno de los más grandes del mundo, ha llegado a producir más de dos millones de barriles diarios, representando alrededor de 60% de la producción total de crudo. Hay, sin embargo, indicios de que su capacidad ha empezado a descender

[3] En 2005, la producción de petróleo en México ascendió a 3,333,349 barriles diarios, en comparación con 771,000 en 1975.

les. Los países en desarrollo podían ser buenos clientes. En especial los que tenían importantes reservas de petróleo. El margen de utilidad era incluso superior.[4] De esa manera, diversos factores se juntaron para provocar una nueva explosión del endeudamiento externo. Lo mismo sucedió en el gobierno y en el sector privado. La deuda externa total —pública y privada— pasó de 27,300 millones de dólares en 1976 a 74,000 millones de dólares en 1981. Y esto sucedía cuando nuestras exportaciones habían alcanzado niveles que no se habían imaginado antes.

En tanto el mundo atravesaba por un periodo de estancamiento, México crecía a tasas aceleradas, sin precedentes. En el lapso de 1978 a 1981, el ritmo de crecimiento promedio del producto nacional bruto fue de 8.4%. Habíamos —a diferencia de los otros países productores de petróleo, cuya capacidad de absorción interna era limitada y sólo elevaron sus activos financieros— encontrado la fórmula para usar eficientemente los recursos petroleros. Son abundantes las menciones en la bibliografía de la época al ejemplo que México representaba.

En el frente interno, el ambiente es de euforia. Sobre todo en las clases medias y altas. "Administrar la abundancia" era mejor que enfrentar la realidad y la pobreza.

Algunos funcionarios del sector financiero consideraron importante, incluso, analizar las formas para prestar dinero a otros países, pues estábamos a punto, casi, de convertirnos en un nuevo país exportador de capitales.

Los Bancos Nacional de México (Banamex) y Bancomer, los dos más importantes de nuestro sistema bancario, compran dos pequeños bancos en California y Texas. Por su parte, el gobierno mexicano, junto con bancos de México, Estados Unidos, Francia, Inglaterra y Alemania, forman Intermex, un banco de consorcio —así se denominaban— en Londres, Inglaterra.

Los patrones de gasto de consumo se modifican, con una clara y chocante orientación hacia el exterior. La sobrevaluación del peso contribuye, en buena parte, a este fenómeno. Lo más barato que se puede comprar en México —solía comentarse en esos años— es un dólar, o lo que

[4] El diferencial promedio sobre la tasa preferencial o sobre libor que pagaban los países en desarrollo en 1981 era casi dos puntos superior al cubierto en los préstamos domésticos. Además, y más importante, buena parte de las utilidades totales de los bancos en esos años provenían de sus operaciones con el exterior.

es lo mismo, compra de dólares, importaciones y turismo al exterior. Y era cierto.

Las voces de prudencia no son escuchadas. Además, no eran muchas. El petróleo nos permite dejar de hacer las cosas que era necesario hacer. En la mente de los protagonistas importantes de la vida nacional, incluyendo al presidente López Portillo, no se incorpora la posibilidad de que las cosas podían cambiar. Era un camino en permanente ascenso. Pronto se supo que no era así.

En junio de 1981 el precio del petróleo sufre un ligero ajuste hacia abajo. Los mecanismos para ahorrar energía y cambiar los patrones de consumo en los grandes países industriales empiezan a rendir frutos. El mercado se torna de compradores. Independientemente de la controversia que el descenso del precio de los hidrocarburos produce dentro del equipo de gobierno, la baja se interpreta como un fenómeno temporal, ante el cual no había necesidad de introducir ajustes al programa económico de expansión ni ajustar a la baja los precios del petróleo, de conformidad con lo que sucedía en el mercado mundial. Varios países suprimen sus compras de petróleo mexicano y las ventas se desploman de 1.3 millones de barriles al día en el primer trimestre de 1981 a menos de 500 mil barriles en julio y agosto de ese año. Visto en retrospectiva y a pesar de la ausencia de elementos firmes en su momento, tal vez esa interpretación haya sido uno de los errores económicos más serios y costosos en la vida reciente del país.[5]

Por su parte, el nivel sin precedente de la tasa de interés real en los mercados internacionales,[6] la caída en los precios de nuestras principales exportaciones no petroleras —algodón, café, minerales— y la sobrevaluación del peso agregaron incertidumbre acerca del futuro cambiario y estimularon una enorme salida de capitales hacia el exterior. Durante julio y agosto de 1981 salieron del país alrededor de 9,000 millones de dólares. Este éxodo se compensó con un precipitado proceso de contratación de crédito externo a corto plazo. La capacidad de obtención y negociación de recursos de la banca internacional se puso a prueba y fue

[5] En un diario inconcluso que llevé a lo largo de un viaje oficial al Oriente, en junio y julio de 1981, al enterarme de la baja del precio del petróleo y de nuestra reacción oficial escribí: "Hoy se inicia lo que puede convertirse en la crisis económica más seria de nuestra historia."

[6] En Estados Unidos, la tasa nominal de interés a corto plazo alcanzó un nivel de veinte por ciento.

todo un éxito, medido por los recursos contratados. Éxito, sin embargo, efímero. En 1981 el país utilizó más recursos externos que en todo el periodo 1975-1980. La estructura por plazos de la deuda externa que se había mejorado sustancialmente en los años anteriores sufrió un deterioro serio. Al final de 1981 la deuda a corto plazo era 20% del total; un año antes representó sólo 5%.

En la subsecretaría de Hacienda, veíamos el proceso de deterioro de la economía con una enorme preocupación. Nuestra influencia ante el secretario estaba disminuida, al identificarnos con el "otro" equipo, del licenciado De la Madrid, que en esos meses sería declarado candidato a la presidencia de la República. Además, la influencia de prudencia de la propia secretaría frente al jefe del ejecutivo había perdido fuerza ante las voces en pro del gasto que venía de otros grupos dentro del gobierno. Son cosas que pasan.

A fines de agosto de 1981 se anunció un primer programa de recorte de 4% al gasto público,[7] freno a las importaciones y otras medidas insuficientes de ajuste económico. Los objetivos para reducir el déficit público no se cumplieron sino al contrario.

Al finalizar el año, aquél era dos veces mayor en términos reales que el del año anterior, (7% del PIB en 1980 pasó a 14% en 1981). La historia volvería a repetirse poco tiempo después.

A pesar de todo esto, el año de 1981 fue todavía un año de crecimiento acelerado, sobre todo por el impulso del primer semestre. El nivel de reservas se mantuvo razonablemente bien.

El inicio de 1982 —último año de la administración del presidente López Portillo— mantuvo los signos desfavorables de los meses anteriores. Al más alto nivel se reiteraba una firme defensa de la política cambiaria que sólo atizó la hoguera. El 17 de febrero de 1982 se anunció —por cierto de manera desusada[8]— el retiro del Banco de México del mercado

[7] Los recortes al gasto público con un enfoque proporcional —"cortar parejo"— no funcionan ni han funcionado nunca. Los mecanismos de defensa que surgen obstaculizan la medida. Poco después, el mismo error se iba a repetir.

Un secretario constructor —Emilio Múgica— había respetado el recorte al gasto público, pero, al poco tiempo, solicitaba una ampliación para terminar el puente, al que sólo le faltaba cerrar la parte central para poder unir los dos extremos.

[8] El anuncio lo hicieron el director del Banco de México y el director de Comunicación Social de la presidencia de la República, desde Los Pinos y en ausencia del secretario de Hacienda.

de cambios. El peso se dejó fluctuar de acuerdo con la oferta y la demanda de dólares. Sufrió una devaluación de algo más de 30% en unos días. La medida empezó a surtir sus efectos y la salida de dólares se detuvo, aunque con una intensidad menor a la esperada.

Un mes después de la devaluación hubo cambios de mando en el equipo económico. El autor de estas líneas por David Ibarra en la Secretaría de Hacienda y Miguel Mancera por Gustavo Romero Kolbeck en el Banco de México. Además de resolver algunos problemas de diálogo interno en el gobierno, se trataba de facilitar la transición a la nueva administración.

Al día siguiente del cambio se anunció un ajuste salarial. Se autorizaron incrementos de 30, 20 y 10% según el nivel de salario para compensar los efectos inflacionarios de la devaluación.[9] El deterioro registrado en los niveles de salario real justificaba aparentemente la medida. Sin embargo, los grupos con recursos económicos la interpretaron como señal de la falta de decisión política de las autoridades para llevar a cabo el ajuste necesario y aprovechar la dolorosa —siempre dolorosa— devaluación. Los efectos favorables de esta medida se vieron nulificados, por lo menos en parte, por la reacción psicológica que provoca el aumento salarial. La salida de capitales se reanudó y un ambiente de creciente incertidumbre y desconfianza se apoderó del país.

El 20 de abril de 1982, después de largas y complejas negociaciones dentro del gobierno, se hizo público un programa de ajuste económico de corte ortodoxo, elaborado por las autoridades financieras del país. A causa de las dudas que su ejecución planteaba y con el propósito de darle más fuerza y elevar las posibilidades de su cumplimiento, el programa se anunció en un decreto presidencial, refrendado por todos los secretarios de Estado que formaban el gabinete económico (véase *Diario Oficial* del 20 de abril de 1982). Empero, al poco tiempo y a pesar de algunas señales positivas aisladas, se observa que difícilmente se alcanzarían las metas previstas. El gasto público mantenía su ritmo elevado. No era fácil detener un coche que traía mucha velocidad.

[9] El planteamiento original era un aumento de 30% parejo. Eso era equivalente a nulificar el efecto de la devaluación, que es una medida que requiere otros mecanismos de ajuste para que surta los efectos buscados. Logré una cierta moderación en el aumento salarial, pero sin efectos suficientes.

Era un periodo de auge y eso gusta a casi todos. Las actitudes e intereses de aquellos sectores beneficiados por la política expansionista, difícilmente podían ser contrarrestados. Se requería una convicción profunda, una movilización social y política para lograr el cambio. Esto no se dio.

En diversos círculos del gobierno se insistía en que lograríamos crecer más de 6%, en términos reales, durante 1982. El entorno internacional era de bajos niveles de actividad económica, descenso en los precios de las materias primas y altas tasas reales de interés. En esos días di una conferencia de prensa ante corresponsales extranjeros, y vaticiné un crecimiento de "cero" y hablé, por primera vez, de la crisis que se iniciaba. Esta posición levantó una pequeña tormenta política. Desafortunadamente, los hechos posteriores me darían la razón.

A mediados del año se empezó a hablar de la necesidad de entablar conversaciones con el Fondo Monetario Internacional. Esto recibió una total oposición política. En el sexenio anterior, las negociaciones con el FMI fueron la expresión más clara del fracaso de la política económica. Era natural, pues, la resistencia para ello.

El 4 de julio se llevarían a cabo en todo el país las elecciones presidenciales y de legisladores. Había que llegar a esa fecha en las mejores condiciones posibles. El señor presidente de la República, en repetidas ocasiones, me transmitió su inquietud de mantener el barco a flote para las elecciones. La salida de capitales continuaba. El 30 de junio se firmó un crédito jumbo de 2,500 millones de dólares con casi cien bancos de todas las regiones del mundo. Se enfrentaron dificultades para la lograr la participación necesaria. La banca empieza a apreciar los problemas y a frenar su entusiasmo con México.[10]

La crisis de la deuda

Desde el mes de mayo de 1982 se habían iniciado contactos frecuentes y discretos con las autoridades de los organismos financieros internacionales y con el gobierno de Estados Unidos. El objeto era man-

[10] Sin embargo, es interesante releer algunos de los conceptos expresados en la ceremonia de firma en la ciudad de México. El señor Thomas Hodgson, del Lloyds Bank de Inglaterra dijo, por ejemplo: "La banca internacional se encuentra orgullosa de las medidas correctivas adoptadas por el presidente López Portillo".

tenerlos informados del curso de los acontecimientos y preparar el camino para un eventual apoyo extraordinario que, cada vez, parecía más claro y necesario.

Con autorización del presidente, yo salía en un avión del Banco de México, los jueves en la tarde, para llegar a Washington en la noche. Desayuno con el director-gerente del Fondo Monetario Internacional, entrevista con el secretario del Tesoro y almuerzo con Paul Volcker, presidente del Sistema de la Reserva Federal. Aeropuerto y regreso a la ciudad de México para asistir a algún evento en la noche del viernes. Nadie se enteraba de estos viajes relámpago. Por cierto, en una de las entrevistas con el secretario del Tesoro, Donald Reagan, al acompañarme a la puerta y despedirme y después de haber escuchado nuestra descripción de la situación que enfrentábamos, me dijo: "Señor secretario, usted tiene un problema", le respondí, "No, señor secretario, los dos tenemos un problema". Cara de asombro, pero de inmediato reconoció la gravedad de lo que podía ocurrir en el sistema financiero internacional.

Los meses de julio y agosto fueron terribles. Los resultados diarios del mercado cambiario daban escalofríos. Fueron varios los días en que la demanda de dólares excedía a la oferta en 200 y 300 millones de dólares. No eran ya sólo las grandes tesorerías de las empresas las que buscaban la protección cambiaria, sino también personas diversas de ingreso bajo que querían cambiar sus activos en moneda extranjera. Las reservas lo resentían. En esos días, Hacienda y el Banco de México evaluaban a diario y con todo detalle nuestra posición de activos y pasivos con el exterior; con frecuencia fue indispensable llevar a cabo operaciones emergentes en un día para obtener los dólares necesarios y cubrir compromisos para los que no se tenía con qué pagar.

A finales de julio se obtuvo el apoyo del Sistema de la Reserva Federal de Estados Unidos, con un importe de 700 millones de dólares. Se nos acabó en una semana.

Fueron días y semanas de pérdida de brújula en todos los niveles del gobierno. No se sabía a dónde íbamos ni qué hacer. La sociedad lo resentía con incertidumbre, rumores de todo tipo y desconfianza. Fueron días difíciles en los que la angustia estuvo presente, con seguridad, en todos aquellos que tenían alguna responsabilidad directa en esos asuntos.

El 5 de agosto se anunció el establecimiento de un sistema dual de cambios, equivalente a una devaluación. El efecto ya no fue el esperado.

El mercado cambiario reaccionó favorablemente un día, pero inmediatamente retomó la tendencia anterior. Una semana después se anunció la inconvertibilidad de los depósitos en dólares en el sistema bancario mexicano, los llamados mexdólares. Estos depósitos surgidos de la necesidad de retener los recursos dentro del país ascendían a alrededor de 12,000 millones de dólares. No se tenían los recursos en moneda extranjera para hacerles frente. El mercado de cambios permaneció cerrado varios días.

Fue una decisión difícil e inevitable, adoptada entre Hacienda y Banco de México. Se había iniciado el retiro en dólares de esas cuentas. No teníamos el respaldo financiero suficiente, y ante la posibilidad de un retiro masivo de fondos en el sistema bancario, se tomó la decisión de cubrir esas obligaciones en moneda nacional al tipo de cambio fijado por la autoridad. Mucha gente se sintió defraudada. Veinte años después, todavía hay quien me reclama aquella decisión.

Era claro que la emergencia había llegado. Las reservas internacionales del Banco de México se encontraban a niveles muy bajos, cada día inferiores. Los pagos por el crédito externo mostraban una fuerte concentración en las semanas y meses siguientes.

Se iniciaron las negociaciones frente a la crisis. México se vería ante la imposibilidad de continuar sus pagos financieros al exterior. Esto podía tener consecuencias desastrosas para todo el mundo. Una suspensión de pagos de México contagiaría de inmediato a otros deudores de América Latina, y un buen número de bancos de Estados Unidos enfrentarían enormes problemas, pues sus créditos a México, Brasil, Argentina y otros países excedían su capital contable.

La negociación se llevó a cabo en Washington. En el Departamento del Tesoro. Se le conoció como "el fin de semana mexicano". La negociación fue larga, llena de angustia, rabia y zozobra. El viernes 13 de agosto la reunión terminó a las cuatro de la mañana, para reanudarse en las primeras horas del día siguiente.

Se logró armar un "paquete" financiero en el que participaban el Fondo Monetario Internacional, el Banco de Pagos Internacionales, la banca comercial, las tesorerías y los bancos centrales de los principales países industriales. Por supuesto, el país deudor. Nunca antes se había hecho un esfuerzo de esta naturaleza. Era la primera vez, en la historia financiera internacional, en que todo un grupo de entidades acreedoras participaban conjunta y directamente en la solución de los problemas de un país deudor. Se estableció un precedente que sentaría pauta para el futuro.[11]

El asunto no era sencillo. Se requería de la participación de todos los participantes para que el paquete financiero de rescate funcionara. El eje de la operación era el FMI, y éste daría su apoyo sólo si el resto —bancos comerciales, bancos centrales de los países industriales, Tesorería de Estados Unidos— comprometía su respaldo. El mecanismo se conoce como de condicionalidad cruzada. Se dice fácil, pero es difícil de lograr y operar.

En el caso de la banca privada, se requería de la aceptación de todos los bancos. Eran 530 instituciones de 40 países. Se estableció un monto de nuevos créditos por 5,000 millones de dólares, equivalente a 7% del total de adeudos con la banca, que en agosto de 1982 ascendía a 73,000 millones de dólares. Cada banco debía aportar 7% de su cartera con México. Hubo algunos renuentes a quienes se tuvo la necesidad de torcerles el brazo. Hubo alguno que aportó 210 dólares. Era imprescindible la participación de todos y cada uno de ellos. La renuencia de uno podía echar por tierra todo el paquete.

Las amortizaciones de la deuda externa ascendían a 16,468 millones de dólares de agosto de 1982 a diciembre de 1983. Con la reestructuración, los pagos se redujeron a 1,475 millones de dólares (menos de 10% de lo que hubiéramos tenido que pagar).

En la negociación con Estados Unidos intervino el petróleo. Se negoció el pago anticipado de 1,000 millones de dólares a cambio de entregas de crudo durante un año para la reserva estratégica de ese país. Me acompañaron el secretario de Patrimonio Nacional y el director general de Petróleos Mexicanos (PEMEX).

Cuando alguien está quebrado, tiene que pagar más por la ayuda.[12] Ésta es la filosofía que se aplica. No era un individuo ni una empresa. Era un país amigo en dificultades. Sin embargo, eso no cuenta. Algún día habrá que cobrar el abuso. Otro más.

[11] Para una buena descripción periodística de estos sucesos, véase Joseph Kraft, *The Mexican Rescue. The Group of Thirty*, New York, 1984. Este trabajo se basa, fundamentalmente, en una serie de entrevistas con el autor de estas líneas. Además, la negociación mexicana se convirtió en un "caso de estudio" en la Universidad de Harvard y Georgetown.

[12] La tasa de interés real por el pago anticipado fue muy superior a la tasa preferencial en esos momentos.

Las condiciones financieras para el pago anticipado eran, en verdad, abusivas. La tasa de interés era excesiva y el precio del petróleo estaba por debajo de las perspectivas del mercado. El domingo 15 de agosto las rechazamos. Consulté por teléfono al señor presidente de la República, quien aprobó nuestra postura. "Tomen el avión de regreso a México y que arda Roma", me dijo. A punto de salir al aeropuerto, recibimos una llamada del Tesoro estadunidense, recortando sus pretensiones a la mitad. Nueva consulta con el presidente; alargamos nuestra salida por unas horas, no sin antes firmar los documentos correspondientes. Se había evitado una debacle de proporciones difíciles de imaginar.

Mientras tanto, el país se encontraba en efervescencia. Los rumores estaban a la orden del día: congelación de cuentas de cheques, control de cambios, cancelación y expropiación de las cajas de seguridad, etcétera. No había rumbo. Por lo menos así se sentía. Había que hacerle frente. Propuse al presidente de la República una entrevista en la televisión para el día siguiente y en cadena nacional, improvisada. Parecía una locura muy riesgosa y el presidente me autorizó.

Teníamos poco tiempo. Reuní a mis colaboradores más cercanos y pedí la preparación de algunos datos y láminas.

No hubo tiempo de hacer una preparación adecuada. El secretario de Gobernación me visitó a mediodía. Tenía dudas. Después de comer hice mis apuntes. Toda la prensa estaba convocada. Se levantó una gran expectación. Hablé durante 40 minutos. Expliqué la situación de manera sencilla, casi elemental. Describí el "paquete" financiero de ayuda. Usé la verdad como instrumento fundamental. Funcionó. La conferencia fue un éxito político y personal. Se contribuyó, un poco, a la tranquilidad. La prensa recogió la intervención de manera muy favorable: resaltó el realismo, la sencillez y la claridad. Abel Quezada publicó una caricatura en la que señalaba que si así se hubiera hablado antes, la gente habría hecho cola para aportar algo, como en los días siguientes a la expropiación petrolera de 1938. El título del cartón fue "Sólo la verdad quita el miedo".

En aquella ocasión expresé: "Definitivamente el problema que enfrentamos es muy serio, es de coyuntura y carácter financiero, es casi —exagerando los términos— un problema de caja". La expresión me perseguiría durante largos meses y años (*véase* Anexo 5).

Al día siguiente, me trasladé a Nueva York. Habíamos arreglado el apoyo con los gobiernos y ello estaba en marcha. Había ahora que negociar con los bancos. El domingo anterior, en pleno verano, había hablado con los directores generales de los principales bancos del mundo. La mayoría de ellos, a pesar de haberme comunicado al campo de golf, en el yate o en sus casas, tomaron las cosas con serenidad y espíritu positivo. El dinero se nos había acabado. Al finalizar la semana, nuestros recursos líquidos, cubriendo todos los pagos pendientes para esos dos días restantes, iban a ser de alrededor de 120 millones de dólares. El lunes 23 de agosto los pagos al exterior previstos eran de 280 millones de dólares. Imposible. Habíamos llegado al final del camino. Las fichas se habían acabado.

La convocatoria para una reunión entre los banqueros de todo el mundo y la delegación mexicana el viernes 20 de agosto a las nueve de la mañana en el edificio del Banco de la Reserva Federal de Nueva York, estaba ya en las manos de los interesados. Ese día visitamos a los presidentes de los cinco bancos más importantes de Nueva York. Tenían antecedentes: la llamada desde Washington en la que los pusimos al tanto de que México estaba a punto de suspender sus pagos por concepto de su deuda externa. Las conversaciones fueron útiles, maduras, responsables. Tomó cuerpo la idea de formar un grupo asesor de 14 bancos para representar al resto de la comunidad bancaria de todo el mundo.[13] En la noche decidimos preparar un breve folleto descriptivo de lo pasado y de nuestras intenciones. Incluso con algunas láminas ilustrativas. Parte del grupo mexicano trabajó toda la noche con eficiencia y entrega.

En la mañana temprano, antes de la reunión grande, constituimos el grupo asesor de bancos. El ambiente era tenso. De expectación. Nadie sabía lo que podía pasar.[14]

Expliqué la situación general y presenté nuestra solicitud de prórroga de 90 días para el pago de las amortizaciones de capital de la deuda pública mexicana. Había excepciones: los créditos comerciales, los contratados con los organismos internacionales —Banco Mundial, Banco In-

[13] El grupo asesor quedó constituido de la siguiente manera: Citibank y Bank of America como copresidentes; Manufacturers Hanover Trust, Chase Manhatan Bank, Chemical, Morgan y Bankers Trust, de Estados Unidos; Bank of Montreal, Canadá; Bank of Tokio, Japón; Société Générale, Francia, Bélgica y otros; Deutsche Bank, Alemania; Lloyd's Bank, Inglaterra; Swiss Bank Corp., Suiza; Banco Nacional de México, México y América Latina. Este último dejó de pertenecer al grupo después de la nacionalización de la banca.

[14] Ese día, las acciones de algunos de los bancos de Nueva York mostraron descensos importantes en sus cotizaciones de la Bolsa de Valores.

teramericano de Desarrollo— y las emisiones de bonos en los mercados de capitales del mundo.

Ángel Gurría —el gran luchador de la deuda y que tanto ha hecho por el país— contestó unas cuantas preguntas de carácter técnico. Hubo algunas voces de apoyo inmediato, otras de duda y la gran mayoría respondió con el silencio del impacto.[15] ¿Decisión difícil? En realidad, no. No había alternativa.

La crisis mundial de la deuda se había iniciado. En ese momento.

Se celebró una entrevista con la prensa de muchos países. La expectación era grande. Al día siguiente aparecí en la primera página del *The New York Times*. Nunca antes lo habría creído posible.

Además de Gurría, participaron Jorge Espinosa de los Reyes, director general de Nacional Financiera; Alfredo Phillips, subdirector del Banco de México; Luis Orcí, de la Dirección de Crédito de la Secretaría de Hacienda, y mis dos leales colaboradores Rafael Reséndiz, jefe de prensa, y Alejando de Pedro, secretario particular.

En aquellos días o semanas, el problema de la deuda externa absorbía a la opinión pública nacional. Los pasos de la negociación eran seguidos y comentados casi de manera permanente. No todo el mundo estaba de acuerdo con la estrategia del gobierno. Hubo voces que exigían la moratoria de la deuda; incluso hubo mítines frente a Palacio Nacional que clamaban por suspender todos los pagos a los banqueros internacionales. El mismo presidente de la República dudaba. Mis argumentos —aislamiento de la comunidad financiera internacional, pérdida de confianza en nuestras instituciones, suspensión prolongada de las corrientes crediticias, etcétera— no eran totalmente convincentes. El argumento que utilicé ante las dudas y las presiones para seguir otro camino, fue sencillo y contundente. México importaba alrededor de la mitad del consumo nacional de maíz. Sin dinero en el Banco de México y sin crédito, en dos meses el país y los mexicanos se quedarían sin tortillas. Difícil de imaginar.

En esencia, nuestra postura era una moratoria al pago del principal de los créditos, a la cual denominamos, de manera insistente, reestructuración. A los banqueros no les gustaba la palabra moratoria. En realidad, fue una moratoria negociada.

[15] En esencia, el mensaje era: "No tengo recursos para pagarte, pero necesito que me prestes más". No era fácil.

Por la tarde iniciamos el retorno a la ciudad de México. Nuestros rostros reflejaban el reconocimiento de la trascendencia de aquello en lo que habíamos participado.

Al día siguiente me fui a Yautepec, Morelos. Por la tarde, de huaraches, me senté en el zócalo a ver pasar a la gente del pueblo. En veinticuatro horas habíamos cambiado de mundo. Sentía un impulso mayor que el normal por estar cerca del propio.

La prórroga de 90 días transcurrió con gran rapidez. La extendimos por otro periodo semejante y, poco a poco, fuimos avanzando con mejores condiciones de plazo, tasa de interés y comisiones. Fuimos pioneros en los llamados Acuerdos de Reestructuración Multianual (Multiyear Reestructuring Agreements, MYRA), que daban un ligero respiro al enorme peso del servicio de la deuda, el que sin duda, era un obstáculo serio para el crecimiento económico. En aquellos años, México tuvo que destinar una porción exagerada de sus ingresos en moneda extranjera y de su presupuesto de egresos a cumplir con el pago de la deuda. (En 1983, el servicio de la deuda absorbió 28% del gasto público total.) Igual sucedía en la mayoría de los países latinoamericanos.

Hubo muchas propuestas para atender el problema. Decenas. Del medio académico, financiero, gubernamental. El Plan Baker, anunciado por el secretario del Tesoro de Estados Unidos en la reunión del FMI-Banco Mundial en Seúl, Corea del Sur, en septiembre de 1985, no levantó vuelo. No fue sino hasta el plan del secretario Brady en 1989, que reconocía la vieja demanda de los deudores de que había que aceptar la necesidad de reducir el peso del servicio de la deuda, cuando se da un paso efectivo hacia la solución.

La llamada "década perdida" en América Latina responde, en esencia, al problema del endeudamiento externo (*véase* Anexo 8).

La nacionalización de la banca

Se iniciaba la última semana de agosto de 1982. El último informe presidencial de José López Portillo estaba a un paso. Los banqueros de California —el Banco de América era, en ese momento, el mayor banco del mundo— no habían sido informados como los de Nueva York. Fui y vine de San Francisco.

El presidente López Portillo me había preguntado un par de meses atrás, y lo hizo en varias ocasiones, mi opinión sobre la nacionalización de la banca y el control de cambios. La primera vez le pedí el fin de semana para darle una respuesta sin precipitaciones y con toda reflexión. Hice mi tarea y le comuniqué mi opinión: tomar esa decisión para hacer frente a la crisis que enfrentábamos era como si quisiéramos curar una tuberculosis mediante la amputación de uno de los brazos. No tenía nada que ver una cosa con la otra. La única justificación posible sería política, y con efectos que pronto se verían evaporados.

El argumento de que la banca y sus funcionarios y empleados contribuían a la fuga de capitales era cierto, pero no tenía nada que ver con la estructura de propiedad de las instituciones de crédito, sino con las adversas condiciones de incertidumbre y desconfianza que enfrentábamos. Además, la nacionalización bancaria no necesariamente mejoraría el proceso de captación de ahorro y el otorgamiento de crédito —función esencial de la banca—, sino que era posible que sucediera lo contrario. Por lo que al control de cambios se refería, reiteré, en esencia, los planteamientos contenidos en un entonces reciente documento de Miguel Mancera sobre el particular.[16]

Estos argumentos fueron repetidos en varias ocasiones. El señor presidente me pidió que el sábado 28 de agosto lo viera para comentar sobre estos problemas. Así lo hicimos. Iba a pasar el fin de semana en Zihuatanejo, en compañía de sus hijos y nietos, dándole los últimos toques a su sexto informe de gobierno. Al despedirnos me comentó que su decisión la tomaría en el mar, bajo el sol y frente al viento.

Al salir de Los Pinos me llevé la sensación de que la decisión estaba tomada. Me fui muy preocupado.

El lunes 30 de agosto se celebró el V Aniversario del Banco Obrero. La ceremonia fue a las 8:00 de la mañana. Me senté a la derecha del señor

[16] Ese documento se había hecho público en abril de 1982 con el propósito de transmitir y reiterar el firme compromiso de las autoridades financieras de no imponer ese tipo de controles a los cambios y evitar una pérdida mayor de confianza. En dicho trabajo, Mancera alertaba que la aplicación de un control de cambios enfrentaría obstáculos mayúsculos en un país como México y que la existencia misma de la medida sería el más poderoso motor de la fuga de capitales. Además, "la adopción del control de cambios reflejaría un escapismo a las realidades económicas que nada resolvería y que sí conduciría, con toda probabilidad, a la paralización de amplios sectores de la economía nacional al escasear y encarecerse las divisas necesarias para la importación de insumos".

presidente. Se encontraba de muy buen humor. Se le veía descansado. Fue cordial conmigo. Salí desconcertado. Me fui con la idea de que no habría nacionalización. Tal vez eran sólo mis deseos.

Esa mañana el presidente López Portillo inauguró la asamblea anual de la Confederación de Trabajadores de México. En una parte de su discurso expresó: "Tenemos tres meses para recuperar la dignidad del país". Los periódicos vespertinos así lo destacaron. Lo interpreté como una señal clara de una decisión tomada. Pedí hablar con el presidente electo, Miguel de la Madrid. No fue posible hacerlo ese día. Me dieron la cita para las 8:00 de la noche del martes 31 de agosto.

Ese día nos convocaron a una reunión urgente en Los Pinos. Presentes los secretarios de Gobernación, Relaciones Exteriores, Defensa, Marina, Hacienda, Patrimonio, el jefe de la policía del Distrito Federal y alguien más que no recuerdo. El señor presidente transmitió su decisión: nacionalización de la banca y control integral de cambios; los decretos correspondientes serían publicados el primero de septiembre. Se dictarían las medidas de seguridad. Protección del ejército y la policía a las instalaciones bancarias, que permanecerían cerradas hasta el lunes 6 de septiembre. Se dio a conocer el nombramiento de Carlos Tello como nuevo director del Banco de México. Participó en la parte final de la reunión. El secretario de Hacienda no sabía nada.

Al salir, el presidente López Portillo me indicó lo importante que era contar con la colaboración del secretario de Hacienda en ese momento. Le reiteré mi lealtad, a pesar de los dictados inmediatos de mi conciencia. Los intereses superiores del país deben estar por encima de los personales.

La entrevista con el presidente electo se vio precedida por la visita, unos minutos antes, de José Ramón López Portillo, quien le informó de la decisión adoptada. Me encontré a Miguel Mancera. Le informé que no necesitaba asistir al desayuno oficial previo al informe presidencial. Entendió el mensaje. Se sintió aliviado.

El presidente electo De la Madrid reconoció en la medida tomada un obstáculo adicional para el inicio de su gobierno. Una desconsideración personal y política. Él mismo había expresado en conversaciones privadas con López Portillo, su opinión contraria a la idea. Insistió mucho en que la medida iba a provocar un encono social muy profundo. Los años siguientes le darían la razón a su interpretación inicial.

Primero de septiembre de 1982. Último informe de gobierno del presidente López Portillo. A las 8:00 de la mañana se llevó a cabo un desayuno en la residencia presidencial, con asistencia de todo el "gabinete ampliado". Se dio lectura —lo hizo el señor Vargas Galindo, asesor jurídico de la Presidencia— a los dos decretos de nacionalización bancaria y establecimiento del control de cambios. Los funcionarios aplaudieron la medida "revolucionaria", "sin precedente", "patriótica". No habíamos aprendido a decir la verdad. Se repetía sólo la del "emperador sexenal". Era una clara muestra de falta de madurez política en el país.

Adrián Lajous —director del Banco de Comercio Exterior— pidió la palabra y preguntó si era oportuno expresar puntos de vista contrarios a la nacionalización y al control de cambios. Se le respondió que ya no era tiempo. Se le sugirió no firmar el decreto y no asistir al informe presidencial. Lajous así lo hizo. Con dignidad, que tanta falta hacía a la mayoría de los altos funcionarios.

En el Palacio Legislativo, la mayoría de la gente no sabía nada, a pesar de algunas filtraciones que habían ocurrido la noche anterior. Años después tuve información precisa de que tanto el director general de Banamex, Agustín Legorreta, como el de Bancomer, Manuel Espinosa Iglesias, habían sido alertados esa noche por una voz de Los Pinos. La noticia le cayó de sorpresa al presidente de la Asociación de Banqueros, Carlos Abedrop. Lo mismo sucedió con el resto de los líderes empresariales. El anuncio de la decisión se recibió con una ovación de pie. Así había sucedido hasta con el anuncio de devaluaciones de la moneda. Yo mismo lo hice, sin convicción.

Mi situación era incómoda y confusa. Antes de ocupar mi lugar en los palcos para el gabinete, conversé caminando con Jorge Espinosa de los Reyes, viejo amigo, siempre prudente y sabio. Le transmití mi intención de renunciar. Me escuchó, me comprendió. Con toda energía me recomienda lo contrario. Le hice caso. Hubiera sido un grave error tomar esa decisión en ese momento. Un poco para el país y mucho para mí. La salida del secretario de Hacienda, en esos momentos de crisis, hubiera agudizado los problemas. En lo personal, hubiera sido interpretado como abandono del barco que estaba ya haciendo agua. Después de varios años transcurridos, agradezco la oportunidad de esos consejos.

Al salir del informe me invitaron a una reunión en la Secretaría de Relaciones Exteriores, convocada por Carlos Tello. El propósito era organizar unas misiones al exterior para explicar la medida. La influencia del nuevo director del Banco de México se hizo sentir desde el primer momento. Sólo por razones de autoridad modifiqué la hora de la reunión. Empezaban los problemas. Otros problemas.

Las misiones al exterior se llevaron a cabo. El objetivo no era claro. Los gobiernos de los principales países industriales agradecieron la atención.

El jueves 2 de septiembre el presidente de la República me entregó, para mi opinión, una lista con los posibles nombramientos de directores generales de la banca. La lista había sido preparada por el nuevo director del banco central. En algunas de las principales instituciones las personas propuestas no iban a despertar el grado de confianza necesario. Al contrario. En mi opinión, era indispensable hacer todo lo necesario por mantener la confianza en las instituciones. Una corrida (retiro masivo de depósitos) sobre los bancos podría tener efectos desastrosos para el país por varias décadas.

Me reuní con el subsecretario Enríquez Savignac y con el director de Crédito, Carlos Sales. Elaboramos una lista alternativa. En la tarde la puse a consideración del presidente de la República. La aprobó. Salí con la sensación de que una batalla importante había sido ganada. Habría que nombrar directores de sesenta y seis instituciones. Lo hicimos en persona, por teléfono, de cualquier manera. La reacción de los nuevos funcionarios bancarios fue patriótica.[17] Don Antonio Carrillo Flores se disculpó, por razones de edad, ante la invitación para dirigir el banco más importante. A las pocas horas me llamó para expresarme que no podía rechazar un llamado del gobierno en un momento de emergencia. Y aceptó.

[17] Entre otros, la lista de los primeros directores de la banca nacionalizada es la siguiente: Bancomer, Antonio Carrillo Flores; Banamex, David Ibarra Muñoz; Serfin, José Juan de Olloqui; Comermex, Gustavo Petricioli; Banco del Atlántico, Francisco Vizcaya; BCH, Luis Chico Pardo; Bancreser, Jesús Rodríguez y Rodríguez; Cremi, Jaime Corredor; Multibanco Mercantil de México, Víctor Navarrete; Confia, Leopoldo Solís; Crédito Mexicano, Felipe Rivapalacio; Banco Popular y Probanca Norte, Roberto Molina Pasquel; Somex, Mario Ramón Beteta; Internacional, Manuel Sánchez Lugo; Banpaís, Alfredo Luengas; Bancam, Arturo García Torres; Banco Regional del Norte, Manuel Calderón de la Barca; Unibanco, Francisco Gurría; Mercantil de Monterrey, Eduardo González; Banoro, Miguel Ángel Fox; Banco Refaccionario de Jalisco, Juan Foncerrada; Banco de Monterrey, Horacio Carvajal; Banco Continental, León Alazraki; Sofimex, Javier Vega Manzo; Banco Aboumrad, Marcelo Javelly, y Banco de Provincias, Enrique Bacmeister.

Los nuevos directores tomarían posesión de sus cargos el lunes siguiente, 6 de septiembre de 1982.

A fines de 1986 solicité a dos colaboradores sus impresiones sobre su designación como nuevos banqueros de instituciones pequeñas. En el anexo 6 se recogen estas voces, que revelan mucho del ambiente de aquellos días llenos de sorpresa, intensidad y zozobra.

La integración del nuevo cuerpo directivo de la banca tal vez haya sido un importante elemento en la normalidad —inesperada para muchos— con la que se desenvolvieron las actividades de las instituciones de crédito en las siguientes semanas.

Ese mismo día, 2 de septiembre, en reunión extraordinaria del Consejo de Administración del Banco de México y en un ambiente frío, tenso, tomó posesión de su cargo el nuevo director del instituto central.

El viernes 3 de septiembre se llevó a cabo una enorme concentración popular en el Zócalo de la ciudad de México para apoyar la medida de la nacionalización bancaria. Los partidos de izquierda la habían propuesto desde años atrás. Había un ambiente de euforia. Los banqueros no eran un grupo estimado en ninguna parte del mundo. Hablaron representantes de los tres sectores del PRI y el presidente mismo. La medida es calificada como "revolucionaria, patriótica, nacionalista".

Celebré, ese día, una comida con los principales exbanqueros: Manuel Espinosa Iglesias, Agustín Legorreta, Eugenio Garza Lagüera, Rolando Vega, Carlos Abedrop. El ambiente era de irritación, rabia y profundo enojo. Se insistió en los vicios de los decretos de expropiación, en los mecanismos de la indemnización, en la presentación de amparos frente a las decisiones del ejecutivo, en iniciar una campaña agresiva en contra del gobierno, etcétera. Les comuniqué la designación de los nuevos directores y la intención de avanzar, en la mayor medida de lo posible, en los asuntos pendientes, incluyendo la devolución de los activos no bancarios. El ambiente se tornó más tranquilo, dentro de las circunstancias.

Viajé a Toronto. Reunión anual de gobernadores del Banco Mundial y del Fondo Monetario Internacional. Había dudas sobre la conveniencia del viaje. Los problemas son para enfrentarlos, y decidí asistir a las reuniones y tratar de explicar a la comunidad financiera internacional las razones de la medida y, sobre todo, las intenciones del gobierno de la república para enfrentar la crisis, entonces complicada por las recientes decisiones.

Las negociaciones con el Fondo Monetario Internacional para obtener su apoyo, dentro del paquete global de rescate, estaban prácticamente concluidas y sólo faltaba la aprobación del presidente de la República. Las decisiones del primero de septiembre las dejaba en suspenso.

La reunión de Toronto —así se especulaba antes de su inicio— volcó su atención al caso de México. Había una enorme expectación sobre el curso que tomaría nuestro país en las semanas siguientes. Éramos el centro de las miradas.

Sábado 4 de septiembre, desayuné con Tim McNamar, subsecretario del Tesoro de Estados Unidos. Asombro por las medidas que había tomado el gobierno. Reiteré nuestra intención de evitar una ruptura con el sistema financiero internacional. Varias juntas más.

En la tarde me fui al hotel. Estaba muy cansado. Pensaba dormir quince horas seguidas para reponerme. Estando ya en la cama, me llamó mi mujer y me informó de una entrevista que Carlos Tello había sostenido esa tarde, en la residencia oficial de Los Pinos. Antes de salir le había pedido que no sometiera a consideración del presidente de la República ninguna medida financiera en mi ausencia. No lo cumplió. Ese día se anunció una reducción de 10 puntos en la tasa de interés bancaria, un aumento en los rendimientos de las cuentas de ahorro (de 4 a 20%), facilidades especiales para el financiamiento a la vivienda y diversas medidas ligadas con el control de cambios. Todo lo contrario de lo que veníamos haciendo y de lo que habíamos negociado con el FMI. Lo más serio era la baja, por decreto de la tasa de interés que seguramente iba a provocar —como de hecho sucedió— una reducción sensible en los ahorros captados por la banca. Mi mujer me sugirió el regreso inmediato. No tenía caso permanecer en Toronto y defender políticas y actitudes que ya no estaba seguro que fueran las de mi gobierno. A los pocos minutos me llamó Antonio Enríquez Savignac y me complementó la información. Salí a caminar y a meditar por las calles vacías de Toronto. Decidí quedarme y dar la pelea defendiendo aquellas actitudes fundamentales más cercanas con la defensa de los intereses superiores del país. A mi regreso a México, en caso de no ser respaldado por el presidente de la República, se obligaría mi renuncia.

A partir del domingo 5 de septiembre, se sucedieron numerosas entrevistas de la delegación mexicana con el FMI, Banco Mundial, los bancos más grandes del mundo, ministros de Hacienda y gobernadores de bancos centrales de los principales países industriales y varios de América

Latina. En todos los casos se reiteró la intención del gobierno mexicano de mantener una posición responsable y de continuar los esfuerzos por enfrentar la crisis con una actitud seria y sin extremismos, que eventualmente perjudicarían al país. El paquete financiero de apoyo que casi habíamos concluido unas semanas antes estaba pendiente de iniciar su desembolso. Dados los acontecimientos recientes, mis palabras no tenían la credibilidad que era de desear. Un ministro de Hacienda de un país europeo me preguntó, en un momento dado, si yo era la persona adecuada para hablar de la política económica de México. En cierto grado, tenía la razón. La actitud que se percibía era de falta de confianza, incertidumbre. La agenda diaria estaba repleta de actividades. Demasiadas. Recibí más de cien solicitudes de entrevistas de prensa. No dimos ninguna. Es preciso, en ocasiones, moverse con una discreción extrema, pasar desapercibidos.

En las reuniones con los ministros de Hacienda de Brasil y Argentina, en las que se plantearon los problemas que estábamos atravesando en el servicio de la deuda externa, recibí muestras de apoyo y la convicción de que en sus casos no se contemplaban problemas similares. Sin embargo, y como era previsible, a los pocos días ambos países empezarían a enfrentar la interrupción de las corrientes de crédito y dar con todo ello el comienzo más formal de la crisis de la deuda externa de América Latina.

El problema esencial era nuestra actitud frente a las negociaciones con el FMI. Su continuación era señal clara de la disposición de continuar con las reglas del juego. Su interrupción o rompimiento era señal clara de otro camino distinto y desconocido en las relaciones económicas con el exterior. El señor De Larossiere y yo convinimos en preparar un memorando informal para su presentación al presidente López Portillo. Dicho memorando, preparado por Ted Beza, alto funcionario del FMI, contenía la serie de medidas y pasos para continuar las negociaciones con el FMI y eventualmente llegar a un acuerdo de apoyo financiero con dicho organismo. A su vez, el acuerdo con el FMI era paso previo para las nuevas operaciones de crédito con la banca mundial.

Regresé a México. El vuelo de Toronto se retrasó un día, lo aprovechamos para visitar las Cataratas de Niágara. Ante los rumores de todo tipo que circulaban en la ciudad de México —incluso se hablaba de un golpe de Estado—, convenía esperar la certificación del licenciado De la Madrid como presidente electo. Así lo hicimos. Llegamos tarde en la noche, y al amanecer resentí una dolencia fuerte en el abdomen. Preferí quedarme en casa, incluso para preparar con todo detalle el acuerdo con el señor presidente, programado para el viernes 11 de septiembre a las 13:00 horas. El curso económico del país, por lo menos en el futuro inmediato, dependería de su decisión alrededor de las negociaciones con el FMI. Aceptó mi propuesta de continuar con las conversaciones. Transmití la decisión al director-gerente del organismo. Un sentimiento de alivio pudo apreciarse. México, país importante, deudor importante, era una pieza clave en el concierto global. Su salida podía tener consecuencias que nadie sabía o podía anticipar.

Ese mismo día acudí a una comida en el Banco de México con todos los directores de la banca nacionalizada. Al término de la comida Antonio Enríquez Savignac, subsecretario y amigo entrañable, observó mi semblante y me obligó a ir a la Clínica Londres para que me revisaran. Después de algunos análisis, se concluyó que padecía apendicitis y que se requería operar de inmediato para evitar el riesgo de una peritonitis. Salí del hospital por un par de horas para informar lo sucedido en la mañana al presidente electo, y regresé para los preparativos preoperatorios.

En las primeras horas del sábado 11 de septiembre me operaron con éxito del apéndice, la segunda intervención quirúrgica en ese año.[18] El rumor corrió y mi cuarto del hospital se vio inundado de colaboradores y amigos. Incluso se dijo que había sido objeto de un atentado. Bill Rhodes, el coordinador del grupo asesor de bancos, viajó desde Nueva York para cerciorarse de mi estado de salud.

Convalecencia rápida y vuelta al trabajo.

El último trimestre del gobierno del presidente López Portillo fue particularmente intenso y difícil.

No había dólares. Al no tener con qué pagar la importación de ciertos insumos, muchos artículos empezaron a escasear. Por ejemplo, la pasta de dientes, al no disponer de su envase procedente del exterior. Muchos becarios mexicanos se vieron obligados a regresar al haberse suspendido el envío en dólares de sus becas. En los hoteles de Estados Unidos no se aceptaban las tarjetas de crédito y había que pagar en efectivo y por adelantado.

[18] A fines de enero de 1982 había sido sometido a una tracotomía —una operación que abre el tórax a la mitad— para extirpar un nódulo en el pulmón derecho, sobre el cual había la sospecha de que podía ser canceroso. Afortunadamente no fue el caso.

Las importaciones de mercancías descendieron de 23,000 millones de dólares en 1981 a 9,000 en 1983. Cuando no hay dinero, las compras al exterior se ajustan.

A pesar del establecimiento del control integral de cambios, o tal vez por ello, la fuga de capitales durante esos meses de septiembre a diciembre de 1982 ha sido una de las más severas en nuestra historia. En medio de conflictos permanentes con el director del Banco de México, pudimos en aquellas semanas suavizar gradualmente las restricciones del control de cambios.

Al presidente de la República, verdaderamente abrumado en esos tiempos, y que veía cómo se derrumbaba su figura, le llegaban voces discordantes sobre el manejo de las cuestiones económicas. Una, la de Carlos Tello, y otra, la del secretario de Hacienda. Fue una etapa de desgaste para todos. Mi relación con el presidente se fue deteriorando. "Era insoportable cada telefonazo o solicitud de audiencia de Silva-Herzog", escribe el propio presidente López Portillo en sus memorias.[19]

En una ocasión en la que solicité un acuerdo urgente, el doctor Casillas, su secretario particular, me señaló que el presidente no quería verme y que lo que tuviera que tratar con él lo hiciera por escrito y que por esa vía me respondería. Insistí y reiteré que en ese momento lo peor sería la renuncia del secretario de Hacienda, a la que me estaba obligando con esa actitud. Finalmente, me recibió de pie y firmó su conformidad sobre la carta de intención con el FMI, a la cual aludiré más adelante.

José López Portillo fue un presidente muy exitoso durante los primeros cinco años de su sexenio. El petróleo y el crédito externo le permitieron un auge económico sin precedente. Aprender a administrar la abundancia era el grito de aquellos años. Sin embargo, malos consejos, ignorancia del funcionamiento de una economía y un alto grado de soberbia lo hundieron en el último año de su gestión. Hombre carismático, magnífico orador, culto, deportista en casi todas las disciplinas, disfrutó de años inmejorables. Al final, su figura se desplomó. Frivolidad y disputas familiares, carencia de recursos financieros, enfermedad, provocaron años terribles al final de su vida. A pesar de discrepancias personales, lo visitaba con cierta frecuencia como expresidente para intercambiar puntos de vista sobre el acontecer nacional, su preocupación más honda. Estuve en su sepelio,

[19] José López Portillo, *Mis tiempos*, segunda parte, Fernández Editores, México, 1988, pág. 1228.

atendido por poca gente. Fue presidente de México y para mí, eso valía mi respeto. Por otra parte, había que echar a andar el nuevo andamiaje de la banca.

Se integraron los consejos de administración de las instituciones bancarias, con una presencia destacada de representantes del sector privado, en un primer intento por suavizar el deterioro en la relación con ese sector. Se hizo un esfuerzo, con bastante éxito, para retener a los funcionarios anteriores, los que prestaron enormes servicios a los nuevos directores generales.

El funcionamiento de la banca se fue normalizando poco a poco. Su desempeño, lo afirmo convencido, fue altamente positivo e incluso, en diversos casos, considerablemente mejor que en manos privadas.[20]

La Secretaría de Hacienda mantuvo un alto nivel de respeto a la autonomía de gestión de los bancos, estimulando, al mismo tiempo, la competencia entre las instituciones. Recuerdo una llamada telefónica de uno de los directores poco después del primero de septiembre, preguntándome si debía autorizar un crédito a la empresa X. Le respondí que esa era su responsabilidad y no la mía y que lo sometiera a consideración de su consejo.

Había que iniciar en este terreno bancario tres procesos simultáneos: la enajenación de los activos no bancarios, la indemnización a los accionistas de los bancos y un proceso de fusión de las numerosas instituciones existentes.

La mayoría de los bancos poseían activos distintos a los bancarios. Muchos de ellos tenían acciones en empresas de todo tipo: industriales, hoteleras, inmobiliarias, comerciales, etcétera. Además, algunos eran poseedores de casas de descanso, aviones.

La fórmula utilizada para esta enajenación fue justa y transparente. La operación se realizó al mismo valor que fue considerado en la indemnización. Ni un peso más, ni un peso menos.

La banca mexicana del primero de septiembre, totalmente en manos de mexicanos, cumplía razonablemente bien con su papel de intermediario entre el ahorro y la inversión. Cumplía con su responsabilidad social. Sin embargo, junto con instituciones grandes —las dos mayores repre-

[20] Éste es uno de los mensajes principales del libro Cuando el estado se hizo banquero. Consecuencias de la nacionalización bancaria en México. Gustavo A. del Ángel, Carlos Bazdresch y Francisco Suárez Dávila (comps.), Fondo de Cultura Económica, México, 2005.

sentaban alrededor de 50% de los recursos de la banca, algo no muy diferente a la actualidad— existían numerosos pequeños bancos de ámbito local o regional, con manejo familiar, y que con frecuencia utilizaban los recursos del público para apoyar empresas familiares en créditos de complacencia. Por todo ello, se decidió llevar a cabo un proceso de compactación del sistema. Después de unos meses, quedaron 18 instituciones, en comparación con 66 existentes antes de la nacionalización bancaria.

Antes, incluso, del término de la administración del presidente López Portillo, se empezaron a dar los primeros pasos para la indemnización bancaria. No es algo sencillo. Definir el valor del terreno, edificio, mobiliario es fácil. Sin embargo, un mismo crédito de 100 pesos a dos acreditados puede ser muy distinto, dependiendo del destino del crédito, el deudor y sus posibilidades de recuperación, entre otras variables. La tarea es, en verdad, compleja y requiere, además, el consentimiento de la parte afectada.

Al inicio del gobierno del presidente De la Madrid, el proceso se aceleró. Se trataba de hacer lo posible para reparar las heridas que la decisión expropiatoria había generado.

Se formaron diversos grupos de trabajo con representantes de Hacienda, Banco de México y Comisión Nacional Bancaria. Se fijaron criterios básicos para la valuación, que serían aplicados por igual a los distintos bancos. Se trabajó con entrega, patriotismo y honradez. El principal responsable fue Carlos Sales, quien sería nombrado subsecretario de la Banca poco después de iniciado el nuevo gobierno. Hizo, en verdad, una labor extraordinaria.

En un lapso relativamente breve, dada la complejidad de la tarea, se concluyó el proceso de indemnización bancaria a mediados de 1985.

Los grupos de trabajo hacían una primera estimación del valor de cada banco. Se procedía, a continuación a un cotejo con los accionistas o sus representantes, y después de un intercambio, a veces difícil y de confrontación, se llegaba a un acuerdo. El acuerdo, con sus principales elementos, se recogía en un "libro azul", que era puesto a consideración del secretario de Hacienda. El pago se hizo con bonos de indemnización bancaria, con un interés razonable. En muchos casos, se usaron después en el proceso de privatización de la banca.

Hago un reconocimiento profundo a todos los que participaron en este proceso, por su entrega, transparencia y honradez. Es un motivo de legítimo orgullo.

La banca mexicana ha atravesado por profundas transformaciones en los últimos veinticinco años. Verdaderas sacudidas. De una banca privada, en manos de los mexicanos, pasamos a la banca en poder del gobierno, el primero de septiembre de 1982. Diez años después se inició el proceso de privatización del sistema bancario, y poco después, a raíz de la crisis financiera de 1994-1995, el gobierno se vio forzado al rescate de la banca ante el riesgo de un verdadero colapso.

A fines del gobierno del presidente Ernesto Zedillo, se modificó la ley y se permitió que el 100% de las acciones de los bancos pudieran ser adquiridas por extranjeros. Se inició, pues, el proceso de extranjerización de la banca mexicana. En la actualidad, alrededor de 85% de los recursos bancarios se encuentran en poder de extranjeros, en lo que constituye, a mi juicio, uno de los más serios errores históricos en nuestro país. De los quince países más importantes del mundo, y México es uno de ellos, somos el único que ha permitido el traslado de la propiedad de la banca a manos extranjeras. Hoy las decisiones importantes en la materia, y las no tan importantes, se toman fuera de nuestro país. Es una pena.

En unos cuantos años, pasamos de la nacionalización bancaria, a su privatización, rescate y extranjerización.

En la privatización de la banca, durante la que prevaleció el criterio de vender al mejor postor sin tomar en cuenta la solvencia técnica y moral del comprador, surgieron muchas dudas y rumores sobre el manejo poco transparente, salpicado de actos de corrupción y favoritismo.

En el rescate bancario, por la discrecionalidad utilizada en el proceso y los enormes intereses en juego, probablemente tengamos una página muy oscura, en nuestra política de gobierno.

En la venta a bancos extranjeros, se otorgaron facilidades a los compradores, con un claro descuido de los intereses generales del país.

Me gusta reiterar, con satisfacción y orgullo, que en referencia al complejo proceso de indemnización bancaria bajo mi responsabilidad en la Secretaría de Hacienda, y con el apoyo de muchos funcionarios públicos, no se escuchan ni se han escuchado rumores que pongan en duda la transparencia, el escrúpulo y la honradez de su manejo. Hay ocasiones en que se pueden hacer bien las cosas en nuestro país.

Entretanto, el peso de la deuda externa seguía asfixiando al país. No había dólares, y el respiro de las negociaciones de agosto pronto terminaría. Como se señaló en párrafos anteriores, el último trimestre de la administración de López Portillo fue muy complejo y difícil. Angustiante.

El propio presidente López Portillo escribió el 20 de septiembre de 1982: "El problema severo es la falta de divisas. Espero que me lleguen, porque si no, moratoria *habemus*, y eso sí sería tremendo para todos; pero obviamente para nosotros más."[21]

El reto era mayúsculo. Mantener el país a flote y evitar, como dijera el presidente De la Madrid en su discurso de toma de posesión unas semanas después, que el país se nos fuera entre las manos.

El encono que la nacionalización bancaria había generado entre el sector privado produjo manifestaciones agresivas contra el gobierno en varios estados de la república y por parte de diversas organizaciones empresariales. El inminente cambio de gobierno evitó, probablemente, que las cosas llegaran a mayores.

Desde el punto de vista económico, la política bancaria y financiera y el problema de la deuda externa eran las preocupaciones fundamentales. Por supuesto, interrelacionadas, pues no era posible avanzar en lo de la deuda sin retornar a la racionalidad, abandonada por decisiones del Banco de México en los primeros días de septiembre.

El control de cambios se fue relajando para reducir los inconvenientes que había generado su establecimiento. Para ello, fueron frecuentes los puntos de vista opuestos entre Hacienda y el Banco de México. El presidente de la República tenía su oído más orientado hacia la voz del banco central, lo cual hizo enfriar la relación de Hacienda con la Presidencia.

En ese lapso, se obtuvo una nueva prórroga de 90 días al pago del principal de la deuda pública. Entretanto, las conversaciones con el Fondo Monetario Internacional continuaban por buen camino, después de su breve interrupción el primero de septiembre. En la primera mitad de noviembre, finalmente, concluimos la llamada carta de intención con el FMI. En esencia, se trata del planteamiento de la política económica a la que el gobierno en cuestión se compromete con el organismo internacio-

[21] José López Portillo, *op. cit.*, pág. 1257.

nal, a cambio de su apoyo financiero. Todo el paquete de renegociación estaba interrelacionado, como se mencionó páginas atrás. La banca comercial no reestructuraría la deuda ni nos otorgaría nuevos créditos, sin el apoyo del FMI, y éste, a su vez, no lo haría sin el concurso de la banca privada internacional y de los otros organismos internacionales y nacionales. Fue un ejercicio sin precedente, en donde el eje conductor era, sin duda, el FMI.

La carta de intención fue suscrita por el secretario de Hacienda y, muy a su pesar, por el director del Banco de México. El documento íntegro fue dado a conocer a los medios de información por los dos funcionarios en una conferencia de prensa el 10 de noviembre de 1982. Era la primera vez que un compromiso de esa índole se daba a conocer al público. En esencia, era un programa de ajuste ortodoxo, necesario para empezar a poner las cosas en orden.[22]

El gobierno del presidente De la Madrid

El primero de diciembre de 1982, Miguel de la Madrid tomó posesión como presidente de la República. El país sintió un alivio.

Ante el azoro de mis colaboradores más cercanos, a mediados de noviembre había empezado a recoger todas mis cosas en la oficina del secretario de Hacienda. Las mantuve en cajas hasta el anuncio oficial de mi confirmación como secretario en el nuevo gobierno. Antes, el 20 de noviembre, el presidente electo me había comunicado su intención de dejarme en el puesto. Desde luego, era un honor, sobre todo dada nuestra larga y cercana amistad.

En su discurso de toma de posesión, De la Madrid anunció un programa económico integral, conocido como Programa Inmediato de Reordenación Económica (PIRE).

La situación era, en verdad, difícil. El presidente De la Madrid resolvió enfrentarla con decisión, coraje y convicción. La opinión pública,

[22] Es curioso, pero ya para concluir las negociaciones, el director del Banco de México, Carlos Tello, se resistía al compromiso de elevar la tasa de interés interna, en contra de su decisión anterior. Esto era necesario, no por su efecto inmediato, sino como señal de retorno a la racionalidad y por la necesidad de continuar la lucha contra la inflación y captar ahorro. Fue indispensable acudir a José Andrés de Oteyza, amigo mutuo, y utilizar sus buenos oficios para lograr el convencimiento del director del Banco de México.

en general, no lo ha reconocido. La historia le reconocerá la visión de Estado con la que supo actuar.

El objetivo esencial del PIRE era corregir los enormes desequilibrios que se habían acumulado: inflación de 100% en 1982, déficit público de 17% del PIB, crecimiento económico de 0.2% y reservas internacionales casi inexistentes.

En realidad, era el inicio de una transformación importante en la política económica del país. La reforma abarcaría, al correr de los años, dos aspectos, uno interno y otro externo: el papel del estado en la vida económica del país y la inserción de México en el mundo.

Por un lado, era necesario —y lo reitero, necesario— revisar el papel del gobierno en la economía: abatir el enorme déficit público; privatizar empresas del gobierno, fuente importante del desequilibrio en las finanzas públicas, y reducir la intervención del Estado en la economía. El camino se estaba trazando.

En materia del desequilibrio fiscal, el avance a lo largo de los años ha sido formidable. Hoy nos debatimos entre un déficit público de 0.1% del PIB y otro de 0.3%. Incluso, para 2006 se planteaba un presupuesto en equilibrio. Por cierto, en fuerte contraste con lo que sucede en buen número de países industriales, como Estados Unidos, Francia, Alemania, Japón, entre otros. El problema aquí reside en que el avance se ha logrado, en esencia, mediante recortes importantes en el gasto público: infraestructura y gasto social, y no por mejoras en la recaudación de impuestos.

A fines de 1982, el gobierno mexicano tenía 1,155 empresas públicas. De todo tipo. Desde aquellas de carácter estratégico como PEMEX o la Comisión Federal de Electricidad hasta aquellas que difícilmente tenían una justificación social, como fábricas de bicicletas o de pantalones de mezclilla.

En esos primeros meses del gobierno del presidente De la Madrid iniciamos el proceso de privatización, de una manera cuidadosa y gradual. Me tocó participar en la primera venta: Bicicletas Cóndor. La compró la Confederación de Trabajadores de México, la CTM.

En los años siguientes, sobre todo en la administración del presidente Carlos Salinas, el proceso se aceleró de manera notable, con una presencia clara de empresas extranjeras.

El balance de todo el proceso de privatización está pendiente. Existen muchos casos dudosos en los que el interés superior del país no fue bien resguardado. Se oye, se sabe de ventas poco claras, a precios de remate e, incluso, en varias ocasiones el gobierno tuvo que recomprar activos que fueron fuente importante de ganancias para los compradores privados.

En mi opinión, a lo largo de todo el proceso se cometieron muchos excesos, apresuramientos, ausencia de evaluación de compradores y, en general, fue un proceso dominado por las exigencias del momento, sin una estrategia coherente ni objetivos definidos.

A la distancia, creo que se puede afirmar que el gobierno se amputó instrumentos fundamentales que lo han colocado casi como un espectador del acontecer económico nacional. En un país como el nuestro, el gobierno debe tener un papel activo y promotor. Hoy no lo tiene. Se nos pasó la mano.

Por otro lado, nuestra inserción en el mundo enfrentaba serias limitaciones. La política de sustitución de importaciones, vigente durante varias décadas, había agotado sus posibilidades. La protección a la industria nacional se había prolongado mucho tiempo, y era además muy generalizada (sin prioridades verdaderas) y excesiva (en 1982, por ejemplo, el 100% de las importaciones de mercancías estaba sujeto a permisos previos de importación). En esos años, el país era un monoexportador; las ventas de petróleo representaban 70% de las exportaciones totales y había dificultad para vender algo diferente a las materias primas. Era necesario cambiar.

En agosto de 1985 se adoptaron medidas de apertura comercial, impulsadas por nuestro ingreso al Acuerdo General sobre Aranceles Aduanales y Comercio (GATT) y años después con la firma del Tratado de Libre Comercio con Estados Unidos y Canadá. A mi juicio, la apertura se hizo de manera precipitada, fue demasiado generalizada (sin prioridades) y excesiva. Los sectores y regiones con vocación exportadora han obtenido beneficios indudables, y los orientados al mercado interno han enfrentado enormes dificultades. La corriente comercial ha crecido de modo espectacular; sin embargo, sus efectos en el resto de la economía han sido débiles. Me parece que, otra vez, se nos pasó la mano.

No resulta fácil entender por qué los mexicanos tenemos la tendencia de movernos en sentido pendular, de un extremo al otro. En unos cuantos años pasamos de un gobierno omnipresente y con muy altos desequilibrios fiscales a otro casi ausente y con finanzas en equilibrio. De una economía cerrada con altos niveles de protección pasamos a una de las economías más abiertas del mundo.

Con mucha frecuencia se nos olvida aquel viejo refrán mexicano de "ni tanto que queme al santo, ni tanto que no lo alumbre".

En el último cuarto de siglo, el cambio en la economía mexicana fue, sin duda, espectacular. Una comparación somera de la realidad actual con la existente hace veinticinco años hace aparecer, casi, dos países diferentes.

Sin embargo, lo que importa destacar es que en este periodo el crecimiento económico del país, medido por la evolución del ingreso por habitante, ha sido muy modesto, casi inexistente. Sobre todo si se le compara con periodos anteriores y se le coloca en una comparación internacional.

Tal parece que hemos privilegiado la estabilidad macroeconómica y el control de la inflación (alrededor de 3% en los años más recientes) y que se nos olvidó el crecimiento y la generación de empleos. Hemos transitado del llamado "desarrollo estabilizador" al "estancamiento estabilizador" como lo bautizó recientemente Francisco Suárez Dávila.

Por todo ello, el reto fundamental que enfrenta nuestro país es crecer más y mejor. Es la única manera de ampliar las oportunidades de empleo y mejorar las condiciones de vida para las mayorías de la población. Un gobierno activo y promotor es condición necesaria para el logro de ese objetivo esencial. No se trata de regresar a los excesos del pasado, pero sí evitar los excesos del presente.

Pero volvamos a la coyuntura de los primeros años de la década de los ochenta.

Había que atacar el desequilibrio fiscal, tanto del lado del ingreso como del gasto público. Del lado del ingreso, se elevaron los precios de los bienes y servicios que manejaban el sector público —gasolina, luz, tarifas de ferrocarriles, etcétera—, el iva pasó de 10 a 15%, reduciendo su tasa para algunos artículos esenciales y, por supuesto, se insistió, como siempre, en una mejor administración tributaria. El gasto público había que reducirlo de aquellos niveles de la "administración de la abundancia", claro protegiendo el empleo y las actividades prioritarias.

Los resultados obtenidos en 1983 y 1984 fueron positivos, menores a los proyectados, pero en la dirección correcta. El déficit fiscal se redujo a la mitad, la inflación, con terca resistencia, bajó a 80 y 60% en esos dos primeros años y se logró una cierta recuperación en el nivel de reservas internacionales. Por supuesto, la economía cayó en 1983, para avanzar, modestamente, al año siguiente.

El clima social y político era, igualmente, complejo. El apretón al cinturón fue tolerado por el pueblo de México con actitud francamente admirable. Los años del auge anterior facilitaron, sin duda, la tarea, así como la actitud seria y objetiva, con apego estricto a la realidad, que el gobierno adoptó por instrucción precisa del presidente de la República. Había que decir las cosas como eran, sin disfraces ni maquillaje. Así lo hicimos. Incluso, recuerdo que a los pocos meses de insistir en la verdadera dimensión de los problemas apareció un editorial en un periódico de Xalapa que decía: "Basta de realidades, volvamos a las promesas". Es siempre difícil convencer a la gente de que las vacas gordas ya no existen. Ahora, son flacas y muchas.

En aquellos primeros meses del gobierno de De la Madrid, la Secretaría de Programación y Presupuesto y la de Hacienda trabajaban en sintonía. Eran las dos cabezas de la política económica del país y no tenían mayores discrepancias.

A partir de 1985, las cosas iban a cambiar.

El equipo de la Secretaría de Hacienda era de primera. Francisco Suárez Dávila, en la subsecretaría del Ramo; Guillermo Prieto Fortún, en Ingresos; Carlos Sales, en la subsecretaría de la Banca; Ángel Gurría, en la Dirección de Crédito; Jesús Reyes Heroles, en Estudios Hacendarios; Salvador Arriola, en Asuntos Internacionales; Dionisio A. Meade, en Promoción Fiscal; Francisco Gil Díaz, en la Dirección de Ingresos; Manuel Rodríguez Rocha, en Auditoría Fiscal, etcétera.

En materia de deuda externa, nos había tocado el papel de ser los que abren brecha. Habíamos detonado el problema y nuestras acciones eran seguidas por los otros deudores. El tema dominaba el escenario nacional. El secretario de Hacienda parecía ser el secretario de la deuda externa.

Por supuesto, había que atender la muy amplia agenda de la Secretaría de Hacienda: ingresos, aduanas, registro federal de vehículos, apoyos fiscales, los problemas de la banca, las necesidades financieras de las empresas públicas, la relación con los organismos de supervisión y con las instituciones financieras internacionales, entre otros asuntos.

En aquellos años, el secretario de Hacienda tenía que comparecer ante la Cámara de Diputados para presentar y defender la Ley de Ingresos de la Federación y el secretario de Programación y Presupuesto hacía lo mismo con el lado del gasto público. Eran ceremonias maratónicas e inhumanas que llegaron a durar, en mi caso, más de 11 horas. Había que estar parado en el podio y responder a largas intervenciones y recriminaciones de todos los partidos políticos, en cadena nacional de televisión. Tres días antes de la ceremonia había que seguir un tratamiento antidiurético para poder aguantar la jornada.

El paquete de apoyo de fines de 1982 —con el concurso del FMI, la banca comercial, el Banco de Pagos Internacionales, la Tesorería de Estados Unidos— tenía una vigencia corta. Al poco tiempo había necesidad de reestructurarlo, tratar de alargar plazos de vencimiento, reducir el costo del servicio de la deuda y asegurar un flujo de recursos frescos que necesitábamos. Poco a poco se fue avanzando en este terreno. La banca internacional, ante un hecho sin precedente por su magnitud, reaccionó de manera positiva, pero con una gran miopía. Lo que importaba era cobrar más ante deudores que enfrentaban un serio problema.

La estrategia de la banca acreedora fue inteligente. Mantener el trato de caso por caso. Evitar a toda costa un frente de deudores que haría del problema financiero, un problema político. Por su parte, ellos actuaban en un solo frente con el llamado grupo asesor de bancos.

Enorme preocupación surgió cuando los países latinoamericanos —Argentina, Bolivia, Brasil, Chile, Colombia, Ecuador, México, Perú, República Dominicana, Uruguay y Venezuela— nos reunimos en Cartagena de Indias, Colombia, en junio de 1984, a nivel de secretarios de Relaciones Exteriores y de Hacienda, para analizar el problema de la deuda externa. En el llamado Consenso de Cartagena, así bautizado por iniciativa mexicana, se reconocieron los aspectos políticos del problema y la necesidad de reducir el peso de la deuda para recuperar posibilidades de crecimiento en las economías latinoamericanas. El grupo se volvió a reunir meses más tarde en Mar del Plata, Argentina, pero sin resultados concretos. Las posibilidades de alguna acción conjunta o coordinada sucumbían ante la diferente realidad de cada uno de los deudores importantes. Cuando Brasil y Argentina se encontraban en situación desesperada, México estaba a punto de firmar una nueva restructuración. Y viceversa. Es una lástima que no hayamos sabido superar la coyuntura y haber actuado en forma más coordinada y efectiva.

Un hecho poco conocido, pero trascendente, aconteció el 27 de marzo de 1984, en la reunión de gobernadores del Banco Interamericano de Desarrollo en Punta del Este, Uruguay. El secretario de Economía Argentino anunció, en público, que su país estaba a punto de suspender pagos por una aguda escasez de divisas. Sentado en el lugar del gobernador por México e impactado por el anuncio, hice unas notas sobre papel amarillo, delineando un paquete de apoyo emergente entre países latinoamericanos que, en ese tiempo, atravesaban por buenos momentos. Armé un paquete de 525 millones de dólares: México, 100 millones; Brasil, 50 millones; Argentina, 100 millones; Colombia, 50 millones; Venezuela, 100 millones y Estados Unidos, apoyando a un grupo de bancos, 125 millones de dólares. Hablé primero con Bernardo Grinspam, secretario de Economía Argentino quien se comunicó por teléfono con el presidente Alfonsín, el que, a su vez, aceptó agradecido esa muestra de solidaridad. El resto de los ministros involucrados reaccionaron positivamente, incluyendo el subsecretario del Tesoro estadunidense, quien no podía ocultar su sorpresa. Ya entrada la noche y con el paquete listo, me percaté de que no había consultado la iniciativa con el presidente De la Madrid. Logré comunicación con él poco antes de una cena de Estado en Bogotá. Me respaldó, e incluso me señaló su disposición para convencer al presidente Betancourt. Ése era el grado de confianza y libertad de mi relación con el presidente de la República. El apoyo regional, primera vez en la historia que sucedía, funcionó, y funcionó bien (*véase* Anexo 7).

Los acreedores trataron de minimizarlo, pues era un ejercicio que se salía de las reglas del juego. Al término de la reunión del BID y en señal de agradecimiento, el presidente Alfonsín nos invitó a Buenos Aires en el avión presidencial. Años después me enteré de que el presidente De la Madrid había recibido una llamada telefónica del presidente Ronald Reagan para felicitarlo por esa iniciativa mexicana de apoyo a Argentina.

En septiembre de 1983, durante la reunión de la asamblea de gobernadores del FMI y del Banco Mundial, la revista financiera *Euromoney* de Londres me distinguió con el nombramiento de Ministro de Finanzas del Año, en reconocimiento a los esfuerzos de México por salir de la crisis de 1982. En una breve ceremonia, me entregaron una charola de plata y, por mi parte, pronuncié unas concisas palabras, resaltando, por encima de todo, el esfuerzo de los mexicanos. La noticia ocupó amplios espacios en los medios mexicanos y produjo reacciones de celo en algunos grupos del gobierno. Hubo incluso quien hizo circular el rumor de que habíamos pagado 50,000 dólares por la presea. Los corredores de Palacio son terribles. Siempre lo han sido.

Hago un paréntesis. El presidente De la Madrid me designó para dar el grito el 15 de septiembre de 1984 en Los Angeles, California. En los años previos, las comunidades mexicanas habían mostrado cierta hostilidad ante la presencia del representante presidencial en estas ceremonias. El argumento no carecía de razón: "Vienen a dar el grito y luego ni se acuerdan de nosotros". Con estos antecedentes y con el deseo de asegurar el éxito de la ceremonia, invité a Mario Moreno, Cantinflas, a que me acompañara. Después de un largo viaje de Argentina a la ciudad de México, lo recogí a las 2:00 de la mañana en el hangar del Banco de México, junto con mi familia. En la noche, después de dar el grito, le pedí que juntos tocáramos la campana. Grandes ovaciones y aplausos. Al día siguiente, tuvo lugar el desfile tradicional del 16 de septiembre, en coches descubiertos. La presencia de Cantinflas hizo que todo fuera un éxito, como era de imaginarse.

Durante los dos primeros años del gobierno del presidente De la Madrid, la relación entre las Secretarías de Programación y Presupuesto y de Hacienda fue cordial y constructiva, a pesar del conflicto interconstruido entre una entidad responsable del ingreso y otra del gasto. Tarde o temprano los problemas aparecen.

Hacienda se quejaba de que no había suficiente control del gasto público, y Programación respondía que las metas en materia de ingreso no se cumplían. Es muy posible que ambas tuvieran razón.

En la elaboración del presupuesto para 1985 las discrepancias subieron de tono. El documento debía ser firmado por los dos secretarios para su presentación al jefe del ejecutivo. El equipo de la Secretaría de Hacienda consideró que varias de las metas incluidas en el presupuesto eran poco realistas y que, además, había una clara intención de subestimar diversas partidas. Recuerdo el caso de una empresa pública que debía cubrir 40,000 millones de pesos de su deuda y se le asignaron sólo 4,000 millones en el presupuesto. Unos días antes de la fecha límite para su presentación, me negué a firmarlo. Pequeña crisis. Acordamos que ajustes indispensables se harían en enero, una vez aprobado el presupuesto por el congreso. En el libro del presidente De la Madrid, *Cambio de Rumbo* (Fondo de Cultura Económica, 2004), se anota alrededor de estos problemas: "Ahí de nuevo Silva-Herzog me expresó su preocupación porque el déficit anual y la inflación fueran mayores a lo presupuestado" (pág. 436), y más adelante agrega: "En esa ocasión —la reunión de la banca en octubre de 1985—, Silva-Herzog habló con mucha crudeza sobre la situación económica por la que atraviesa el país. Señaló que las metas en cuanto a déficit, balanza de pagos e inflación no se podían cumplir". Los hechos me dieron la razón. Al finalizar 1985, la inflación fue casi el doble de lo presupuestado, y el déficit público y la balanza de pagos sufrieron serio descalabro.

En las primeras semanas del año, se pudo apreciar que, en efecto, las metas establecidas no eran realistas. El objetivo de inflación para el año era de 35% y, en el mes de enero, los precios subieron más de 7%. Conforme avanzaba el año, las desviaciones sobre los objetivos establecidos se hicieron más evidentes. Las conversaciones con el FMI para un tercer desembolso del paquete financiero se complicaron. A mitad del año, en una reunión de la Asociación de la Banca en México, señalé —en una actitud autocrítica y realista— que nos habíamos apartado de las metas y que habíamos cometido "errores de instrumentación" en la política económica.[23] Años después, pude enterarme que esas declaraciones habían sido motivo de disgusto serio en el jefe del ejecutivo.

En la visita de Estado que el presidente de la República llevó a cabo a mediados de 1985 por varios países de Europa —Inglaterra, Francia, España y Bélgica—, nos enteramos de una baja sensible en el precio del petróleo. Ante preguntas de los reporteros de la fuente, respondí que, desafortunadamente, con esa caída México sería más pobre. Esa declaración tampoco gustó en la oficina presidencial. Pero era cierto.

El 19 de septiembre de 1985, la ciudad, el país y la sociedad mexicana se sacudieron con el terrible terremoto. Enorme tragedia.

Muestras de solidaridad conmovedoras, el impacto fue terrible. A pesar de la tragedia, el terremoto fue un acontecimiento que permitió —justificó, en cierto sentido— las desviaciones ocurridas en el cumplimiento de las metas económicas establecidas. Además, en ese año tuvieron lugar las elecciones de mitad de sexenio, que siempre son una oportunidad para una mayor generosidad en el gasto público.

De manera inmediata se estableció el Fondo Nacional de Reconstrucción y el Comité Nacional de Reconstrucción, con una amplia parti-

[23] Años más tarde escribí un artículo con el título de "Problemas de instrumentación de la política económica", que publicó un centro de investigación sobre desarrollo económico, en San Francisco, California.

cipación. Los recursos captados fueron un alivio importante ante la tragedia. En un viaje relámpago a Washington y Nueva York logramos diferir el pago de 950 millones de dólares de vencimientos previstos para los siguientes meses. Otro alivio.

A fines de 1985 mi relación con el presidente empezó a sufrir un deterioro. Hubo intentos de renuncia. Mi frustración y desasosiego crecían ante la desviación de los objetivos económicos señalados. A mi juicio, había un juego de engaño al presidente por parte de un grupo más cercano (Salinas, Francisco Rojas, Emilio Gamboa Patrón y Manuel Alonso), y aquél aparentemente se dejaba engañar. El gasto público obedecía, en alguna medida, a intereses políticos de la Secretaría de Programación y Presupuesto. A mí me tocaba el papel del mensajero que lleva malas noticias. Y eso nunca gusta al monarca.

Desde los primeros días de 1986, nos percatamos que aparecían tormentas en el horizonte. El secretario de Energía, Francisco Labastida, había alertado de un cambio en el mercado petrolero y que había que esperar un fuerte descenso en los precios. Tuvo razón. En una primera estimación, se ubicó el impacto en los ingresos de exportación del petróleo mexicano en alrededor de 6,000 millones de dólares, casi una tercera parte de los ingresos totales. En esos años, la exportación de petróleo representaba cerca de 70% del total. La cifra de pérdida definitiva fue de 8,000 millones. El impacto era brutal. El precio promedio de la mezcla mexicana de petróleo fue de 25 dólares por barril en 1985; en 1986, bajó a poco más de 11 dólares, menos de la mitad.

Toda la política económica tenía que ser reevaluada. Las reuniones de gabinete económico se sucedieron una tras otra, sin llegar a un consenso y sin saber qué hacer. Las posiciones entre Hacienda y Programación y Presupuesto eran encontradas. Y cada vez más. Sin duda, requeríamos apoyo externo para evitar el estallido de otra crisis. Hice varios viajes a Washington y encontré actitud positiva; pero ante la falta de medidas internas, su decisión se pospuso una y otra vez.[24]

[24] En uno de tantos viajes a Washington para buscar, de nueva cuenta, recursos frescos, en una reunión en el Departamento del Tesoro, el secretario James Baker, enterado de nuestros problemas, me lanzó la pregunta de por qué no vender PEMEX y con ello resolver el problema financiero. Permanecí en silencio un par de minutos y le respondí: "De acuerdo. Con una condición. A partir de la firma del contrato de compra-venta, en el escudo de Estados Unidos el águila perdería el ala derecha". "Entiendo", me contestó, y no se volvió a hablar del asunto.

En la segunda quincena de abril hice una visita relámpago a Japón en busca de su apoyo financiero. Los japoneses no tomarían ninguna medida hasta conocer la posición del gobierno estadunidense.

El ambiente dentro del gobierno se crispó. Las reuniones del gabinete económico eran cada vez más tensas. El tiempo pasaba. Yo, como secretario de Hacienda, me sentía abrumado ante la falta de decisión y percibía con claridad que los puntos de vista que la secretaría sostenía, iban perdiendo influencia ante la postura de Programación y Presupuesto y la actitud del presidente de la República. Él perdía confianza en su secretario de Hacienda, y éste le perdía confianza al presidente.

En el mes de febrero y ante la difícil coyuntura externa, el presidente De la Madrid juzgó necesario hacer un pronunciamiento formal alrededor del problema de la deuda externa. Se insistió en la necesidad de una mayor flexibilidad por parte de los acreedores y, de manera sutil, se anunció la posibilidad de que México endureciera su postura frente a la comunidad financiera internacional. La noche anterior al anuncio, Programación y Presupuesto cambió el sentido del documento, redujo el compromiso del esfuerzo interno y lo hizo más agresivo, con planteamientos contrarios a los que en Hacienda veníamos discutiendo con la Tesorería estadunidense y los organismos internacionales. Ante el planteamiento que yo diera lectura al documento en una conferencia de prensa en Los Pinos, me rehusé a hacerlo. Mi decisión volvió a causar disgusto en la presidencia.

En marzo, el presidente nos invitó a un fin de semana en Ixtapa, donde inauguraríamos la flamante casa de visitas del Fondo Nacional de Fomento al Turismo (FONATUR). El gabinete económico en pleno fue convocado. La reunión se inició el sábado en la mañana y continuó en la tarde y noche. El objetivo era tratar de identificar los mejores caminos para salir de la crisis en la que ya estábamos inmersos. No hubo consenso. Hacienda y el Banco de México defendieron la política financiera y el manejo de la tasa de interés, y pusieron énfasis en la necesidad de recortar el gasto público. La Secretaría de Programación y Presupuesto, la otra cabeza más visible del gabinete, insistió en que había que bajar la tasa de interés para reducir el peso del servicio de la deuda interna y alentar un mayor crecimiento económico con menores pagos al exterior. El ambiente era tenso. Al día siguiente, al momento de iniciar la reunión, el presidente mostró señales claras de una indigestión seria. La reunión se canceló y regresamos a México.

Durante esas semanas se elaboraron decenas de documentos por parte de los equipos de trabajo de Programación y Hacienda. Diagnóstico de la situación, recomendaciones y acciones específicas de política económica. El presidente, con razón, insistía en el consenso. No se logró.

Incluso, el director de Nacional Financiera y próximo secretario de Hacienda le hizo saber al presidente de la República su preocupación por la política hacendaria, de ingresos, de crédito y de tasa de interés, en un documento elaborado por el consultor argentino Kosevic, del cual nunca tuvimos conocimiento.

Al iniciar el año, el impacto de la baja en el precio del petróleo se estimaba —como ya se dijo— en 6,000 millones de dólares. Hacienda proponía atajar el golpe por tres vías, de 2,000 millones cada una: reducción adicional del gasto, aumento del déficit público y recursos del exterior. La Secretaría de Programación y Presupuesto aducía que no era posible reducir más el gasto público, pues, como lo repetían una y otra vez, ya habíamos "llegado al hueso" (meses después quedaría claro el hueso al que se refería el secretario Salinas de Gortari), y un mayor déficit del gobierno alentaría las fuerzas inflacionarias.

Poniendo el dilema de manera simplista, Hacienda insistía, ante la caída brutal de los ingresos petroleros, en reducir el gasto, ampliar el déficit y obtener recursos externos. La Secretaría de Programación se oponía al recorte del gasto y proponía cubrir todo el hueco con créditos del exterior, lo cual finalmente sucedió, prolongando la crisis por más tiempo. Mi postura se sostenía con terquedad y, en ocasiones, con cierta insolencia. Pero igualmente, el licenciado Salinas defendía su posición. Los dos estábamos aferrados a lo que pensábamos era necesario para el país. El presidente De la Madrid estaba rodeado por una corte altamente influyente —Gamboa Patrón, Manuel Alonso, Francisco Rojas y el propio Salinas de Gortari— que lo tenía cercado y cooptado. Es curioso, pero el presidente reaccionó sólo ante una de las terquedades y no reconoció la otra, que ofrecía un panorama menos costoso y más atractivo desde el punto de vista político para la sociedad, por lo menos en el corto plazo. Era la salida fácil.

Es también curioso, pero el propio presidente De la Madrid dijo en julio de 1985: "Insistí en que buscaran la forma de que realmente corrigiéramos el déficit, de que no continuáramos por el camino de las podas presupuestales insuficientes y, en fin, que buscáramos el cambio estructural".

Durante el primer semestre de 1986 se vivió un clima de zozobra. Hubo incertidumbre; rumores de suspensión de pagos, ausencia de medidas internas, ausencia de consensos en el gabinete económico, falta de decisión del presidente de la República.

En marzo de 1986, el Fondo Monetario Internacional declaró a México inelegible para continuar con su apoyo financiero. Las metas económicas de 1985 no se habían cumplido. Como ya se dijo, el déficit y la inflación fueron el doble de lo comprometido.

En un discurso en Hermosillo, Sonora, en junio de 1986, el presidente de la República advirtió que México sólo podía seguir cumpliendo con sus pagos a la deuda externa en la medida en la que... "se le permita seguir creciendo. No hay pagadores muertos ni clientes quebrados".

Era obvio que algo había que hacer para reducir el gasto público. Ante una caída en el ingreso, las personas, las empresas y los gobiernos deben bajar su gasto. Así de simple.

Por instrucciones del presidente se identificaron las entidades más gastadoras para tratar de identificar aquellos recortes posibles. Los equipos de trabajo analizaron el presupuesto de la Secretaría de Agricultura, el Departamento del Distrito Federal, la Secretaría de Comunicaciones y la Compañía Nacional de Subsistencias Populares (CONASUPO), entre otras dependencias. Las conclusiones preliminares se presentaban ante la comisión de gasto —financiamiento, formada por Hacienda, Programación y la Contraloría, antes de someterlas a la aprobación del jefe del ejecutivo. Como era de suponerse, el consenso dentro de la comisión no era cosa fácil. Como gobierno estábamos empantanados. Seguimos empantanados. Entre tanto, el tiempo corría.

Paul Volcker, presidente de la junta de gobernadores del sistema de la Reserva Federal de Estados Unidos, amigo de México (años más tarde, el gobierno mexicano le concedió la condecoración del Águila Azteca, más que merecido) y quien había desempeñado un papel clave frente a la crisis de la deuda en 1982, estaba preocupado por la falta de reacción del gobierno mexicano frente a la crisis del petróleo en 1986. En el segundo trimestre del año se organizó un viaje secreto a México. Volcker quería oír de primera mano cómo estaban las cosas. Mi calidad de interlocutor se estaba debilitando. Para evitar la llegada en avión comercial, lo recogimos Miguel Mancera y yo en Dallas o Houston en un avión del Banco de México. Se hospedó en casa de Antonio Enríquez Savignac y en menos de 24 horas se entrevistó con el presidente de la República, el secretario de Programación y Presupuesto y desde luego con el equipo financiero. El regreso a Estados Unidos se llevó a cabo de manera similar. Creo que Volcker pudo constatar la voluntad política para enfrentar los serios problemas que atravesábamos, pero no entendía la tardanza en las acciones. La discreción de su viaje se había mantenido a la perfección. Sin embargo, por la lista de pasajeros en el avión de Banxico, la noticia de su visita se filtró a los medios. Otra vez, la insidia de Palacio; corrió el rumor que Hacienda había filtrado la noticia para reforzar sus posiciones. Falso.

Recuerdo un caso concreto para reducir el gasto. Era el recorte al gasto de la Secretaría de Agricultura y su sector coordinado. El secretario Eduardo Pesqueira, con todo su poder de convencimiento, había negociado con el secretario Salinas una ampliación a su presupuesto. El asunto se presentó en una reunión de gabinete, a principios de mayo de 1986. El presidente autorizó la ampliación de varios miles de pesos, y me pidió, encontrar los recursos y si no "inventarlos". Me parecía inconcebible que en un ejercicio para reducir el gasto, el resultado fuera una ampliación. Casi al término de la reunión pedí otra vez la palabra para reiterar que las órdenes del presidente serían acatadas, pero que pedía que se anotara en el acta de la reunión de gabinete económico que el secretario de Hacienda estaba en contra de la instrucción presidencial. Manotazo en la mesa por parte del presidente y concluyó la reunión.

En otra ocasión, el recién llegado secretario de Energía, Alfredo del Mazo, hizo un planteamiento en el que los problemas se resolverían con pequeños ajustes en varios conceptos de la balanza de pagos. Era casi un milagro. De manera impertinente e inaceptable, lo reconozco ahora, me puse de pié y señalé que ésa era la manera de saludar algo equivalente al descubrimiento de los pozos petroleros en la sonda de Campeche. El presidente De la Madrid dio otro manotazo y dio por concluida la reunión. Era claro que mi posición personal era de desaliento, y que el deterioro dentro del gobierno era cada vez más obvio.

No soy, ni mucho menos, enemigo del gasto público. Por mi formación profesional en la UNAM y por convicción personal, estoy convencido de la necesidad de contar con un gobierno fuerte y de la importancia del gasto público. A lo que me opongo es al gasto sin respaldo de ingresos suficientes. Y eso era lo que sucedía en aquellos meses.

En esos días previos a mi salida, tuvo lugar una reunión en el Salón

Blanco de la Secretaría de Hacienda para volver a discutir la política económica. La plana mayor de la Secretaría de Programación y Presupuesto, Contraloría, Banco de México y Hacienda estuvo presente. El tema central era la tasa de interés. Yo me oponía a bajarla por decreto, por sus consecuencias en la captación de ahorro. Mi opinión no era compartida por todos. Alguno de los asistentes comentó que era posible que el presidente me ordenara hacerlo, a lo que contesté —con cierta altanería— que si eso sucediera no estaba dispuesto a cumplir la orden. El secretario de Programación, Salinas de Gortari, y el de la Contraloría, Francisco Rojas, se miraron a los ojos y esbozaron una leve sonrisa. Ahí terminó la reunión. Es curioso, pero este incidente lo menciona De la Madrid en su libro. No cuesta mucho trabajo imaginar de dónde obtuvo la información.

A fines de mayo de 1986 escribí mi renuncia a la Secretaría de Hacienda en un papel amarillo de rayas. Lo traje en el saco de mi traje dos semanas. Un secretario de Hacienda, para cumplir con su responsabilidad, debe tener más de cien por ciento de confianza del jefe del ejecutivo. Si ese nivel de confianza baja y se piensa que no es posible recuperarlo, debe renunciar. Así lo hice. El martes 16 de junio, por la mañana, solicité una entrevista urgente con el presidente de la República. A las once de la mañana le hice entrega de la carta con mi renuncia irrevocable. Ese mismo día, el presidente De la Madrid me iba a despedir. Renuncia y despido, en un mismo momento; tantos años de trabajar juntos, como amigos y colaboradores, que ya nos leíamos el pensamiento.

La noticia provocó cierta inquietud política, meramente pasajera. Adentro y afuera, la opinión pública me señalaba como el más probable sucesor del presidente. Durante los primeros años de gobierno esa era la realidad. Mi salida despejó el camino a otros que, con mayor astucia, lo supieron aprovechar. Debo decir, con plena convicción, que durante mi responsabilidad como secretario de Estado, nunca tomé o dejé de tomar una decisión por ambiciones personales. Tal vez eso fue un error. Nunca nombré a funcionarios dentro de la Secretaría para congraciarme con el presidente en turno.[25]

[25] El licenciado De la Madrid, como secretario de Programación y Presupuesto, había nombrado a Rosa Luz Alegría, amiga cercana, y a José Ramón López Portillo, hijo y "orgullo de mi nepotismo", del presidente López Portillo. Rosa Luz, además de ser una mujer muy guapa, era inteligente y brillante; poco después sería nombrada secretaria de Turismo.

El gobierno se ensañó conmigo de manera inusitada. Nunca se había tratado una renuncia, despido, separación, de manera tan brutal. El Comité Ejecutivo Nacional (CEN) del PRI publicó una nota en la que se me calificaba como desleal, casi traidor. El periódico *El Nacional*, órgano del gobierno, publicó un editorial en primera plana con adjetivos sonoros. Algo nunca visto. En el noticiero *24 Horas*, de Jacobo Zabludovsky, la oficina de prensa de la presidencia recomendó dar el mayor espacio al sucesor, Gustavo Petricioli; no fue así, se ensalzó mi trayectoria e incluso un comentarista de la noticia del día afirmó: "Se fue el mejor". Al día siguiente lo despidieron.

De la Madrid señala en su libro que el trato que me dio la televisora era el pago por los favores recibidos de la Secretaría de Hacienda. Imputación que rechazo por calumniosa y falsa. En todo caso, cualquier "favor" a los medios de información era aprobado por el propio presidente.

Nunca he entendido la razón de fondo de esa campaña calumniosa y de desprestigio. Tal vez, la gente alrededor del presidente, pensaba en la necesidad de hundirme para evitar que apareciera en las filas de la oposición. De cualquier manera, me parece que todo fue —a la corta— rudeza innecesaria y motivo de vergüenza para ellos. Bernardo Sepúlveda, amigo siempre leal, me visitó en Yautepec, unos días después de la renuncia. Le pedí que le transmitiera al señor presidente mi exigencia de detener la campaña. En caso de no hacerlo, me obligaría a salir a la calle a defenderme. Tenía argumentos: las desviaciones en las metas establecidas, la falta de decisión del presidente de la República, las intrigas palaciegas, etcétera. La campaña se detuvo (*véase* Anexo 9).

El cambio en mi modo de vida fue notable. De una actividad frenética pasé a buscar qué hacer. La gente evitaba el saludo en el restaurante y perdí muchos "amigos". Durante varias semanas me dediqué a viajar, y poco a poco a encontrar nuevos horizontes en la vida académica dentro y fuera del país.

Por esos días asistía con frecuencia al Deportivo Chapultepec a jugar tenis por la mañana muy temprano. Después del juego y el baño, nos reuníamos en la cafetería para desayunar un grupo de seis a ocho personas, incluyendo la esposa y cuñada de uno de los comensales. Yo fumaba pipa en aquellos tiempos y el olor que despedía era alabado de manera entusiasta. Sin embargo, la mañana siguiente a mi renuncia, el olor de la pipa empezó a incomodar abiertamente a las señoras, quienes con ademanes claros trataban de alejar el humo. Ahí me dí cuenta de que las cosas ya habían cambiado.

Por otro lado, recibí innumerables muestras de solidaridad. Incluso recibí cartas de los más altos funcionarios del gobierno estadunidense que no pienso hacer públicas por delicadeza y respeto y no —como señalaba el propio De la Madrid— porque harían evidente que yo "estaba demasiado allegado a los estadunidenses". Otra imputación que no tiene la menor justificación y que lastima viniendo de alguien que era mi amigo y que conocía a fondo y por largo tiempo mi postura personal.

Años después, recibí el ofrecimiento de ser candidato a la presidencia de la República por los partidos de la Revolución Democrática (PRD) y Auténtico de la Revolución Mexicana (PARM), como quedó reseñado en páginas anteriores. No acepté. A la oposición hay que irse por convicción y coincidencia ideológica, no por conveniencia y ambición personal.

Semanas después de mi salida de Hacienda, los secretarios de Hacienda y Programación, Gustavo Petricioli y Carlos Salinas, anunciaron un programa económico diseñado para salir del estancamiento y alentar un crecimiento más vigoroso. Se denominó Pacto de Aliento y Crecimiento (PAC). La comunidad financiera internacional aceptó —ante la velada posibilidad de una moratoria— un nuevo apoyo financiero por alrededor de 9,000 millones de dólares. Fue la manera de compensar la caída brusca en los precios del petróleo. A mi juicio, fue también la forma como el problema de la deuda y las menores posibilidades de crecimiento se alargaron varios años más.

Poco después del inicio del nuevo programa, aparecieron señales positivas en varios rubros de la actividad económica. Tal parecía que la presencia del secretario de Hacienda anterior era el obstáculo. Ahora, el camino estaba despejado.

El gusto iba a durar poco. En 1987, la economía se entrampó otra vez. En octubre de ese año, sucedió el crack de la bolsa de valores y la inflación se disparó por encima de 150 por ciento. El Producto Interno Bruto se contrae 3.8% y el déficit público se elevó a más de 16% del PIB. A fines del año, se anunció un programa heterodoxo de control de la inflación, el Pacto de Solidaridad Económica (PSE). A la distancia, me parece que hay que reconocer que el pacto y sus sucesivas renovaciones cumplieron bien con su objetivo. Pero como se dice en la televisión, ésa es otra historia.

En los primeros meses de ese año de 1987, el gobierno anunció la emisión de los Certificados de Aportación Patrimonial (CAPs), equivalente a 34% del capital social de los bancos nacionalizados. Era un claro intento de mejorar la relación entre el gobierno y el sector privado.

El precio de cada CAP fue subvaluado de manera deliberada para elevar su atractivo. La preferencia para su compra se dio a los funcionarios y empleados de las mismas instituciones bancarias. Participaron también altos ejecutivos del gobierno federal. El banco, incluso, podría conceder un préstamo a corto plazo para su adquisición.

En aquellos meses de 1987 yo me encontraba en la Universidad de Stanford, California, dando un curso sobre la crisis económica de México. De manera casi simultánea, recibí tres telefonazos de directores amigos de la banca. De alguna manera, había yo intervenido para su designación años atrás. Las propuestas me impactaron: el banco le prestaba para la compra de los CAPs; en dos meses su valor se iba a duplicar; me paga el préstamo y usted recibe la mitad de la inversión original. Me pareció un atraco monumental en contra de los intereses del país y para beneficio de unos cuantos. Rechacé todas las ofertas y no adquirí un solo centavo de Certificados de Aportación Patrimonial.

Después, me enteré que varios funcionarios del gobierno habían hecho jugosos negocios con esos instrumentos.

Es curioso, pero es un tema que se ha olvidado por completo, y no recibe ni ha recibido ninguna atención por parte de algún analista cuidadoso.

A mi juicio es una página negra en las finanzas nacionales.

Posdata

El día anterior a la toma de posesión como presidente de la República, la cual tuvo lugar el primero de diciembre de 1988, Carlos Salinas me llamó por teléfono desde su casa de descanso en Ticumán, Morelos, para ofrecerme la dirección general de Serfin, el tercer banco más importante del sistema. Don Antonio Ortiz Mena había aceptado dirigir Banamex, y Héctor Hernández, Bancomer. No acepté el amable ofrecimiento. Me pareció una especie de premio de consolación, y mi ánimo, además, no estaba en esos momentos para incorporarme al gobierno de Salinas.

Meses después, a través del secretario de Gobernación, Fernando Gutiérrez Barrios, se me ofreció la presidencia del consejo consultivo del

Instituto de Estudios Políticos, Económicos y Sociales (IEPES) del PRI. Decliné también la invitación. No me parecía una oferta atractiva. El consejo consultivo del IEPES era un organismo que funcionaba sólo en épocas de elección presidencial. El resto del tiempo vivía en estado larvario.

A principios de 1991, después de varios encuentros cordiales en la cancha de tenis de Los Pinos, el presidente Salinas me invita a ser embajador de México en España. Con gran gusto acepté la nueva encomienda.[26] Semanas después me trasladé a Madrid.

En esos primeros años del gobierno del presidente Salinas, él me planteó la posibilidad de buscar la gubernatura de San Luis Potosí. Mis padres eran potosinos, y la Constitución del Estado reconoce como potosinos a los hijos; sin embargo, el requisito de la residencia no lo cumplía. "Eso lo podemos arreglar", me comentó el presidente. "Me parece que esos tiempos ya pasaron y sería objeto de impugnaciones serias y justificadas", le respondí. El asunto se detuvo. Me hubiera encantado ser gobernador de San Luis Potosí.

En esos meses de vida académica y como conferencista, di una plática en la Universidad Autónoma Metropolitana. Me sorprendió ver el salón abarrotado y un contingente de prensa enorme. Al día siguiente apareció en los titulares de los diarios de la ciudad de México mi voz crítica: excesiva apertura con el exterior, excesivo y descuidado proceso de privatización de empresas públicas y subsistencia del enorme problema de la deuda externa. Eran tres pilares de la política económica del gobierno del presidente Salinas.

Días después, recibí una invitación a comer del secretario de Gobernación. Me disculpé por un compromiso previo. Me invitó, entonces, a tomar un café en su oficina. Me olió a algo serio y delicado. Las alternativas que se me ocurrieron ante mi actitud crítica fueron: una ligera recomendación para evitar la voz disonante, una advertencia velada para que no se repitiera y un boleto de avión y un sobre con dólares para sacarme del país. Hablé con mi hijo Chucho y le advertí los posibles escenarios. Mi conversación con el secretario Gutiérrez Barrios fue amplia y cordial. No pasó nada.

[26] Como se señaló en el capítulo I, el presidente De la Madrid me había hecho la misma invitación, pero malos entendidos me obligaron a rechazarla.

Un embajador a la carrera: la experiencia en España

Antecedentes

Desde niño tuve contacto con España. Estudié la primaria en la Academia Hispano Mexicana, una de las instituciones educativas fundadas por profesores del exilio español. Mis primeros amigos y mis novias imaginarias eran españolas. Recuerdo que uno de mis amigos me dijo que Herlinda, una compañera bonita, era su novia. Yo le respondí con enojo que no, que era mía. Acabamos la discusión a golpes en la parte trasera de la escuela. Herlinda, por supuesto, no sabía nada.

La Academia estaba en Paseo de la Reforma, en las Lomas de Chapultepec. Me trasladaba desde mi casa, en la colonia Del Valle, en un transporte escolar. Era medio interno, es decir comía en la escuela y regresaba a casa a la mitad de la tarde. Un alto porcentaje de los estudiantes eran hijos de españoles y los mexicanos compartíamos, por herencia y contacto personal, los ideales de la república española. Ahí aprendí que la zeta se pronuncia diferente y que existen anhelos superiores que se comparten.

La escuela era laica y mixta. La disciplina escolar, estricta y los profesores muy destacados en sus respectivas áreas. Tengo un magnífico recuerdo de aquellos años y guardo gratitud por el ambiente abierto y las enseñanzas recibidas. Fui un buen estudiante.

El presidente Miguel de la Madrid, a los pocos meses de mi renuncia a la Secretaría de Hacienda en junio de 1986, me invitó a ir a Madrid como embajador de México. Había aceptado, pero unos malentendidos en nuestra última conversación, me obligaron a rechazar la invitación.[1]

[1] "Tu aceptación representa el perdón del sistema", me señaló el presidente de la República. "Mi renuncia a la Secretaría de Hacienda no amerita el perdón de nadie y no puedo ir de embajador a España como un embajador perdonado", le respondí.

Unos años más tarde, el presidente Carlos Salinas me volvió a invitar; lo pensé poco y acepté gustoso. Era una manera de reincorporarme a las labores del gobierno y, al mismo tiempo, mantenerme a buena distancia. Eso correspondía, también, a los intereses del gobierno, pues era yo un elemento incómodo y mis opiniones públicas no gustaban.

En los días previos al viaje, me entrevisté con representantes de diversos sectores que pudieran tener interés en elevar su presencia en España: intelectuales, artistas, empresarios, funcionarios del gobierno, toreros y ganaderos, etcétera.

Empecé a cobrar interés por la tarea que se avecinaba. Nunca pensé en el destierro o el exilio, sino en otra y distinta oportunidad de servicio público.

Después de unos días en Nueva York, visitando a mis hijos, que estudiaban en la Universidad de Columbia, aterricé en Madrid el día 8 de mayo de 1991, temprano en la mañana. Lo hice coincidir con mi cumpleaños. En el aeropuerto me esperaba todo el personal de la embajada. Fue una sorpresa. Se iniciaba la vida diplomática de un embajador no de carrera, sino a la carrera.

Mis tres hijos, Tere, Eugenia y Chucho hicieron estudios de posgrado en Nueva York. Se fueron becados por varias instituciones. Economía, ciencias biomédicas y ciencia política, fueron sus campos de estudio, respectivamente. Soy un convencido de que los estudios adicionales en el extranjero contribuyen en mucho a la mejor formación académica y personal. El mejor patrimonio que un padre puede darle a sus hijos es su educación.

La casa y la oficina

Dos semanas antes tuve oportunidad de pasar un par de días en Madrid. Conocer la casa y la oficina. Apreciar sus condiciones y preparar los arreglos necesarios. Con una cámara fotográfica, de esas maravillosas japonesas, tomé fotos. Me fueron útiles. Las mostré a la Secretaría de Relaciones Exteriores y al presidente de la República, quien con generosidad me apoyó con recursos adicionales para mejorar lo necesario. Fue una atención personal y el reconocimiento de que era necesario mejorar el entorno de nuestra representación.

La casa es un palacete de principios del siglo XX. Pertenecía a una familia de abolengo, con escudo heráldico y todo. Tiene diez recámaras y un sótano con cuatro cuartos adicionales. Ocupa una superficie de más de 3000 m^2 y se encuentra ubicada en una de las mejores zonas de Madrid. A una cuadra de La Castellana y muy cerca de Serrano.

La casa, sin duda, es bonita. El jardín, arbolado, es muy agradable. El interior dejaba mucho que desear. Las paredes casi vacías, sin cuadros; el mobiliario muy mezclado y no de buen gusto; algunos cuartos en franco estado de deterioro: grietas en las paredes, manchas, descarapelado, con humedades. En fin, un tanto triste. Ausencia total de signos nacionales.

La oficina se encuentra en un séptimo piso de un buen edificio en la avenida de La Castellana. El lugar es decoroso, aún cuando también podía apreciarse un deterioro. La alfombra con superficie desgastada y cubierta con masking tape. Algunos muebles viejos regalados por la oficina de PEMEX, sillas secretariales de plástico blanco, insuficiencia marcada de libreros, etcétera. Los libros estaban amontonados en un clóset.

Poco a poco, las cosas se fueron mejorando. Se pintó parte de la casa, sin costo para el gobierno, por la actitud amable de una constructora española, cuyo director general es mexicano. Compramos alfombras y tapetes, libreros; a varios gobernadores amigos les pedí artículos de su estado; de manera paulatina se ha podido adornar la casa con cosas de México: cerámica, platería, pintura, etcétera.

Soy de los que piensan que conviene siempre tener cosas por delante que realizar. Por ello, la tarea fue lenta y, claro, después de algo más de dos años, hay mucho por hacer.

Un fin de semana, junto con José Guadalupe, viejo colaborador mío, pintamos de negro, la puerta de la calle. Lo hice por dos razones: una, salía mucho más barato, y la otra, quería transmitir el mensaje a todo el personal de la embajada que, en estas labores, todos tenemos que estar dispuestos a hacer de todo. En España, la legislación laboral ha sido altamente protectora de los trabajadores: ayudar con una maleta no está en las funciones del vigilante y, por ello, no ayuda. A veces se enfrenta uno a actitudes exageradas que provocan enojo y frustración.

El personal

La imagen externa del personal de la Secretaría de Relaciones Exteriores no es positiva: excesivo burocratismo y preocupación por las formas, poco ágil y otras cosas.

Después de laborar un buen rato en la Secretaría de Relaciones Exteriores, mi concepto es bien diferente: disciplina, amor a la camiseta, una actitud de servicio al país y un auténtico interés por hacer las cosas bien.

El personal que laboraba en la embajada me pareció insuficiente. Dos años antes, con una relación bilateral menos intensa, era lo doble. Hice el planteamiento para aumentar el personal, pero no tuve éxito. La verdad era que no era necesario. Hemos podido atender los diversos asuntos, razonablemente bien. Los errores y/o las deficiencias no se explican por falta de personal, sino, en su caso, por otras razones.

La presentación de credenciales al rey

A los pocos días de mi llegada a Madrid, pude presentar credenciales a su majestad, el rey Juan Carlos. Se trata de una ceremonia solemne y muy bonita. Todos hemos pensado alguna vez en palacios y en reyes.

Hay que ponerse el frac. En mis tiempos de secretario de Hacienda había sido condecorado por varios países, entre ellos España. Hay la tradición diplomática de otorgar condecoraciones a los miembros de la comitiva presidencial en una visita de estado. Yo había tenido esa oportunidad en el gobierno del presidente De la Madrid. Empero, la condecoración se me había extraviado; días antes, hablé con el protocolo del Ministerio de Asuntos Exteriores y me prestaron una "corcholata" con todos sus aditamentos.

Hace unos años, algún alto funcionario del gobierno español pasaba a recoger al embajador correspondiente a su residencia, en una carroza real, tirada por cuatro caballos, para iniciar el recorrido hasta el Palacio de Oriente. El problema de tránsito que se organizaba en el centro de la ciudad era terrible. Ahora, el trayecto en carroza se limita del Palacio de Santa Cruz (sede del Ministerio de Asuntos Exteriores), el cruce por la plaza mayor, dos cuadras de la calle mayor y arribo al palacio de oriente, el palacio real.

Es indudable que el recorrido en carroza es emocionante, distinto, solemne, bonito. El cruce del patio real se hace bajo el himno nacional, tocado por la banda real. Ahí, sí, se pone la carne de gallina e invade el orgullo de mexicano. Al descender, aparece una enorme escalera, flanqueada por elegantes carabineros. Se hace un esfuerzo para subir con la mayor naturalidad posible. Se atraviesan salones imponentes hasta llegar a aquel en el que la introductora de embajadores, Cristina Barrios —una persona excelente y muy apreciada, hoy embajadora de España en México—, hace la presentación ante el rey Juan Carlos. Hay un protocolo para entregar las cartas credenciales que lo acreditan a uno como embajador de México ante el reino de España: vestimenta, acompañantes, documentación, breves palabras, etcétera.

Después, el rey invita a pasar a un pequeño cuarto, donde quedan solos el rey y el embajador.

"¿Cómo está embajador?". "Encantado, majestad, de estar aquí en España. Es un país al que aprecio y quiero mucho. A pesar de haber padecido dos conquistas." El rey muestra cierto interés en lo que va a seguir. "La primera, hace 500 años, y la segunda, me casé con una española, ¡y usted no sabe lo que es eso!" (la reina Sofía es de origen griego). Se rompe el hielo y empieza una conversación cordial y amistosa.

El rey es una persona encantadora. Un manejo extraordinario con la gente, derrocha simpatía y sus años de monarca le han dado experiencia, profundidad y visión de estado. Su figura es altamente apreciada por el pueblo español.

Sale uno del palacio real con una sensación de haber vivido una experiencia única y estimulante. Es un principio de la encomienda diplomática, sin duda, hermoso.

En los jardines de la residencia del embajador se ha preparado una recepción. Asisten más de 300 personas y ahí tengo la oportunidad de saludar a otros embajadores acreditados en Madrid, a un buen número de viejos amigos españoles y a la colonia mexicana.

Toda la ceremonia la transmitió Galavisión a México. Me contaron que la pasaron en varias ocasiones. Mi familia y amigos, encantados de verme en frac, con condecoraciones y junto al rey. Yo también.

En una entrevista de televisión expresé mi gusto por iniciar esta nueva aventura; expresé, también, mis planes de trabajo en lo cultural y artístico, en lo político y en lo económico, con énfasis en comercio e inversión.

Al día siguiente, la prensa española recoge la noticia de manera destacada.

Los primeros pasos

Después de conocer personalmente a todo el personal de la embajada y enterarme de sus responsabilidades, trato de conocer la situación financiera de la oficina. Tengo esa deformación de conocer antes los recursos disponibles para luego, hacer planes de trabajo.

Los informes mensuales de gasto tenían un retraso de varios meses y la forma de llevar las cuentas no permitía conocer el ejercicio del gasto por partidas presupuestales. No era, pues, posible saber si en este o aquel renglón nos habíamos excedido o si teníamos recursos disponibles. El banco nos cobraba, casi todos los meses, intereses moratorios por sobregiros recurrentes en varias cuentas. Había que corregir todo esto.

A los pocos meses se logró poner al corriente las cuentas y los informes a la Secretaría; se eliminó el pago de intereses moratorios y con algunas pequeñas medidas de racionalidad y evitando excesos, empezamos a registrar números negros en nuestra contabilidad.

A pesar de la importancia indudable de nuestra relación con España, el presupuesto de la representación era modesto. Alrededor de dos millones de dólares anuales, destinado, casi en su totalidad, al pago de sueldos y salarios. Mi sueldo era de algo más de 10,000 dólares mensuales, más 2,000 dólares de gastos de representación. Más que suficiente, pues no pagaba casa, luz, teléfono, gasolina. Mi condición de soltero en esos años me permitió hacer algunos ahorros importantes.

Pocos días después de mi arribo, recibí una invitación del alcalde de Madrid, Rodríguez Sahagún, para una cena en un salón de fiestas del Parque del Retiro. A Luis, mi chofer, le dije que me gustaría retirarme a las doce de la noche, pues estaba un tanto desvelado. "Embajador, usted va a salir a la 1:30 de la mañana, no antes." Tenía razón. Ahí empecé a darme cuenta de que las horas de cena en Madrid son diferentes y un poco más demoradas que las nuestras. Por cierto, en esa ocasión, el alcalde Rodríguez Sahagún, hombre apreciado, del Partido Popular, mostraba ya signos de una enfermedad muy seria. Palidez y pérdida clara de peso. Pocos meses después falleció, con el reconocimiento de muchos madrileños.

Mexicomer 91

A los pocos días de mi llegada a Madrid, se inauguraba una gran feria comercial de México, Mexicomer'91. Traté de enterarme lo más pronto posible de sus modalidades, objetivos, estructura y otros aspectos.

El nuevo Recinto Ferial de Madrid (IFEMA), en el nuevo Parque de las Naciones, no estaba listo; la feria se instaló en el Palacio de los Cristales del viejo recinto ferial de la Casa de Campo. El secretario de Comercio y Fomento Industrial de México, mi amigo y excolaborador Jaime Serra Puche, y el ministro español de Comercio, Claudio Aranzadi, hicieron la inauguración del evento.

Jaime Serra fue un magnífico funcionario público. Su manejo equivocado de la devaluación de diciembre de 1994 lo marcó. Hoy se desempeña como un exitoso consultor internacional.

Había una gran expectación. Más de 200 industriales mexicanos hicieron acto de presencia con sus artículos o servicios. Un enorme despliegue. Había de chile, de dulce y de manteca. Madera, textiles, piedras preciosas, plata, pintura, artesanías de todo tipo, servicios sofisticados de informática, etcétera. La feria duró una semana. El esfuerzo no correspondió con los resultados. México no necesita una presentación de sus cosas a nivel global. Tenemos un nombre y un reconocimiento. El reto es, ahora, más puntual, más específico. Mexicomer'91 casi no mereció mención en los medios de información españoles, a pesar de un intento deliberado de última hora.

Uno de los días previos a la clausura invité a algunos de los empresarios a tomar una copa en la casa. Llegaron más de 60 personas. No tenía servicio. Hubo que servir los tragos personalmente y pedir ayuda para abrir las cervezas a varios de los invitados. Fue divertido y mostró, en forma clara, algunas de las limitaciones del servicio exterior.

El presidente Felipe González tuvo la deferencia de recibir al secretario Serra acompañado de un grupo reducido de empresarios mexicanos.

Al finalizar la feria, pude lograr varios obsequios de empresarios mexicanos que han permitido mejorar un poco la presentación de la residencia y las oficinas de la embajada.

La vida social

Madrid tiene una vida social muy activa. A los pocos días del arribo se empiezan a recibir invitaciones a comer y a cenar. No a desayunar. La vida no empieza temprano y sí, termina tarde. A mi llegada, quise indagar por un club deportivo para nadar o jugar tenis y que me permitiera conservar mis prácticas cotidianas de la ciudad de México. "A las ocho de la mañana, señor embajador, las calles de Madrid no están puestas" el club deportivo abre a las diez de la mañana. Hubo que cambiar los horarios y ajustarse a la práctica madrileña.

El mexicano es muy bien recibido en España. No hay nadie que no tenga o haya tenido un familiar o amigo viviendo en México. Incluso en los sectores más derechistas se reconoce, con gratitud, la recepción de los exiliados españoles, a raíz de la guerra civil. Esta actitud positiva puede estar cambiando ante la corriente migratoria latinoamericana hacia España, principalmente de colombianos y ecuatorianos, los "sudacas", que la han hecho el segundo destino migratorio más importante.

A los pocos días o semanas de estancia madrileña estaba cubierto de compromisos sociales, parte vital en el quehacer de un embajador. Es claro que en ocasiones no son gratas las reuniones, pero pienso que en todas hay siempre algo que aprender o mostrar.

Empecé a viajar un poco por los alrededores de Madrid. Segovia, Toledo, Pedraza, Chinchón, Aranjuez. A mediados de junio de 1991, Francisco Rojas, director general de PEMEX, estaba previsto para dar una conferencia en el aula fray Luis de León de la Universidad de Salamanca. No pudo asistir. Me pidió que la leyera, y las respuestas a las preguntas del público durante el coloquio fueron dadas por Gustavo Mohar, representante de PEMEX en Londres. Propuse que el honorario que le correspondía a Paco Rojas se dividiera en tres partes: una para él, otra para mí y otra para Mohar. Así se hizo. En esa ocasión, hicimos el viaje junto con el rector de la UNAM, José Sarukhán y su familia, Hilde Mehnert, mi novia; Gustavo Mohar, y yo.

Por cierto en ese viaje inolvidable a la Universidad de Salamanca, aprendí el origen de dos expresiones que utilizamos con frecuencia, sin conocer su origen: "El derecho al pataleo" e "Irse de picos pardos". La primera surgió ante el frío de los salones de clase en las primeras horas de la mañana, cuando algunos de los estudiantes pedían su derecho al pataleo, es decir, salir al patio y patalear para quitarse el frío de los pies. La segunda, cuando, en fin de semana o en vacaciones, los alumnos cruzaban el río Tormes para visitar en el pueblo a las prostitutas, que siempre vestían largas túnicas de color café.

El 24 de junio, onomástico del rey Juan Carlos, viajamos a Sevilla a celebrarlo en los jardines de los Reales Alcázares. La sociedad sevillana estaba de plácemes por la ocasión. La temperatura era superior a los 40 grados y se respiraba un alto nivel de humedad. Después de un par de horas de recepción, el panorama era gracioso: las señoras padecían el derrame de sus maquillajes, aunado a la elegancia de sus vestidos. Escena inolvidable.

Algunos embajadores mexicanos en España se quejan del número de paisanos que viajan a Madrid. Y es cierto. El destino preferido y obligado para los compatriotas es la Madre Patria. Yo me hice desde el principio el ánimo de que no iría a recibir al aeropuerto más que al presidente de la República, a sus ministros y a quien yo quisiera. Lo he cumplido. Mucha gente llega a Madrid, desde México. Como todo en la vida, tiene sus ventajas y sus inconvenientes. Hay que saber manejarlo.

Sin embargo, es una oportunidad enorme para entrar en contacto con gente destacada en el mundo político, empresarial, intelectual y artístico. A través de esos contactos he podido desarrollar una relación personal con personalidades como Octavio Paz y Carlos Fuentes, con nuevos y viejos empresarios mexicanos, con Hugo Sánchez, Chabela Vargas y con Paquita la del Barrio.

Las conversaciones en Madrid con los políticos mexicanos son mucho más abiertas que las que se pueden sostener en el Sanborn's de San Ángel. Más francas y sinceras. Tal parece que el Atlántico ayuda a quitarnos la máscara que llevamos, con frecuencia. Además, este hecho me ha permitido mantener un pulso de la evolución mexicana mucho más completo que si me limitara a las fuentes tradicionales.

En una visita a Madrid de Porfirio Muñoz Ledo, senador por el PRD y activo opositor al gobierno del presidente Salinas, le ofrecí una recepción en la residencia de México. En la cancillería mexicana no gustó y me llamaron, suavemente, la atención. Estoy convencido que un embajador debe atender a sus compatriotas sin distingo de colores políticos.

La I Cumbre Iberoamericana

El 18 de julio de 1991 se inauguró en Guadalajara, México, la I Reunión Cumbre Iberoamericana. Por primera vez en la historia se reunían los líderes de los países de habla española y portuguesa de ambos lados del Atlántico.

La iniciativa para llevar a cabo la reunión partió de México y España. Del presidente Salinas y del rey Juan Carlos.

España y Portugal se habían olvidado de América Latina, por tener concentrada la mirada en el escenario europeo. Algo similar nos acontecía a nosotros con los ojos puestos en el norte.

La reunión salió estupenda. La organización impecable. Fue un reencuentro demorado por varias décadas. Fue emocionante ver a Fidel Castro departir con el rey de España o con el presidente Endara de Panamá. México y su presidente hicieron un magnífico papel. De esos que dan orgullo.

El papel del embajador de México en España depende mucho de sus propias decisiones. Puede hacer poco y dedicarse a pasear y a comer bien; cumplen con lo elemental. Puede, por lo contrario, ser un embajador activo para promover una mejor y más cercana relación entre los dos países y trabajar mucho. Escogí este segundo camino.

La primera prioridad es establecer y mantener una buena presencia con los funcionarios del gobierno y con la corte española. Es necesario el contacto con los otros partidos políticos y, de manera especial, dada la enorme diversidad de España, con las comunidades autónomas. La vida cultural es muy activa tanto en las universidades y centros de investigación como fuera; en Madrid y fuera de Madrid. El grupo empresarial no es muy amplio, mantiene una actitud moderna y en aquellos años de principios de los noventa parecía dispuesto a lanzarse a la reconquista del Nuevo Mundo, lo cual ha hecho en buena medida en los siguientes años. La presencia creciente de firmas españolas en América Latina —banca, turismo, construcción, telefónica, electricidad, etcétera— ha sido, en verdad, impresionante. La prensa española es magnífica. Sus editoriales son de una gran calidad, y análisis. El contenido y amplitud de las notas internacionales contrasta con la poca atención de la prensa mexicana. El debate, con respeto a la voz distinta, es una característica envidiable para nosotros. Afortunadamente, en los años recientes hemos avanzado mucho en este terreno.

Viajé por casi toda España. Visita al presidente de la comunidad, reunión con empresarios locales, entrevista de prensa y conferencia en algún centro de estudios era la rutina casi permanente. Era necesario tratar de captar la actitud fundamental sobre nuestro país y transmitir, con seriedad, nuestra propia realidad.

En aquellos años iniciales de la década de los noventa, México y España disfrutaban de un momento histórico muy favorable: buen desempeño económico, estabilidad y actitud moderna, con una mirada clara hacia el futuro. La relación entre las dos naciones era inmejorable. No existían problemas serios entre los dos gobiernos, acaso pequeñas disputas transitorias. En una sola ocasión fui llamado por el canciller Javier Solana al Ministerio de Asuntos Exteriores para hacer un reclamo sobre un asunto de extradición que pronto fue resuelto.

En este marco bilateral se llevó a cabo la celebración de los 500 años del descubrimiento de América o —como se insistía en llamarlo— el encuentro de dos mundos. "Encontronazo", me gustaba decir.

Fueron innumerables los eventos conmemorativos de aquella fecha. Echaron la casa por la ventana. Reuniones académicas entre filósofos, historiadores, lingüistas, economistas de las dos orillas; publicación de una gran variedad de libros conmemorativos, conferencias diversas en toda España, cursos universitarios alusivos, etcétera. Por supuesto, los acontecimientos magnos fueron la Expo de Sevilla y las olimpiadas en Barcelona. España se puso de moda y proyectó su imagen a todo el mundo. Después, en 1993, había que pagar la cuenta.

La Expo-Sevilla 92 fue todo un éxito. Participaron muchos países que mostraron sus diversas personalidades. Recuerdo el pabellón de Chile, que había transportado un iceberg enorme desde el otro lado del Pacífico y lo exhibía a una temperatura exterior de 40 grados; la leyenda que presidía el pabellón decía: "Si somos capaces de esto...".

El Ave, un tren de alta velocidad facilitó enormemente el traslado de Madrid a Sevilla.

México participó de manera activa en la Expo. Emilio Casinello, coordinador de la Expo y buen amigo de México, nos asignó un buen lugar dentro de los terrenos de la feria. Nuestro pabellón, inaugurado por el presidente Salinas, se erigió alrededor de dos equis monumentales, de 18 metros de altura. México es el único país en el mundo que lleva una X en su nombre, y la "X en la frente", como dijera Alfonso Reyes, tiene un simbolismo que ha dado lugar a muy diversas interpretaciones (*véase* Anexo 10).

Una de ellas resalta en la X el cruce de caminos, de culturas, el encuentro de dos mundos. Su base, clavada en la tierra, recibe la influencia de sus raíces profundas, de su cultura e historia; y las puntas, que miran al cielo, buscan el futuro y se orientan a los cuatro puntos cardinales.

El pabellón mexicano fue todo un éxito y fue de los más visitados, incluyendo un restaurante mexicano bastante bueno. México, incluso, estableció un consulado en Sevilla, por cierto, de vida efímera.

Barcelona, se puso guapa y fue un estupendo anfitrión de las olimpiadas de 1992. Nuestra participación, como ha sucedido desde hace años, fue mediocre. ¿Qué nos pasa?

Como parte de la celebración, el gobierno español estableció La casa de América, en el antiguo Palacio de Linares, en el centro de Madrid. Se inauguró oficialmente el 25 de julio, e inició operaciones el 15 de septiembre con un amplio programa dedicado a "México, hoy". Hubo presencia mexicana durante más de un mes, en el que se presentaron muestras de pintura, teatro, cine, literatura y pensamiento político. Para la embajada fue una oportunidad magnífica y con una intensa actividad.

Por cierto, dentro de los eventos conmemorativos del V Centenario, acudimos todos los embajadores del cuerpo diplomático al Puerto de Palos, para presenciar la reproducción de la salida de la Santa María hacia mares desconocidos. La ceremonia era presidida por el príncipe Felipe. En medio de la solemnidad, la carabela fue botada, pero a unos metros de su salida se empezó a ladear hacia babor, provocando que incluso los tripulantes y la mascota de la Expo tuvieran que saltar al mar. La nave quedó varada y toda inclinada. Fue un espectáculo trágico y cómico a la vez. Hubo que contener la sonrisa. El recuerdo se quedó. El príncipe Felipe y todos los presentes tratamos de mantener las formas.

Uno de los grandes activos que México tiene en su presencia en el exterior es su cultura. Nuestra herencia prehispánica diversa, las joyas coloniales, la época de la revolución de 1910, sus letras, pintura, artesanía, música, etcétera. Sin embargo, con frecuencia, la escasez de recursos dificulta su difusión. Era necesario establecer el Instituto Cultural Mexicano en España. Y se hizo. Sus actividades se iniciaron con una exposición de arte huasteco; su director, Víctor Sandoval, empezó su labor con recursos financieros y humanos muy modestos. Al poco tiempo, se pudo alquilar un local decoroso, en la avenida de La Castellana, desde el cual se llevó a cabo una intensa labor de difusión cultural. Se realizaron exposiciones de pintura —una, muy exitosa, de Frida Kahlo—, conferencias, mesas redondas, presentación de libros, etcétera.

Tuve el honor de acompañar a sus actividades intelectuales en España a Octavio Paz y a Carlos Fuentes. Por mi parte, mantuve una presencia activa en la vida cultural y académica de España: seminarios, mesas redondas, etcétera.[2]

Impartí numerosas conferencias a lo largo de todo el territorio español; por supuesto, sin honorarios. Incluso llegué a la Gomera, una pequeña isla cercana a Tenerife, donde nunca antes había llegado un embajador de México. Se trataba de ofrecer una imagen de México como tierra de oportunidades, resaltar el profundo proceso de ajuste económico en que estábamos embarcados después de la crisis de 1982, la llamada crisis de la deuda externa. Si bien insistía en los logros en materia de finanzas públicas, en el abatimiento de la inflación, el proceso de privatización de empresas públicas y la apertura comercial, nunca dejé de mencionar el elevado costo social de las reformas.

El otro tema que despertaba un gran interés en las aulas españolas era el Tratado de Libre Comercio de América del Norte. Las negociaciones se habían iniciado y había curiosidad alrededor de estos empeños. Era la primera vez de un acuerdo comercial entre uno de los países más ricos del mundo y otro, vecino, en proceso de desarrollo. En referencia a las ventajas y desventajas que todo acuerdo de integración implica y a no contemplarlo como panacea para México, insistí en una plática en Barcelona en octubre de 1992 en que "el TLC y la apertura, por si solos, no darán los resultados esperados". Es necesaria la intervención del Estado —aun cuando esto esté en contra de la moda actual— para estimular la innovación tecnológica y científica, la formación de recursos humanos y los mejores mecanismos de comercialización y administración. Como lo han hecho Japón y Corea del Sur, en donde no es cierto que el sector privado actúe sin apoyo del gobierno.

En esos mismos días, en el Ateneo de Madrid señalé, y lo reiteré en 2004, que "nuestra posición geográfica y una estrecha relación histórica, aunadas al Tratado de Libre Comercio de América del Norte, harán que aumente la tentación para concentrarse cada vez más en el norte y, sobre todo, reforzar los lazos con Estados Unidos. La creciente integración con Estados Unidos —la silenciosa que ha sucedido casi sin darnos cuenta en los últimos lustros, especialmente en la frontera norte, y la de-

[2] Por ejemplo, Ramón Tamames, prestigiado economista español, me invitó a participar en el anuario de 1992 publicado por uno de los periódicos de mayor circulación en España (*véase* Anexo 11).

liberada, la que será impulsada por el propio Tratado de Libre Comercio— puede acelerarse. Sin embargo, existe la posibilidad y la necesidad de diversificar las relaciones internacionales. Esta alternativa requiere convertirse en prioridad señalada y recibir el apoyo necesario a los más altos niveles de la administración".

La celebración en 1991 de la Primera Cumbre Iberoamericana en Guadalajara y la Segunda, en Madrid, en 1992, dio un fuerte impulso a la noción de la comunidad iberoamericana. Creo que fue una idea magnífica. A España y a Portugal les fortalece, y a América Latina le plantea posibilidades para ensanchar sus vínculos económicos y evitar la excesiva concentración de la mirada hacia el norte. Sin embargo, me parece que los factores de atracción en ambos lados del Atlántico son, en cada caso, demasiado fuertes para consolidar la idea de Iberoamérica. La celebración de sucesivas cumbres cada vez despierta menos interés, y los logros, después de casi 15 años de su lanzamiento, son, sin duda, positivos, pero modestos. Recientemente se estableció, con sede en Madrid, una Secretaría permanente de la Cumbre, en manos de Enrique Iglesias, expresidente del Banco Interamericano de Desarrollo, con el propósito de impulsar proyectos de interés mutuo. Por otro lado, la presencia creciente de firmas españolas en América Latina en campos tan diversos como la banca, construcción, material ferroviario, telecomunicaciones, turismo, industria editorial, ha sido verdaderamente extraordinaria.

Participé en el XV Aniversario del Restablecimiento de Relaciones Diplomáticas entre México y España, suspendidas durante el régimen franquista (*véase* Anexo 10). El presidente de México envió un mensaje al que di lectura: "Mexicanos y españoles tenemos un motivo de alegría y celebración. Hace 15 años reanudamos a nivel político una amistad profunda que nunca dejó de existir." Me cuesta trabajo encontrar otro país en el mundo con el que tengamos mayor afinidad e identificación.

El tema de la privatización de empresas públicas fue otro asunto sobre el cual tuve que expresar nuestras experiencias y puntos de vista. Incluso, recibí invitaciones para hablar del tema por parte de la asociación de industriales de Estambul, Turquía, y de una dependencia pública en Moscú. En estas ocasiones, me permití reiterar, entre otros elementos la necesidad de evitar el dogma ideológico; el proceso sólo puede ser exitoso en un marco de estabilidad macroeconómica; en ocasiones hay que privatizar al sector privado; la desregulación debe estar acompañada por un fortalecimiento de la supervisión; conviene empezar por las empresas pequeñas; el proceso de decisión debe estar centralizado; la venta debe ser al contado no a plazos; el proceso debe ser claro, transparente y público; el ingreso por la venta no debe usarse para gasto corriente; hay que prestar atención cuidadosa a quien compra y evitar la privatización sólo por el hecho de privatizar.

Las responsabilidades de un embajador mexicano en Madrid son muy diversas. En el Parque del Retiro, en Madrid, se develó un busto de Pedro Vargas, donado por la alcaldía, unos días después de mi llegada a España. Pronuncié unas breves palabras: Pedro Vargas, "Vuelve a España, a la que tanto quiso y tanto le cantó. Aquí deja un pedacito de su música y de su corazón; aquí deja también un pedacito de nuestro México... Para siempre en Madrid". Así también, la Universidad Complutense en Madrid en julio de 1992 concede la medalla al mérito artístico a Chabela Vargas. En aquella ocasión pude expresar: "De su voz, me parece que lo que puedo decir, es que no sale de la boca, sale de más adentro, del sentimiento, del alma. Pocas artistas transmiten mejor el sentimiento que Chabela Vargas".

Me tocó presidir tres ceremonias del grito de la Independencia. Era una celebración cívica reconocida como una de las mejores en el medio diplomático de Madrid; aun cuando se enviaban invitaciones, en realidad era una fiesta de puertas abiertas. Alrededor de dos mil personas se reunían en los jardines de la residencia. Tequila, cerveza y taquitos, era lo que ofrecíamos. Música de mariachi. A las once de la noche, el embajador daba el grito y agitaba la campana, flanqueado por los agregados militares de la embajada; la fiesta duraba hasta las 2 o 3 de la mañana. En una ocasión, sentado en la sala con un grupo reducido de amigos al término de la fiesta, le pido a José Guadalupe Martínez, colaborador mío, que revisara el interior de la casa, al cual nadie tenía acceso. Encontramos a dos muchachos, uno en el baño del tercer piso y otro, en uno de los cuartos del sótano. Completamente borrachos. Eran estudiantes del seminario religioso de Toledo. Confío en que al término de su carrera eclesiástica hayan aprendido el respeto que el tequila merece.

Con especial recuerdo tengo presente la reunión mensual del Grupo Latinoamericano (GRULA) de embajadores. Cada mes nos reuníamos en casa de uno de nosotros para convivir y compartir inquietudes y experiencias. Se formó un grupo amable. Con especial afecto recuerdo a

Juan Gabriel Valdez, de Chile; Juan Pablo Lohlé, de Argentina; Ernesto Samper, futuro presidente de Colombia, y Alfredo Valdivieso, de Ecuador. En una ocasión comimos todos con el presidente Felipe González. Con poco tino, uno de los comensales le preguntó por qué el Partido Socialista Obrero Español (PSOE), tenía poco de socialista y era ajeno a los problemas de los obreros españoles. El presidente respondió con la contundencia, elegancia e ironía que lo han hecho uno de los grandes estadistas de los últimos años.

En esencia, señaló cómo la política económica seguida en su gobierno había permitido la elevación en el nivel de vida de la mayoría de la población española y el ascenso de España en la comunidad de naciones.

A mi juicio, y lo reitero, Felipe González ha sido uno de los grandes líderes políticos de nuestro tiempo. Supo superar el dogma económico y político y actuar en función de los intereses superiores de la mayoría. Años después, supe de su entrevista con Henry Kissinger, secretario de Estado estadunidense poco antes de su toma de posesión como presidente del gobierno español. Ante su pregunta de sí pensaba nacionalizar la banca, Felipe le respondió que no había razón, que la banca operaba dentro de las directrices de las autoridades financieras, que estaba sujeta a regulación y supervisión adecuada y que cumplía con su responsabilidad social. Es una pena que estas reflexiones no fueran reconocidas en México en 1982, cuando se decretó la nacionalización de la banca mexicana por el presidente López Portillo.

La visita de Estado de un presidente de la República representa una enorme responsabilidad para todo el equipo de una embajada. El programa hay que diseñarlo en coordinación con la Secretaría de Relaciones Exteriores, la presidencia y el Estado Mayor Presidencial y, por supuesto, con diversas autoridades del país anfitrión. Hay que revisar los tiempos y todos los detalles. El presidente Salinas inició su visita en julio de 1992 y desplegó una intensa actividad. Inauguración del pabellón de México en la Expo-Sevilla, ceremonia de entrega de una escultura monumental en el Parque Ferial de Madrid, reuniones con empresarios, académicos y prensa y, claro, entrevistas con el rey y con el presidente de gobierno. El rey Juan Carlos le ofreció una cena en el Palacio de El Pardo y, a su vez, el presidente Salinas ofreció una cena de gala en el Casino de Madrid. En los jardines de la embajada recibió a la comunidad mexicana en Madrid.

Fue una visita muy exitosa de un presidente exitoso, cuyo liderazgo era reconocido internacionalmente.

El presidente Salinas fue un presidente innovador. Cambió muchas cosas y supo utilizar el poder de manera plena: cambió el régimen agrario, la relación con la iglesia y los sindicatos, con los empresarios y con Estados Unidos, a través de la firma del Tratado de Libre Comercio con América del Norte. Buscó, como él mismo lo afirma, la modernidad de México. Su último año fue dramático y hubo poca capacidad para reaccionar a la cambiante circunstancia. Violencia y corrupción lo dejarían marcado.

Por cierto, en los arreglos para la cena ofrecida por el presidente mexicano en el Casino de Madrid, la embajada había arreglado un menú decoroso y elegante. En una de las varias visitas previas para ultimar detalles, me entero que se había recibido un cambio sustancial al menú acordado por parte de la oficina de la presidencia. Eso me provocó enojo e irritación. Soy de los que creen que cada quien tiene sus responsabilidades y que debe cumplirlas sin interferencia.

A mi regreso a la oficina redacto un mensaje en el que solicito el envío emergente de un equipo de trabajo para que nos indicaran —dada nuestra ignorancia— el orden de los cubiertos y de las copas en las mesas del banquete y, de manera especial, nos dijeran si el jamón serrano debía servirse frío o caliente. El ministro Francisco del Río, a quien le mostré el mensaje, me insistía en que no podía enviarlo porque sería insultante. Lo envié. Al poco rato hubo un telefonazo desde México y las cosas se aclararon con respeto a la embajada.

Al ministro Del Río, hoy embajador, le pedí que escribiera sus recuerdos de este incidente. A continuación transcribo sus palabras:

> Seguramente fue en la primera semana de julio de 1992. Estábamos en Madrid, donde yo era ministro de nuestra embajada. O sea, el número dos. El número uno era Jesús Silva-Herzog, con quien había venido trabajando desde mediados del año anterior.
>
> Me tocaba ayudarle al embajador en los preparativos de la esperada visita del presidente Carlos Salinas de Gortari, quien tenía previsto realizar un intenso viaje a España a fines de julio de ese año. Se esperaba que el presidente participara en los trabajos de la Segunda Cumbre Iberoamericana en Madrid, que asistiera a la inauguración de los Juegos Olímpicos en Barcelona y que visitara la Exposición Universal de Sevilla. Todo en tres días.

No hay acontecimiento más importante para una embajada que recibir al presidente de la República. Todos sus integrantes ponen un gran entusiasmo y esmero para que las cosas salgan bien, empezando por el embajador. Por eso, al ver que no había un acto puramente bilateral con España, el embajador pensó en organizar un acto de corte empresarial en Madrid, la noche de la llegada del presidente.

Me encargó que buscáramos un lugar en donde pudiéramos organizar una reunión de trabajo con empresarios, primero, y luego una cena que le permitiera al licenciado Salinas departir un rato con sus invitados españoles. Así fue propuesto a México y así aceptado.

Con estas instrucciones, me di a la tarea de encontrar un local adecuado. Mi sugerencia fue el casino de Madrid. Días después lo visitamos con el embajador Silva-Herzog. El casino ocupa desde principios del siglo pasado un hermoso edificio en la calle de Alcalá, a unos cuantos metros de la Plaza del Sol en pleno centro de Madrid. Nos atendió el gerente general, un francés de origen Corso, que inmediatamente se puso a nuestra disposición y nos aseguró que haría sus mejores esfuerzos para el éxito del acto presidencial.

Decidida la sede, el embajador comenzó una intensa rueda de contactos con empresarios, exportadores e importadores y banqueros con quienes mantenía fluidos y frecuentes contactos, para asegurar la presencia de lo más representativo del sector privado español. Pese a que el convite era en pleno verano —época de sagrado descanso para los españoles—, en corto tiempo el embajador pudo lograr el compromiso de asistencia de los principales miembros de la comunidad empresarial española.

Por mi parte, junto con otros colegas de la embajada, nos encargamos de la organización del acto empresarial y de la cena. Incluyendo el menú: ensalada con unos pedacitos de bogavante, un sencillo plato de carne con champiñones, o algo así, y un postre ligero. Seleccionamos un par de vinos de la rioja, buenos, bonitos y no muy caros.

Todo marchaba sobre ruedas. Las confirmaciones iban llegando a buen ritmo, se había generado gran expectativa por la cena empresarial, al grado tal que tuvimos que limitar el número de invitados. Todo bien.

Con las instrucciones del embajador, el equipo de trabajo de la embajada se dedicó a los demás aspectos de la visita. Varias veces recorrimos las sedes en Madrid, Barcelona y Sevilla, en un solo día.

Asimismo, por haber sido sede de la I Cumbre Iberoamericana en Guadalajara, constantemente recibíamos las visitas de los funcionarios que habían sido responsables de su organización, para compartir su experiencia con los organizadores españoles. Además, iban y venían los mensajes con protocolo, con el Estado Mayor Presidencial (EMP) y con la Presidencia de la República para afinar los detalles del programa de actividades.

Llegó el día de la "avanzada" de protocolo y EMP, ya muy cerca de la visita presidencial. Estuvimos en todos lados, inclusive en el casino de Madrid. Revisamos todo con lupa. Y todo bien.

Faltando quizá una semana para la llegada del presidente, me buscó el gerente corso del casino. Me dijo que había recibido una llamada de una oficina en la presidencia de México solicitando se les enviara el menú para su aprobación y que habían puesto el grito en el cielo al saber que se serviría bogavante, un plato, a su juicio, demasiado ostentoso. Esa oficina había también solicitado el envío por fax de toda la carta del restaurante del casino para hacer, en México, la selección del menú que se serviría. El confundido Corso me preguntó qué debía hacer. Le pedí que esperara.

No tuve más remedio que comentar el asunto con mi jefe, Silva-Herzog. Después de escucharme, con toda calma don Jesús llamó a su secretaria Lucrecia (q.e.p.d.) Y le pidió que tomara nota de un fax que más o menos decía así:

Para: Doctor José María Córdoba
Presidencia de la República
De: Jesús Silva-Herzog
Embajador de México en España:

Ante la manifiesta incapacidad de esta embajada para decidir asuntos como el menú de la cena empresarial, agradeceré a usted consultar con el señor presidente de la República el envío inmediato de una misión de expertos de alto nivel que me diga si el cuchillo lo pongo a la derecha o a la izquierda del plato, si el mantel deberá ser blanco o a cuadros y si el jamón serrano lo sirvo frío o caliente.

Atentamente,
Silva-Herzog

–Mándelo, Paco—, me dijo. Ante mi evidente titubeo, me volvió a pedir que lo transmitiera tal cual. Así lo hice.

Habrían pasado unos diez o quince minutos cuando el embajador Silva-Herzog recibió la llamada desde México de una asesora muy cercana al presidente Salinas —de cuya oficina se habían hecho los contactos con el Corso— desviviéndose en disculpas y asegurándole la confianza del presidente en las decisiones que tomara.

Luego supe que las instrucciones que le habían llegado al EMP eran de "manos fuera" y de no entrometerse en la organización de la cena, pues "la embajada podía sola".

Afortunadamente, llegado el día, todo salió a pedir de boca. El presidente Salinas, muy satisfecho por como había transcurrido la reunión de trabajo, de improviso le pidió a don Jesús que pronunciara las palabras para ofrecer la cena, las cuales fueron recibidas con una cerrada ovación. Además, la ensalada con pedacitos de bogavante estaba riquísima.

Francisco del Río
Managua, diciembre de 2004

Durante la visita, tuve oportunidad de conversar en privado con el presidente Salinas. Quería saber mis planes a corto plazo, pues circulaban rumores de una posible postulación mía para la presidencia de la República, por parte de uno de los partidos de oposición. Era natural su interés por conocer de viva voz cuáles eran mis planes. En efecto, había habido conversaciones informales, con representantes del PRD y del PARM. Sin embargo, siempre he creído que el salto a la oposición debe ser por convicción ideológica y política y no por conveniencia personal.

Una anécdota graciosa. Durante la estadía del presidente Salinas en Madrid, debía recogerlo a las 8:15 de la mañana, en su hotel para continuar su programa de actividades. Me levanto temprano y pido para desayunar un café y un huevo cocido. La señora de la cocina lo pone en el horno de microondas. Al partirlo se produce un estruendo y una explosión. Las partículas del huevo llegan hasta la pared del antecomedor; mi camisa, corbata quedan manchadas y mi cara sufre quemaduras leves y pasajeras. Trona, la cocinera filipina de la residencia, se asusta y piensa que la voy a despedir. Un accidente es un accidente y no justifica represalia.

Yo me cambio rápidamente para llegar a tiempo con el presidente de la República.

Por cierto, unos meses después, una mañana de domingo, recibo una llamada telefónica del secretario general del PARM, quien me comunica que se encuentran en asamblea general en el teatro Metropólitan y que requieren mi conformidad telefónica para hacer pública mi postulación para la presidencia de la República. Mi respuesta, obvio, es una negativa contundente.

En septiembre de 1993, tiene lugar una reunión de embajadores mexicanos en Europa con el presidente Salinas. Se lleva a cabo en Bruselas (*véase* Anexo 12). Después de la cena de clausura, me invita a acompañarlo a un pequeño palacio donde se hospedaba, el Château de la Hulpe. Conversamos en privado por un buen rato. Los rumores alrededor de mi futuro político continuaban. Las columnas políticas en la prensa mexicana, insistían a diario en el tema. Fueron momentos de cierta presión personal. Con anterioridad yo había anunciado mi intención de regresar al cabo de dos años de vida diplomática, es decir en mayo de 1994. Sin embargo, el ruido político aconsejaba prolongar mi estadía en Madrid y esperar que el horizonte se despejara, reducir el acoso de los medios, sobre todo, cuando no tenía intención de buscar ninguna candidatura presidencial. El presidente Salinas acepta esta postura.

Las presiones y los rumores eran de tal naturaleza que me vi obligado a emitir el siguiente comunicado:

Comunicado de la embajada de México en España
Declaración del embajador Jesús Silva-Herzog
B-1739

Madrid, España, 30 de agosto de 1993 (vía telex). En los últimos días, diversos medios de información mexicanos han vuelto a mencionar mi posible participación en las elecciones presidenciales de agosto de 1994. Es necesario reiterar:

1. El 17 de febrero pasado, ante rumores semejantes, señalé que "no tengo aspiraciones a la sucesión" (*Excélsior* y *El Nacional* del día siguiente). En esos días, hice declaraciones similares a medios radiofónicos (Radio Red y Stereo-Rey).

2. Esta actitud la he mantenido de manera clara y reiterada en sucesivas oportunidades: entrevista con Leticia Singer del 24 de abril (*El Financiero* y la revista *Siempre!*); declaraciones en Londres a la agencia EFE, 12 de mayo (publicadas en *Excélsior* y *Ovaciones* al día siguiente); entrevista con Víctor E. Calderón para el programa de radio "Para empezar", el 7 de junio, reproducida en la revista *Este País* en el número correspondiente al mes de agosto; entrevista para el periódico *El Sudcaliforniano* de La Paz, Baja California Sur, el 31 de julio, reproducida en varios medios de la ciudad de México.
3. En el desayuno al que fui invitado en el restaurante Covadonga, el pasado 7 de agosto, señalé, efectivamente, que mi regreso definitivo a nuestro país está previsto para el próximo mes de noviembre, después de haber cumplido, con entusiasmo, mi encomienda diplomática en España durante dos años y medio. Es falso que haya dicho que mi decisión política esperaría a mi regreso.
4. Esta decisión política de no tener "aspiraciones a la sucesión" está tomada desde hace mucho tiempo. No ha variado ni variará.

Jesús Silva-Herzog

José Francisco Ruiz Massieu terminaba su gestión como gobernador de Guerrero en abril de 1994 y había expresado su deseo de ser embajador en España, con la aceptación del presidente. Así me lo había comunicado, dada nuestra magnífica relación de amistad. Mi decisión de prolongar mi estadía en España, imposibilitaba aquella intención. Pepe Ruiz Massieu es nombrado director del INFONAVIT, por un breve lapso, y luego secretario general del Partido Revolucionario Institucional, donde —lo digo con tristeza— encuentra la muerte ante un gatillero a sueldo. Si se hubiera ido a España, estaría con nosotros.

No me arrepiento de haber prolongado mi estadía en Madrid. Creo que hice lo correcto.

El ímpetu de Pepe Ruiz Massieu, sus objetivos políticos, su ascenso y perspectivas promotoras en el gobierno entrante, preocuparon a ciertos sectores. Ellos, y, claro, no los indentifico, jalaron el gatillo esa mañana de septiembre de 1994.

Las relaciones económicas, comerciales, financieras entre los dos países eran muy modestas, con excepción del petróleo. No correspondían a la cercanía entre los dos pueblos. Responsabilidad fundamental de un embajador mexicano era promover negocios e inversiones en ambos sentidos. El mejor apoyo que se pueda tener para estos propósitos es Plácido Arango, mexicano de origen español, radicado en Madrid desde hace décadas y a quien todo el mundo en España aprecia y reconoce. En realidad, Plácido es el mejor embajador que México ha tenido desde hace años. Generoso y siempre atento a las causas mexicanas. Merece un mayor reconocimiento de las autoridades de nuestro país.

Durante mis visitas a las comunidades autónomas, pude estimular la visita de delegaciones empresariales y de gobierno a nuestro país. De esa manera, nos visitaron, entre otras, de Cataluña, Valencia, Galicia, Murcia y el país vasco. Los vínculos que se establecen son, sin duda, útiles para el fortalecimiento de la relación bilateral.

Alguna modesta contribución pudimos hacer en la compra de una empresa cementera española, La Valenciana, por parte de CEMEX, en su primera incursión en el continente europeo; arreglar algunos obstáculos burocráticos para la entrada de la cerveza Corona al mercado español, y en la apertura de dos buenos restaurantes mexicanos en Madrid (El Cuchi y el Sí, señor). PEMEX mantenía desde algunos años una participación accionaria en REPSOL, la empresa española de petróleo. Por otro lado, algo se pudo hacer para iniciar una presencia creciente de cadenas hoteleras españolas en nuestro país, principalmente en Cancún y en Los Cabos; asimismo, se pudo apoyar a Construcciones y Auxiliar de Ferrocarriles, S.A. (CAF), en la obtención y respeto del concurso para construir un buen número de carros para el Metro de la ciudad de México y a ARIES Industrial y Naval para construir contenedores y congeladores de vegetales. En varios momentos, sugerí la conveniencia de invertir en la banca mexicana, con una participación minoritaria. Así empezó el Banco de Bilbao Vizcaya con el Banco Mercantil de México. Hoy, España es uno de los inversionistas extranjeros más importantes en México y en América Latina. Nunca imaginé que, después, permitiríamos la propiedad total del capital de los bancos mexicanos en manos extranjeras. A mi modo de entender, uno de los más graves errores en la historia de la política económica de nuestro país.

Es curioso, pero entre los 12 países más importantes del mundo, por el tamaño de su economía, México es el único que ha permitido el control de la mayoría de los bancos en manos extranjeras. En todos ellos hay presencia de banca extranjera, pero el grueso del sistema permanece en manos de nacionales. Por algo será.

El sistema bancario es como el aparato circulatorio de la economía nacional.

Ahora, los bancos extranjeros siguen los lineamientos de sus casas matrices, sin responder a necesidades nacionales. El abuso en el cobro de comisiones y otros pagos ha sido escandaloso. El poder de influencia de la autoridad se reduce cuando el dueño es un extranjero. Hoy, las decisiones importantes y las no tan importantes se toman en Bilbao, Santander, Londres, Nueva York o Montreal. No en México. En fin, es una verdadera pena.

Una política financiera —monetaria, crediticia, fiscal— más severa y activa puede ser necesaria para ligar de modo más estrecho a la banca extranjera con las necesidades nacionales.

En el año 2000 volví a España por unos cuantos días. La nostalgia me invadió por aquellos años.

UNA SEGUNDA AVENTURA DIPLOMÁTICA: ESTADOS UNIDOS

El domingo 4 de diciembre de 1994 —unos días después del inicio del gobierno del presidente Ernesto Zedillo— recibí una llamada telefónica del recién nombrado canciller, Ángel Gurría, trasmitiéndome la invitación del presidente para ser embajador de México en Estados Unidos.

La invitación me cayó de sorpresa. Mis planes eran incorporarme a la Universidad Nacional Autónoma de México y dedicarme a la vida académica; solicité unos días para pensarlo y discutirlo con mis hijos. Tenía escaso un año de estar en México, después de treinta meses de desempeño como embajador en España, y era mi intención no volver a salir del país. Sin embargo, unos días después expresé mi aceptación a la muy honrosa invitación. La embajada de México en Washington es, sin duda, la más importante del mundo; varios exsecretarios de Hacienda —Antonio Carrillo Flores, Hugo B. Margáin— habían ocupado esa representación diplomática. En fin, la oferta era muy atractiva.

Las perspectivas eran atractivas y alentadoras.

México había iniciado una nueva relación con el vecino del norte con la firma del Tratado del Libre Comercio; la imagen del país era inmejorable; habíamos hecho todo lo que la moda económica en boga establecía: apertura comercial, privatización de empresas públicas, combate a la inflación, responsabilidad en el manejo de las finanzas públicas. Nos habíamos convertido en el ejemplo para el resto de los llamados países emergentes de América Latina y del resto del mundo.

A mediados de diciembre sobrevino la debacle. Una salida masiva de capitales en unos cuantos días condujo a una fuerte devaluación del peso mexicano y una pérdida dramática de reservas internacionales. La "primera crisis financiera del siglo XXI", la llamó Michel Camdessus, director-gerente del Fondo Monetario Internacional. Un ambiente de sorpresa primero, desasosiego e incertidumbre después, iba a dominar el ambiente económico y político durante las semanas y meses siguientes. El impacto interno y externo de la crisis fue tremendo y provocó de inmediato, un deterioro serio en la imagen del país y en sus autoridades.

Mucho se ha escrito sobre el origen de la crisis mexicana de diciembre de 1994; existen numerosas versiones e interpretaciones de todo tipo. El crecimiento desmedido del déficit en cuenta corriente, la posible sobrevaluación de la moneda, la falta de una política monetaria compensatoria, un déficit fiscal mayor al anunciado públicamente, etcétera.

La verdad es que 1994 fue un año pésimo para México. El levantamiento del Ejército Zapatista de Liberación Nacional el primero de enero de ese año, el asesinato del candidato presidencial Luis Donaldo Colosio el 23 de marzo, elecciones presidenciales disputadas en el mes de agosto, asesinato del secretario general del Partido Revolucionario Institucional, José Francisco Ruiz Massieu en septiembre; inestabilidad dentro del equipo de gobierno, etcétera. Junto a estos hechos de naturaleza política, importantes indicadores económicos mostraban una tendencia preocupante: la tasa de interés, el tipo de cambio, la circulación de Tesobonos,[1] las cuentas con el exterior, las reservas internacionales, etcétera. Ante esta combinación de factores, la política económica, en esencia, se mantuvo invariable. Otra vez apareció la incapacidad del gobierno —y, en menor medida, de la sociedad en su conjunto— para reaccionar de manera oportuna y eficaz ante circunstancias cambiantes. Lo mismo había sucedido en la crisis de 1982 y en las dificultades provocadas por la caída del precio del petróleo en 1986.

Sea de ello lo que fuere, el panorama para mi segunda encomienda diplomática se modificó de manera radical.

Una vez recibidos el beneplácito del gobierno de Estados Unidos, la ratificación del senado de la República y de haber cumplido con los trámites internos y personales, me trasladé a la ciudad de Washington el 8 de febrero de 1995.

Unas semanas antes, el 19 de enero, a invitación del rector de la Universidad de Claremont, en California, dicté una conferencia sobre la situación económica del país, en calidad de embajador designado. Utilicé

[1] Títulos del gobierno, expresados en moneda nacional pero con garantía cambiaria.

un enfoque realista, objetivo y un tanto crítico. El programa económico del nuevo gobierno para 1995, anunciado el 11 de diciembre, no era creíble: crecimiento 4%, inflación 4%, déficit en cuenta corriente 31,000 millones de dólares que serían financiado con entradas de capital. Además, en meses anteriores se habían cometido serios errores de política económica, que habían minado la confianza de los agentes económicos. Un ajuste en el tipo de cambio parecía indispensable desde mediados de año. No se hizo. Las reservas del Banco de México mantenían su tendencia descendente. El tono de las palabras no correspondía a un lenguaje diplomático. Sin embargo, me parecía que era el que había que utilizar para recuperar un poco de la credibilidad lesionada. En conferencias y diálogos posteriores mantuve ese tono, que hizo que alguien me calificara como el primer embajador de la oposición. Es obvio que esto no fue del agrado en los altos círculos del gobierno.

Llegar a la capital del imperio como representante de un país, para el que la relación con su vecino del norte es fundamental, representa, primero, un elevado honor y, después un reto y una enorme responsabilidad.

Al día siguiente asistí a la inauguración de una exposición pictórica en el Instituto Cultural Mexicano. Durante la ceremonia recibí una llamada urgente del canciller mexicano para que me reportara de inmediato. Lo hice. El presidente de la República había dado instrucciones para que el ejército mexicano avanzara hacia los Altos de Chiapas para capturar al subcomandante Marcos, cuya identidad se había hecho pública ese mismo día.

La operación, que recibió una amplia cobertura en los medios nacionales e internacionales, no tuvo éxito e hizo surgir manifestaciones de diversos grupos en defensa del EZLN y brota el grito extendido de "todos somos Marcos". A los pocos días, el ejército se replegó a sus posiciones originales.

El subcomandante Marcos fue una figura atractiva que recogió una vieja demanda de los pueblos indígenas, con una enorme capacidad atractiva en los medios de información nacionales y extranjeros. El gobierno reaccionó canalizando muy importantes sumas de recursos a las zonas indígenas de Chiapas. Su llamado a la autonomía no podía ser atendido sin consecuencias para la integridad nacional. Su terquedad, soberbia y menor apoyo financiero fue desdibujando su figura. Su "otra campaña" en 2006 fue casi intrascendente y sin ningún efecto positivo.

En esas primeras semanas después del estallido de la crisis y ante vociferaciones y contradicciones y ausencia de señales claras por parte de las autoridades, prevalecía la incertidumbre dentro y afuera del país. Las negociaciones con el FMI y con la Tesorería de Estados Unidos resultaron más complicadas de lo esperado, sobre todo por las garantías y la condicionalidad exigida. El secretario de Hacienda, Guillermo Ortiz, hace varios viajes a Washington, y no es hasta el 21 de febrero cuando, finalmente, se logra la firma del apoyo financiero del gobierno de Estados Unidos a México.[2] El programa de ajuste económico se inició con un adecuado soporte de recursos externos.

Unos días después tuvo lugar la detención y arresto de Raúl Salinas de Gortari, hermano del expresidente de la República. Se le acusaba de ser el autor intelectual del asesinato de José Francisco Ruiz Massieu, secretario general del Partido Revolucionario Institucional (PRI) y años atrás casado con su hermana. Era un hecho sin precedente y el escándalo fue mayúsculo. El tono subió cuando el expresidente se declaró en una muy publicitada "huelga de hambre", antes de salir del país.

Fueron días de grandes sobresaltos. El presidente Zedillo quería deslindarse del expresidente Salinas y obtener su "independencia", pero el efecto negativo en la imagen pública del país fue mayúsculo.

A fines de marzo, fue detenido en el aeropuerto de Newark, antes de tomar el avión hacia Madrid, Mario Ruiz Massieu, exsubprocurador general de la república y encargado —antes de su separación del cargo— de la investigación del asesinato de su hermano. El cargo es violación a las leyes aduaneras, al haber ingresado al país, sin declararlo, una suma superior a los diez mil dólares.

Por otra parte, en Estados Unidos, muchas cosas habían cambiado: la mayoría republicana en el congreso, el mayor interés de la opinión pública en las cuestiones mexicanas, derivado de la firma y puesta en operación del Tratado de Libre Comercio y, sobre todo, el impacto de sorpresa

[2] El hecho de no haber sido invitado a las negociaciones con la Tesorería de Estados Unidos, fue una primera manifestación de que mi papel como embajador no sería nada fácil. En mis frecuentes viajes a Washington durante la crisis de la deuda en 1982, siempre invité al embajador de México, Jorge Espinosa de los Reyes, a las reuniones oficiales. Siempre me pareció lo correcto. En 1995, no ser invitado a las reuniones con los negociadores mexicanos fue una clara señal de que no formaba parte del círculo de confianza del gobierno mexicano. Mi experiencia anterior, en condiciones similares, tal vez hubiera sido útil.

enorme, provocado por la crisis de diciembre y los hechos posteriores. La imagen de México, que había alcanzado niveles nunca vistos, a través de una efectiva campaña de relaciones públicas y de decisiones que agradaban al gran público estadunidense, sufrió un muy serio deterioro. La interpretación de que habíamos engañado flotaba en el aire en muy diversos sectores de la sociedad.

La propuesta inicial del presidente Bill Clinton para apoyar a México fue rechazada por el congreso, las voces críticas del TLC subía de tono y empezaban a aparecer actitudes antiinmigración; México era señalado como el problema principal en la lucha contra el narcotráfico; la corrupción en México surgió, otra vez, como un problema fundamental y que alcanzaba hasta los más altos niveles de la sociedad.

Los acontecimientos de estas primeras semanas y meses en el cargo darían la pauta de una etapa en las relaciones bilaterales especialmente difícil. No se trataba de diferencias alrededor de un problema específico, como lo fue en los ochenta con la actitud de México frente al conflicto en Nicaragua, o décadas atrás alrededor de Cuba, sino que en *todos* los asuntos importantes de la agenda bilateral existían zonas con puntos de vista y actitudes opuestas. Hay quien ha señalado que 1995 fue el peor año en la relación bilateral en setenta años.

Los medios de información —prensa, radio y televisión— se ocupaban de los asuntos de México con una intensidad y frecuencia inusitadas. La aparición ante la luz pública de actos de corrupción o el relato de las operaciones de grupos ligados al narcotráfico o la violencia e inseguridad en las calles de México recibía cobertura de primera plana.

A mediados de 1995, hice un rápido viaje a la ciudad de México y tuve la oportunidad de conversar con el presidente de la República. Me preguntó sobre el principal problema que enfrentábamos en nuestra relación bilateral. Mi respuesta fue inmediata: la mala imagen. Me temo que esta afirmación era correcta en aquellos momentos y que, desafortunadamente, permanece como un gran obstáculo hacia un mejor entendimiento entre los dos países. Además, una mala imagen no se mejora con campañas de relaciones públicas o con anuncios en la televisión o en la prensa; la única manera de hacerlo es con hechos.

La embajada de México en Washington es, por supuesto, la más importante en el mundo. Se encuentra en una localización excelente —en la avenida Pennsylvania—, a escasos minutos de todas las oficinas gubernamentales de interés particular para la representación mexicana. Es un edificio propio, con ocho pisos y dispone de todas las facilidades necesarias.

El Instituto Cultural Mexicano ocupa el edificio de la vieja embajada en la Calle 16. México lo compró a mediados de la década de los veinte y fue oficina de cancillería y residencia del embajador hasta 1990. Actividades culturales de diversa índole y eventos sociales de naturaleza diferente tienen, en verdad, un espacio privilegiado y reconocido en la comunidad washingtoniana.

La residencia del embajador se localiza en uno de los mejores barrios residenciales de la ciudad, en la zona noroeste, muy cerca de la línea divisoria con el estado de Maryland. Cuenta, por supuesto, con todas las comodidades modernas, está rodeada de amplios jardines y dispone de áreas idóneas para las funciones sociales de un embajador.

A mi arribo a la embajada y después de platicar con los funcionarios principales —colaboradores del exembajador Jorge Montaño—, tomé la decisión de confirmar a la gran mayoría de ellos con la idea de mantener el equipo y aprovechar sus contactos y experiencia. Era claro que se avecinaban tiempos difíciles en la relación bilateral, y seguir la práctica tradicional en la burocracia mexicana —a mi juicio, muy equivocada— de buscar la renovación del equipo de trabajo, hubiera sido una seria equivocación. Una pequeña parte del personal tomó sus propias decisiones y siguió otros derroteros. Otros más fueron objeto del proceso de rotación de la Secretaría de Relaciones.

Después de mi llegada a Washington, hice algunos cambios en la estructura de la embajada: una oficina de asuntos migratorios y otra de asuntos hispanos (*véanse* Anexos 13 y 14).

Nuestra embajada en Washington se compone de un total de alrededor de 160 personas, incluyendo el personal del servicio exterior mexicano —diplomático y consular—, contratado localmente y representantes de casi todas las dependencias del gobierno federal (Hacienda, Gobernación, Agricultura, Medio Ambiente, Recursos Naturales y Pesca, Energía, Comercio, Procuraduría General de la República, Defensa, Marina, Turismo). Además, México tiene en la ciudad la representación ante la Organización de Estados Americanos y representaciones de Nacional Financiera y ante los organismos financieros internacionales (FMI, Banco Mundial y Banco Interamericano de Desarrollo).

El personal de la residencia era estupendo. Capaz, eficiente y con iniciativa para improvisar ante eventos inesperados. El chofer, Derek, lleva casi treinta años con la embajada. De origen jamaiquino, siempre impecable en el vestir, con puntualidad escrupulosa y siempre listo. No habla español. En una ocasión le pregunté cómo después de tantos años en la embajada mexicana, no hablaba español. Con gran sabiduría, me respondió: "*por eso*, señor embajador, he podido mantenerme todo este tiempo". En una ocasión tomé el volante del automóvil y le pregunté con un dejo de seriedad: "Derek, ¿qué se siente ir con un chofer de color?". Broma que supo apreciar con una ligera y respetuosa sonrisa.

En un universo tan complejo y con tantos intereses personales e institucionales diversos, era —a mi juicio— imprescindible alentar la participación de las distintas áreas en la información, análisis e instrumentación de los distintos asuntos de nuestra responsabilidad. Estimular el trabajo en equipo se convirtió, desde el primer momento, en una elevada prioridad. Con ese propósito establecí una reunión semanal de información y coordinación —los lunes a las 9:00 de la mañana y con duración máxima de una hora— con todos los funcionarios de la embajada.

La estrategia, me parece, funcionó bien y gracias a ella, todos los funcionarios conocían el estado del problema del atún, los atropellos de migrantes mexicanos en la frontera, la próxima visita de un alto funcionario del gobierno o las dificultades que enfrentábamos en materia de narcotráfico.

Además, México cuenta con más consulados en Estados Unidos que cualquier otro país en el mundo. Durante los años de mi gestión eran cuarenta y dos, y tengo entendido que su número se ha elevado en la actualidad. Los consulados realizan una labor fundamental, sobre todo en la protección a mexicanos que viven en aquellas tierras, legales o indocumentados. Lo hacen, casi siempre, con recursos humanos y materiales insuficientes. La coordinación con la embajada es necesaria. Sin embargo, la estructura burocrática no lo facilita. Hicimos algunos intentos en esta dirección con resultados modestos. Es una asignatura pendiente.

En una ciudad como Washington estar enterado es fundamental en casi cualquier desempeño político o diplomático. Es la ciudad del rumor, y a través de él se transmitían actitudes, decisiones en espera de las reuniones correspondientes. En pocos lugares del mundo la información desempeña un papel tan esencial.

El equipo de trabajo de la embajada se desempeñó con patriotismo y eficacia. En todas las áreas de mayor grado de conflictividad —migración, drogas, comercio— se contaba con el personal con conocimiento del tema, con los contactos necesarios en el ejecutivo y en el congreso para atender, dentro de lo razonable, los diversos asuntos de su competencia. Se logró, en gran medida, conformar un verdadero equipo de trabajo que pudo, en momentos difíciles, hacer frente a su responsabilidad. Gracias a la eficiencia de varios funcionarios clave, teníamos oportunidad de conocer de antemano los términos del memorando oficial, de la iniciativa legislativa, del artículo próximo en la prensa y con ello, poder anticipar reacciones nuestras o hacer sugerencias de cambio que, en su mayoría, serían tomadas en cuenta por nuestras contrapartes. Esto nos permitió reaccionar, en repetidas ocasiones, con oportunidad, que es uno de los mejores instrumentos de la vida diplomática. Reaccionar con retraso no sirve y no ayuda; hacerlo con oportunidad es vital y puede significar un resultado mejor para los intereses nacionales.

Con enorme satisfacción puedo afirmar que, con frecuencia, recibí comentarios de altos funcionarios de la administración de Estados Unidos, alabando la calidad de las tareas de la representación mexicana. El servicio exterior mexicano tiene, en general, una mala imagen ante la opinión pública de nuestro país. No ha podido transmitir una presencia pública diferente a la de los estereotipos tradicionales. Sin embargo, en mi experiencia en Madrid y en Washington —algo más de cinco años, en conjunto— debo reconocer —con excepciones que confirman la regla— el elevado nivel de preparación, la experiencia acumulada y, sobre todo, su alto sentido de servicio al país con acentuado patriotismo. Expreso mi reconocimiento y gratitud a los colaboradores de la embajada de México en Estados Unidos, durante el tiempo de mi gestión.

La relación de la embajada con la administración estadunidense fue fluida, cordial, constructiva y de mutuo entendimiento. Por supuesto que, con frecuencia, las posiciones eran encontradas, pero siempre dentro de un clima de respeto y colaboración. Una llamada del embajador nunca dejó de ser contestada con oportunidad, y viceversa. Alexander Watson, Jeffrey Davidow, subsecretarios de Estado para Asuntos Latinoamericanos; Richard Feniberg, en el Consejo Nacional de Seguridad y Mac Mclarty, en la Casa Blanca, fueron mis principales interlocutores, con quienes mantuve una buena relación, cordial y de respeto.

Sin embargo, había que tener cuidado. Al poco tiempo de haber llegado a Washington, mi secretaria me pasó un recado telefónico del subsecretario Bob Gelbard, encargado del narcotráfico en el Departamento de Estado: "El subsecretario le pide que esté en su oficina mañana a las 10:30 horas". Me sorprendió el recado y volví a preguntar si ésas eran, en verdad, las palabras utilizadas. Dejé pasar un día y lo llamé por teléfono cuando sabía que no estaría en su oficina y dejé el recado que con mucho gusto lo recibiría en mi oficina al día siguiente. El intento no volvió a repetirse. Tuvimos algunos encuentros posteriores, pero afortunadamente, al poco tiempo, fue comisionado a las negociaciones con Croacia. Mi padre me contaba que su madre —mi abuela— solía decir que "el que más se agacha, más las nalgas se le ven".

En general, los mexicanos tenemos un problema en el trato con nuestros vecinos del norte. En algunos casos, la actitud fundamental es desafiante, defensiva y a la vez, agresiva, como si en la conversación estuvieran presentes los agravios sufridos hace mucho tiempo y que no se olvidan. En otros, la actitud es completamente diferente. Es de cabeza baja, con cierto complejo de inferioridad frente al representante del coloso del norte, esperando escuchar la verdad del otro lado. A lo largo de mis muchos años de vivencia directa y personal en Estados Unidos, he podido apreciar ambas actitudes. No son, la mejor manera de hacerlo.

Los estadunidenses, en general, respetan la opinión diferente de mejor manera que nosotros. Aceptan argumentos contrarios a sus puntos de vista, siempre y cuando tengan un fundamento sólido y sean expresados con seriedad, respeto y objetividad. No les gusta la actitud agachada, pero tampoco la de la nariz respingada. La mejor forma para tratarlos es al tú por tú, con fundamentos, inteligencia y con una elevada dosis de dignidad para plantear la defensa de los intereses de México.

Sin embargo, la sociedad estadunidense no se limita al gobierno. Su estructura es muy compleja, en donde múltiples actores desempeñan papeles importantes y trascendentes. El congreso, los medios de información, el sector empresarial, el medio académico, los *think tanks*, los innumerables grupos sociales, las organizaciones no gubernamentales, etcétera, son esferas de poder a las que una embajada debe atender con especial cuidado.

Durante muchos años, el gobierno de México y sus funcionarios consideraron inapropiado establecer relaciones o visitar a los representantes y senadores del Congreso de Estados Unidos. Era intervenir en los asuntos internos de nuestro vecino y, a su vez, una invitación a que se hiciera lo mismo en nuestro país, con la consiguiente "intervención" en nuestros propios asuntos. En mi largo peregrinar por las calles de Washington durante la crisis de la deuda externa y en mi capacidad como secretario de Hacienda, nunca hice una visita al Hill, sede del Congreso de Estados Unidos. Sin embargo, el poder del congreso es enorme. La división de poderes entre el ejecutivo y el legislativo es real y, a veces, excesivo. Un asunto resuelto favorablemente por la administración puede no ser aprobado —o modificado de manera sustancial— por la Cámara de Representantes o el senado estadunidense. Y esto sucede con frecuencia. Esta omisión histórica, la nueva composición del congreso, con mayoría republicana; el impacto de la crisis financiera de 1994, y los escándalos de corrupción ampliamente difundidos por los medios, ha hecho —junto con otros factores— que nuestra relación con el Congreso de Estados Unidos no sea buena. Ello constituye un enorme obstáculo para una mejor relación bilateral y representa uno de los desafíos mayores para los próximos años.

Tal vez no sea exagerado afirmar que buena dosis del poder real en Estados Unidos se ha transferido del ejecutivo al congreso. Además, son tantos los asuntos en manos de cada congresista que, en buena medida, el poder se ha trasladado de ellos a sus ayudantes (*staffers*).[3]

México ha tenido, a lo largo de los años, amigos y enemigos en el Congreso estadunidense. Hay destacados diputados y senadores que entienden, cabalmente, la importancia estratégica que nuestro país representa para Estados Unidos; reconocen nuestros vínculos históricos, comerciales y nuestra compleja relación bilateral. Hay otros, sin embargo, que no reconocen sino los problemas, las carencias, las corruptelas y la falta de docilidad ante sus reclamos. El problema reside en que los amigos son cada vez menos, y los pocos amigos, son cada vez más numerosos.

[3] En una visita a un senador importante, le señalé las severas repercusiones que tendría la iniciativa de ley que había presentado la noche anterior ante el pleno del senado. Con ojos de sorpresa, volteó a ver a su asistente para inquirirle si de verdad él había presentado semejante proyecto de ley.

La embajada tiene como una de sus responsabilidades importantes mantener informado al congreso. Lo hace con el envío permanente de información diversa y con contactos personales. Empero, con frecuencia se enfrenta a una muralla de incomprensión que no quiere ni siquiera oir una voz diferente. Durante mi gestión, hice intentos reiterados por visitar, por ejemplo, a dos senadores con larga tradición crítica hacia México: el senador D'Amato de Nueva York y el senador Jesse Helms de Carolina del Norte. Utilicé todos los medios directos e indirectos. Nunca pude verlos.

En varias ocasiones y después de una plática con algún legislador, salía de su oficina convencido de que mis argumentos en determinado asunto de la relación bilateral habían sido convincentes y que, a partir de ese momento, contaría con un aliado más. Para sorpresa nuestra, al día siguiente, en la discusión general, su voz arremetía contra nuestros intereses.

En términos generales, el legislador estadunidense no tiene posturas uniformes frente a un país determinado, sino que sigue los intereses particulares de sus electores y responde de modo directo a las presiones locales. En una ocasión, reclamando el tono agresivo contra México en su lucha contra el narcotráfico, uno de ellos me respondió: "Mire, embajador, en mi distrito hay un serio problema de drogadicción, pero es poco lo que puedo hacer para disminuirlo; sin embargo, tengo que parecer que "soy duro contra las drogas y la manera de serlo es ser duro contra México".

Al ambiente de deterioro en el Congreso estadunidense que ha prevalecido en estos últimos años, hay que agregar ofertas y promesas hechas por las autoridades mexicanas en la discusión del TLCAN para obtener el voto de algún congresista y que luego no se cumplieron. La actitud negativa que esto provoca resulta casi imposible de revertir. Es el caso, recuerdo, de varios legisladores del estado de Florida, a quienes se les prometió la extradición de un mexicano que había violado y asesinado a una menor en alguno de los condados de ese estado y que había huido a México, donde cumpliría su condena. La extradición no se cumplió. Un buen número de legisladores de Florida arremetieron siempre, con encono, en sus críticas a México en todos los debates que nos involucraban.

Un congresista evalúa con todo cuidado el costo político —con sus electores— de una determinada postura en el debate y en la votación. El ataque a México, con mucha frecuencia, no tiene costo político.

Por otra parte, en ocasiones arremeter contra intereses de México era, al mismo tiempo, enfrentar las actitudes básicas que la administración

Clinton mantenía frente a nuestro país. Atacar al gobierno demócrata con ataques a México. Fue una práctica frecuente.

Uno de los momentos más difíciles de mi estadía en Washington fue en los preparativos de la visita de estado del presidente Zedillo en octubre de 1995. El ambiente para la visita no era del todo amable, sobre todo en el congreso. Parte importante en una visita de estado es pronunciar un discurso ante una sesión conjunta del congreso. Siempre se ha hecho. Sin embargo, en esta ocasión las condiciones para llevarla a cabo no eran propicias. Semanas antes percibí por parte de varios legisladores una actitud cerrada para dicho evento. Lo transmití a la cancillería y celebré entrevistas con Bill Richardson, en la Cámara de Representantes, y con Chris Dodd, en el senado, dos de los mejores aliados de México. Me ratificaron lo que habíamos percibido, y lo hicieron con un cierto pesar y disculpa. En la Secretaría, esto se interpretó como un caso de falta de eficacia de la embajada y enviaron al subsecretario Juan Rebolledo a tratar de conseguir lo que era considerado casi indispensable. El Departamento de Estado interviene. Sin éxito.

Por primera vez en una visita, un presidente mexicano no tuvo la oportunidad de hablar frente a los diputados y senadores del Congreso estadunidense. Hecho insólito y desafortunado, reflejo del deterioro en la imagen de nuestro país en aquellos primeros meses de 1995.

El problema se resolvió con una visita al líder del senado, Bob Dole, en sus oficinas del congreso, y con la entrevista de un grupo reducido de diputados en la Casa Blair, donde se hospedaba el presidente Zedillo. El imperio es el imperio.

La relación es difícil, a veces irritante, múltiples eventos tienen lugar en la "Colina", sobre temas diversos de interés directo para nuestro país. El congresista entra y sale, sin la menor consideración por el resto de los participantes en una reunión en su oficina. La excusa permanente es que tienen que ir a votar al piso. En otro tipo de reuniones, nunca se sabe si el representante o senador va a hacerse presente a pesar de su confirmación minutos antes. "Si quiere platicamos caminando en el pasillo hacia la sala de sesiones", me dijo un senador con quien se había concertado una cita previa en su oficina.

Empero, se trata de una de las tareas más importantes que la embajada y, en general, todos los sectores mexicanos interesados en diversos asuntos tienen que realizar. Hay que hacerla con entereza y perseverancia, ampliar la información y, sobre todo, mantener un contacto permanente y constructivo. Me parece que es uno de los grandes retos en la relación bilateral para los próximos años.[4]

Nadie discute la importancia de los medios de información en la vida actual. En la relación bilateral han adquirido una importancia predominante, que influye de manera directa e inmediata en actitudes fundamentales de los actores políticos principales.

Hace años, nos quejábamos con cierta amargura de la poca cobertura que los medios de Estados Unidos daban a los asuntos mexicanos. Una catástrofe natural o un hecho sobresaliente de violencia eran las notas publicadas. Hoy en día nos seguimos quejando, pero por la proliferación e importancia que los medios le conceden a nuestro país y con una visión que se antoja un tanto sensacionalista y de búsqueda del escándalo. Con frecuencia los hechos corroboraron después lo que había parecido como una exageración. Durante mi gestión, los principales diarios de Estados Unidos —*New York Times*, *Wall Street Journal*, *Washington Post*, *Chicago Tribune*, *Los Angeles Times*, *Miami Herald*— dedicaron amplios espacios a la cobertura de asuntos mexicanos. No fue poco frecuente la aparición de amplios reportajes, divididos en varias partes y publicados en primera plana, sobre diversos aspectos de nuestra vida nacional, pero con énfasis en temas como corrupción, narcotráfico, migración ilegal, violencia, frontera.

El tratamiento de estos asuntos tan complejos estaba, casi siempre, salpicado por un tono exagerado y con acento casi exclusivo en lo negativo, que por cierto no era un invento sino una realidad.

Durante casi tres años no recuerdo sino tres coberturas positivas de nuestros asuntos: las noticias sobre la recuperación económica a partir del segundo semestre de 1996; el prepago en enero de 1997, con tres años de anticipación, al apoyo financiero otorgado por la Tesorería de Estados Unidos en febrero de 1995, y las elecciones de mitad de sexenio en julio de 1997. El resto, con excepciones que confirman la regla, estuvieron cubiertas por un tono negativo.

[4] Para saber entender y absorber estas actitudes de los congresistas estadunidenses, me fue particularmente útil la lectura de un libro escrito por el distinguido embajador de Canadá en Washington, Alan Gotlief. El título es: *I Will be With you in a Minute, Mr. Ambassador*.

Mis colegas latinoamericanos me preguntaban el secreto para hacer de las noticias de México nota de primera plana. Dado el tono negativo y sensacionalista de las mismas, mi respuesta y mi deseo era volver a la página 28 de la segunda sección.

El gobierno estadunidense usa a los medios, en la medida de lo posible, para sus propósitos. Sucede en las mejores familias. La filtración de información es una práctica frecuente. Días antes del informe que el presidente de Estados Unidos debe someter al congreso antes del primero de marzo de cada año sobre el grado de cooperación de varios países en la lucha contra el narcotráfico, aparecían, de manera coincidente, amplios reportajes sobre, por ejemplo, el pobre esfuerzo desplegado por las autoridades mexicanas o colombiana en esa materia. O, poco antes de una reunión de la comisión binacional surgían reportajes sobre la contaminación o la violencia en la frontera.

El trato aquí tampoco es fácil. Las notas al editor solicitando una corrección o proporcionando datos ignorados en el artículo en cuestión, si son publicadas, lo son después de un cierto lapso que reduce o elimina su impacto en el lector. Reuniones con el reportero o con la junta editorial, necesarias y que hay que estimular siempre, no ofrecen, por lo menos en el corto plazo, los resultados esperados.

La presencia en Washington de casi una veintena de corresponsales de medios mexicanos hace que, con frecuencia, una declaración de algún funcionario, legislador, académico se presente como nota principal en la ciudad de México, cuando en los propios medios estadunidenses ni siquiera es tomada en cuenta. Esto hace necesario mantener un contacto permanente con los corresponsales mexicanos y estar siempre atento a proporcionar los elementos que aseguren una cobertura objetiva y seria. Es obvia la importancia que para la representación diplomática tiene la información que se publica en México, en donde, por supuesto, los medios ejercen también una enorme influencia.

Una buena relación con los corresponsales mexicanos es una clara prioridad para la representación diplomática en Washington.

Para las altas autoridades de nuestro país, resulta indispensable conocer de inmediato lo que sobre nosotros se publica en el vecino país del norte. Antes de Internet, una responsabilidad diaria y a la que se le atribuía gran importancia a primera hora, era el envío de las notas principales de los principales periódicos. Casi todos los diarios importantes de Estados Unidos tienen corresponsales en nuestro país. México se ha convertido, tal vez, después de la firma del TLC, en una de las oficinas foráneas más importantes del mundo para muchos medios estadunidenses. Su labor periodística es fundamental. El acceso a la información, al funcionario, a las instituciones, a la oportunidad de ver y oír es crucial para ayudar a una visión más objetiva, que reconozca aciertos y señale errores. Me temo que en tiempos recientes no se ha concedido la importancia que esto tiene en la cobertura de nuestros asuntos en la prensa extranjera.

Sin desconocer la enorme, a veces descomunal influencia de los medios electrónicos y de la radio en las esferas de poder de Washington, la prensa escrita, sobre todo la de aquella región, ejerce una verdadera, sentida, influencia sobre las actitudes fundamentales de las diversas actividades políticas.

Aproveché todas las oportunidades para estar en los medios. Tuve entrevistas con las juntas editoriales del *New York Times*, el *Washington Post*, el *Chicago Tribune*, *Los Angeles Times*, el *Dallas Morning News*, etcetera. Algunas pueden ser difíciles y enfrentar actitudes agresivas. Al poco tiempo de mi llegada, en una de esas reuniones, me recibieron con la pregunta a bocajarro: "¿Es Salinas el asesino de Colosio?". Sin comentarios.

Participé en numerosos programas de televisión y radio. En CNN, en Mcneil Letter —en un debate con la senadora Fednstein—, en PBS, etcétera. En algunos casos, se podía apreciar la ignorancia que se tiene sobre nuestro país, como cuando me preguntaron —sabedores de mi inicio profesional en el Banco de México— qué tan grande era el Banco de México o si era igual ser embajador en Estados Unidos o en España. Ante una pregunta de *Los Angeles Times* si sabía dónde estaba el presidente Salinas, respondí: "Es invierno —se rumoraba que estaba en Dublín, Irlanda— y por ello creo que se debe trasladar hacia el sur".

En la ciudad de Washington existe una gran variedad de asociaciones y grupos sociales dedicados a reunirse periódicamente y a invitar a algún personaje para que les hable de algún tema de interés y contribuya a estimular sus programas de relaciones públicas. Muchos de estos grupos están formados por personas influyentes en la vida política, diplomática o de negocios; en general, los conforma gente madura y de buena posición económica, y con frecuencia asisten exsecretarios, exdiputados, etcétera.

Hay que atenderlos, pues serán vehículos que transmitirán nuestra versión sobre la agenda bilateral. Dentro de estos grupos recuerdo: The Foreign Policy Institute, The Potomac Exchange, The Old Georgetown Club, Los Rotarios, The Washington Institute of Foreign Affairs.

Accedí prácticamente a cuanta invitación me hicieron estos grupos para hablar de México y de los asuntos bilaterales. Lo hice convencido de que un embajador debe aprovechar todos los foros para trasmitir su versión y defender los intereses de su país. El ejercicio fue, sin duda, útil, pues me permitía abrir ventanas y establecer contactos que después serían aprovechados en distintas circunstancias de mi responsabilidad.

Al cabo de unos meses, me convertí en un embajador que hablaba en muchos foros y un tanto popular.

El gobernador de California, Pete Wilson, en busca de su reelección en 1994 había lanzado la proposición 187, que limitaba los servicios sociales a los trabajadores indocumentados. La iniciativa fue aprobada por la Asamblea de California, y Wilson logró la reelección. Poco tiempo después, esa iniciativa fue declarada anticonstitucional por la Suprema Corte y el Partido Republicano sufrió las consecuencias.

Para el embajador de México, entablar un diálogo con el gobernador de California era una prioridad. Luego de varios intentos, logré una entrevista con él en Sacramento, a mediados de 1995. Después de las palabras introductorias de rigor, le hice un primer planteamiento, sorpresivo para él: "Vengo a cobrarle. Según cálculos hechos en la embajada —cosa que no era cierto—, el estado de California le debe a México 16,000 millones de dólares, importe de los beneficios *netos* que el trabajador mexicano le ha dado a California en los últimos diez años". Cara de asombro e inicio de una conversación que resultó cordial y respetuosa. Era necesario insistir en los beneficios económicos de la migración mexicana y salirnos del enfoque que pone el acento en los costos para el gobierno federal, estatal o municipal. Creo que así lo entendió.

En aquellos años, la discusión migratoria ponía énfasis en los costos que el trabajador indocumentado significaba para los gobiernos estatales y municipales, en materia de educación y salud, principalmente. Era necesario ponderar su contribución y hacer del debate algo más equilibrado y objetivo. En fechas más recientes, eso es lo que ha sucedido.

Por cierto, meses después de mi entrevista con el gobernador Wilson, un periódico nacional publicó en primera plana una fuerte crítica del propio gobernador a mi gestión diplomática. Interrogado por corresponsales mexicanos sobre mi reacción a estos ataques, respondí utilizando una vieja expresión nuestra, cuyo origen no tengo claro, "Me vale, Wilson".

Al poco tiempo de mi debut como embajador de México en Washington, recibí la visita de un grupo de señoras destacadas en la sociedad de la capital estadunidense. Me plantearon la posibilidad de que México fuera el anfitrión para el Baile de la Ópera (El Opera Ball) en el año siguiente. Este evento social es uno de los de mayor relieve en la sociedad washingtoniana. Yo estaba soltero y no soy nada aficionado de la ópera. Sin embargo, me pareció una buena oportunidad para elevar la presencia mexicana, sobre todo cuando padecíamos en esos momentos de un brusco deterioro en nuestra imagen. Los preparativos llevaron más de 12 meses, se diseñó la decoración con motivos mexicanos, obsequiamos una pequeña figurita representativa y el baile se llevó a cabo en abril de 1996 con éxito, en el Salón de las Américas del precioso edificio de la Organización de Estados Americanos. Mi mujer, con quien había contraído matrimonio en diciembre de 1995, se hizo cargo de los arreglos finales y desempeñó una labor muy destacada y reconocida. La prensa de Washington comentó que El Opera Ball patrocinado por México había sido, sin duda, uno de los mejores.

Los centros académicos representan otro sector importante que hay que atender. Reuniones con profesores y alumnos, participación en conferencias y seminarios constituyen valiosas oportunidades para expresar puntos de vista sobre la relación bilateral, cuya imagen —como ya se ha dicho— estaba deteriorada y distorsionada por los medios. Mantener informadas a las universidades es un medio importante por su indiscutible poder de difusión. En una sociedad como la estadunidense, el profesor especializado en un tema particular juega un papel muy activo como articulista, participante en programas de televisión, elaboración de trabajos especiales, etcétera; con frecuencia es consultado por el gobierno, el congreso y los medios. Con estos antecedentes, procuré mantener el mayor y más frecuente contacto con estos centros de educación superior, no sólo en Washington, donde existen por lo menos tres universidades importantes —Georgetown, George Washington y American University—, sino también en los estados vecinos —Universidades de Maryland y de Virginia— y en otras partes del territorio estadunidense (*véase* Anexo 15).

El país más importante

Después de las primeras semanas de labor diplomática en Washington, me convencí que el papel de un embajador ha cambiado mucho en los últimos años, ante el avance de las comunicaciones.

Hoy en día, los funcionarios de cada gobierno pueden comunicarse, y de hecho lo hacen, tocando unos botones del teléfono. Es más, con mucha frecuencia, el embajador ni se entera. Esto es especialmente cierto en la relación entre México y Estados Unidos.

El embajador ya no es aquel funcionario que transmitía posturas de su gobierno al gobierno anfitrión. En contadas ocasiones ocupa aquella vieja responsabilidad de verdadero representante y negociador.

En la actualidad, su papel es más bien el de un mediador entre ambos gobiernos. Interviene en las actitudes de su propio gobierno para que éstas tomen en cuenta la realidad que él percibe afuera. Y por otro lado, explica y transmite al gobierno anfitrión las razones, los orígenes de las posturas de su propio gobierno.

Sin embargo, su responsabilidad es ahora más diversificada. Tiene, a mi juicio, la enorme tarea de transmitir y comunicar, la realidad de su país, sus problemas y sus logros a un amplio núcleo de sectores interesados fuera del ejecutivo federal: los gobiernos estatales, el congreso, los medios, la academia y numerosos organismos no gubernamentales.

No hay país en el mundo con una relación tan intensa, compleja, diversificada y asimétrica como la que existe entre México y Estados Unidos. Frontera, población mexicana y de origen mexicano, agua, comercio, drogas, migración, finanzas conforman una agenda bilateral que, repito, es la más compleja, diversificada y asimétrica que existe. Esta afirmación me gustaba reiterarla, convencido, en todos los foros y en todos los tonos.

"No existe otro país en el mundo más importante para Estados Unidos que México", afirmé en 1996 (*véase* Anexo 16). Me gustaba plantearlo en múltiples ocasiones y preguntar si alguien pensaba diferente: ¿Canadá, Rusia, Israel, Japón, China? El problema reside en que 99.99% de la población estadunidense no lo reconoce. Sin embargo, el número de quienes sí lo hacen aumenta todos los días. El presidente George W. Bush utilizó la misma expresión en la ceremonia de bienvenida al presidente Vicente Fox en septiembre de 2001. La frase tuvo resonancia, a pesar de que no mencionó la fuente.

Frontera y migración

En la frontera entre México y Estados Unidos habitan cerca de veinte millones de personas, con una muy intensa interrelación de todo tipo: familiar, de negocios, inseguridad, contaminación, trabajo. Alrededor de un millón de personas cruzan la frontera, en ambas direcciones, cada día. Setenta millones de vehículos la cruzan al año.

La relación es tan estrecha que se ha conformado una región con personalidad propia, distante de las capitales respectivas. Hay quien la ha bautizado con el nombre de Mexamérica.

Desde los mexicanos que habitaban en California, Nuevo México, Texas antes de la pérdida de la mitad de nuestro territorio, hasta los que cruzaron la frontera el día de ayer, el número de personas de origen mexicano en Estados Unidos ha venido creciendo de manera excepcional. Se trata de la corriente migratoria más importante en la historia. Alrededor de veintisiete millones de mexicanos viven en territorio estadunidense. Se estima que los indocumentados ascienden entre cinco y seis millones y que los que cruzan la frontera sin papeles suman casi cuatrocientos mil al año.

Es de hacer notar que la migración es un proceso que ha estado presente durante largas décadas y, sin embargo, es tema de interés nacional y bilateral sólo desde hace veinte años. El gobierno mexicano lo ubicaba como un problema ajeno, como un problema de nuestro vecino del norte, sobre el cual poco podía hacerse, y este, a su vez, como un mero asunto fronterizo y de índole legal.

La comunidad mexicana, hispana, latina en Estados Unidos tiene una importancia creciente en el terreno económico, comercial, cultural y político. El profesor Samuel Huntington lo ha apreciado en su reciente libro *Quiénes somos* y ha lanzado una voz de alarma frente a la invasión hispana.

Es un fenómeno complejo, muy complejo, en el que confluyen amplias capas de las sociedades de ambas naciones. En México, es un hecho que no hemos tenido la capacidad de generar suficientes empleos para cubrir el aumento de la fuerza laboral. Incluso y en contra de los pronósticos, durante los diez primeros años de vigencia del Tratado de Libre Comercio, la migración mexicana no descendió, sino aumentó. En Estados Unidos, por el contrario, hay trabajo pero, con mucha frecuencia, no hay quien lo quiera realizar.

En México hay fuerzas que expulsan a la mano de obra, y en el país vecino hay fuerzas de atracción. Se trata de un problema estructural, cuya solución nunca se va a encontrar con medidas de control fronterizo o acciones policiacas.

Durante muchos años, el lado estadunidense insistía en la violación a sus leyes y en el alto costo que el migrante ocasionaba en los servicios sociales. En años más recientes y gracias a una tenaz labor diplomática y a diversos estudios binacionales, se reconoce el aporte que el trabajador mexicano hace a la sociedad estadunidense. Alan Greenspan, presidente de la junta de gobernadores del Sistema de la Reserva Federal, llegó recientemente a afirmar que la expansión económica de ese país durante la década de los noventa, no podría explicarse sin el concurso de la mano de obra mexicana en el sector agrícola y en otros servicios.

En una visita que hice a una granja de tomates en Carolina del Norte, atendida por mexicanos, le pregunté al agricultor estadunidense qué pasaría si no contara con la mano de obra mexicana, "tendría que cerrar el negocio" me respondió de manera inmediata. Hace poco, me enteré de una gestión de una organización hospitalaria del sur de Estados Unidos para conseguir alrededor de tres mil enfermeras mexicanas en un contrato de trabajo de medio plazo.

El popular programa de Larry King en la CNN dedicó una emisión especial a discutir el problema migratorio a mediados de 1996. Los invitados eran todos antiinmigrantes, incluyendo al gobernador Pete Wilson de California. Veíamos el programa en la residencia de México mi mujer, Gustavo Mohar y yo. Al apreciar el sesgo de las distintas participaciones, y ante la insistencia de ella, pensé en la conveniencia de intervenir por vía telefónica. Después de pasar por varios filtros de la estación, aparecí en el programa. Expresé los puntos de vista mexicanos, reiterando la responsabilidad compartida de ambos países en el problema. Incluso se planteó la posibilidad de otro programa en vivo entre el gobernador Wilson y yo. No se llevó a cabo, debido a que el gobernador se negó.

La migración hacia Estados Unidos ha sido una muy importante válvula de escape para México. El desempleo que padecemos desde hace años podría haber alcanzado niveles alarmantes. Además, en años más recientes, las remesas de trabajadores mexicanos han alcanzado niveles no imaginados. En 2006, estos envíos alcanzaron cerca de 25,000 millones de dólares, superiores a los ingresos por concepto de turismo.

Durante largos años, los mexicanos se concentraban en los estados vecinos, California y Texas, y un poco en Chicago, Illinois. Hoy se ubican en todos lados: Nueva York, Maryland, Nevada, Carolina del Norte, estado de Washington, etcétera. Me gustaba resaltar este hecho en mis presentaciones y, en broma, señalar que era una manera gradual, consistente, pacífica de recuperar los territorios perdidos. Alguna vez, el Departamento de Estado me hizo un cortés llamado de atención por mis expresiones poco respetuosas y diplomáticas.

Quiero resaltar que por las condiciones imperantes en ambos lados de la frontera, es de esperar que el fenómeno migratorio continúe —aun en escenarios optimistas de crecimiento económico en México— durante varias décadas. No es un fenómeno temporal, sino que estará presente en los años por venir. Este solo hecho subraya la necesidad de avanzar en un mejor entendimiento entre los dos países.

La única opción viable y realista es cambiar el sistema actual de una migración ilegal, desregulada y desordenada por otra legal, reguiada y ordenada.

En años más recientes, el tema migratorio ha adquirido una importancia extraordinaria. En diciembre de 2005, la Cámara de Representantes en Estados Unidos aprobó una nueva ley migratoria (la llamada Ley Sensebrenner, en honor a su impulsor, diputado republicano del estado de Wisconsin). La ley es aberrante: convierte a los indocumentados en criminales, penaliza con cárcel a todo aquel que preste ayuda humanitaria a los trabajadores migratorios, establece penas a los posibles empleadores y propone la construcción de un muro de mil kilómetros de longitud en la frontera con México.

El proyecto del muro está en marcha, así como el reforzamiento de la patrulla fronteriza, el envío de la guardia nacional a los puntos más vulnerables de la frontera y el uso de alta tecnología para la detención de posibles cruces de inmigrantes. Seguridad fronteriza parece ser la tónica que va a prevalecer en el futuro próximo. No es, de ninguna manera, el camino. El triunfo del Partido Demócrata en la elección de la Cámara de Representantes en noviembre de 2006 podría suavizar un tanto esta política restrictiva, en virtud de que su propuesta incluye, junto con una mayor seguridad en la frontera, ciertos caminos para la legalización de algunos grupos de indocumentados.

De manera natural, aquella iniciativa encendió los ánimos en diversos sectores de la sociedad estadunidense, en México y en otras latitudes. Se estimaba, a finales de 2005, que el número de indocumentados en Estados Unidos oscilaba entre once y doce millones de personas.

En marzo de 2006, el asunto pasó al senado, a su Comité de Asuntos Judiciales. Entretanto, sucedieron enormes manifestaciones en las calles de buen número de ciudades de Estados Unidos en defensa de los migrantes (Los Angeles, Chicago, Washington, Phoenix, Denver, etcétera). El número de manifestantes sorprendió a los organizadores más optimistas, e incluso las manifestaciones han sido comparadas con las realizadas en defensa de los derechos civiles en la década de los sesenta. En Los Angeles, se estima que acudieron alrededor de quinientas mil personas.

El comité senatorial aprobó una ley mucho más flexible, provocando importantes divisiones dentro del Partido Republicano. La nueva iniciativa, que sigue, en lo fundamental, la propuesta de los senadores Mccain y Kennedy, al mismo tiempo que propone reforzar la seguridad en la frontera, abre la posibilidad de otorgar residencia e incluso ciudadanía a un buen número de trabajadores indocumentados bajo ciertas condiciones. Por razones de procedimiento, el asunto no pudo llevarse al pleno y la discusión ha quedado aplazada.

El tema no ha sido resuelto, y mucho me temo que pasarán varios meses antes de que veamos una salida satisfactoria para un problema que afecta a millones de personas y sus familias. La reforma migratoria está cubierta de incertidumbre. La agenda bilateral va a mantener a la migración como asunto prioritario a lo largo de muchos años.

El narcotráfico

Cuentan que cuando al expresidente Gustavo Díaz Ordaz le preguntaron si México era el trampolín de la droga hacia Estados Unidos, respondió que no conocía de ningún trampolín sin alberca. En efecto, en el problema del narcotráfico operan la oferta y la demanda, la producción, distribución y consumo. Son como las dos hojas de una tijera que se necesitan para cortar un pedazo de papel. Se trata de un problema, al igual que el migratorio, donde la responsabilidad es y debe ser, compartida.

Sin embargo, durante muchos años nos pasamos en acusaciones recíprocas. El problema es la oferta que viene de México; no, el meollo es el consumo de drogas. En años recientes hemos avanzado en el reconocimiento de que el problema es de ambas naciones y que la única manera de hacerle frente es la cooperación, el entendimiento, la confianza y el respeto a la soberanía de cada país. En 1995, se estableció el llamado Grupo de Contacto de Alto Nivel (GCAN) con representantes de ambos países. El grupo tuvo varias reuniones en las que se avanzó en un mejor conocimiento de los diversos aspectos del fenómeno y se dieron pasos positivos en varios campos de la cooperación bilateral.

Durante mi gestión en Washington, la agenda bilateral estuvo dominada por el narcotráfico. Estuvo narcotizada. La ofensiva fue terrible. La crisis financiera de 1994-1995, el deterioro de nuestra imagen, numerosos casos de corrupción y violencia en las calles relacionados con la droga provocaron que la atención se concentrara en este problema.

El 70% de la cocaína que entra a Estados Unidos procede de México; el comercio de la droga le representa un ingreso anual de 30,000 millones de dólares a México. Eran afirmaciones públicas que se repetían con frecuencia y sin ningún fundamento sólido.[5]

En esta materia, la actitud estadunidense, en general, ha sido muy sesgada y con tintes de hipocresía. ¿Qué sucede cuando un cargamento de droga cruza la frontera y se deposita en un almacén de San Diego? ¿Cómo se explica que días después aparezca en Chicago, Portland, Nueva York? ¿Porqué todos los nombres de los carteles de la droga tiene nombre hispano: el cartel de Tijuana, el de Ciudad Juárez, del Golfo, de Cali, Medellín? ¿Dónde están —me gustaba preguntar de manera irónica— el cartel Smith, el cartel del Potomac?

Durante muchos años, el gobierno estadunidense estableció el llamado proceso de certificación. Por una ley del congreso, el ejecutivo tenía la obligación de enviar antes del primero de marzo de cada año, un informe sobre el grado de cooperación de muchos países en la lucha contra el narcotráfico. Era, sin duda, un mecanismo injusto y unilateral. Una descalificación, además de sufrir la cancelación de ayuda económica, implicaba un fuerte descalabro, con efectos negativos en lo interno y en lo externo. En los meses previos, había que desplegar un buen esfuerzo para resaltar los logros y tratar de justificar situaciones conflictivas.

México, en buena medida, por nuestra intensa relación estratégica,

[5] Por ejemplo, el supuesto ingreso de 30,000 millones de dólares era equivalente al total de reservas internacionales de aquellos meses de 1995-1996. ¿Dónde quedó el supuesto ingreso?

siempre recibió la certificación positiva. Sin embargo, cada año era motivo de preocupación y cierta angustia, pues reconocemos que estas decisiones, con frecuencia, no responden a criterios objetivos y serios, sino a actitudes que pueden seguir otros intereses.

Un caso particularmente difícil fue en 1996. El presidente Zedillo acababa de nombrar a Jorge Madrazo como procurador general de la república, y al general Jesús Gutiérrez Rebollo como encargado de la lucha contra el narcotráfico. Hicieron una visita oficial a Washington a principios de 1997. Hubo entrevistas con los más altos responsables de la administración de justicia en el gobierno estadunidense. Les ofrecí una cena formal en la residencia de la embajada, donde asistieron, entre otros, Janet Reno, la procuradora de justicia, los directores del FBI, de la oficina de drogas (DEA), de la CIA, de la guardia costera y, por supuesto, el general Mccaffrey, el llamado zar de las drogas. La cena estuvo estupenda, nos tomamos muchas fotos y, en varios momentos, se resaltó, por funcionarios de Estados Unidos, la impecable trayectoria del general Gutiérrez Rebollo. A los pocos días, y dos semanas antes de la fecha legal para la presentación del informe de certificación, me llamaron de México para informarme que el general Gutiérrez Rebollo había sido arrestado por su asociación con el cartel de Juárez, lidereado por Amado Carrillo Fuentes, el Señor de los Cielos, una auténtica bomba. Una vergüenza que sentimos en carne propia.

Conocí poco al general Gutiérrez Rebollo, pero mi primera impresión, la de los ojos, me dejó algunas dudas.

La señora Reno me solicitó, como favor, las fotos y el negativo de las fotos tomadas en la cena de la residencia. Al no insistir, no entregué nada; las fotos deben estar en los archivos de la embajada y el asunto se olvidó. En una reunión con el canciller Gurría y conmigo ella nos señaló, en tono grave, que después de lo acontecido era difícil confiar en los funcionarios del gobierno mexicano. Fue un trago muy amargo que, afortunadamente, no tuvo mayores consecuencias.

Por cierto, unos meses después muere el Señor de los Cielos, jefe de uno de los carteles de droga más importantes en México. El anuncio lo hace horas después del deceso en un hospital de la ciudad de México el señor Constantine, director de la DEA. Me parece una actitud poco respetuosa con las autoridades mexicanas y, en una reunión informal en la residencia con los corresponsales mexicanos, califiqué al señor Constantine como un cretino. La expresión se publicó en un periódico de la ciudad de México y de ahí rebotó en *The New York Times*. En inglés, la palabra "cretino" es mucho más fuerte que en español. Se provocó un pequeño incidente diplomático, con una llamada de atención, respetuosa, del Departamento de Estado. El señor Constantine mantuvo siempre una actitud poco amistosa con los asuntos de México.

En la actualidad, el narcotráfico ocupa un lugar importante en la agenda bilateral. Sin embargo, ya no es el problema prioritario. Hoy se reconoce como un problema de responsabilidad compartida y se trabaja dentro de esa concepción. Un mérito indiscutible del gobierno del presidente Fox es que ha desnarcotizado la relación y que ha contribuido, de manera eficaz, a eliminar el proceso unilateral de la certificación.

Comercio

El primero de enero de 1994 entró en vigor el Tratado de Libre Comercio entre México, Estados Unidos y Canadá. Ese mismo día tuvo lugar el levantamiento en armas del Ejército Zapatista de Liberación Nacional en el sur de Chiapas.

El TLCAN (NAFTA, por sus siglas en inglés) fue una decisión audaz de política económica y comercial. Fue y ha sido una decisión política, en su sentido más amplio. La economía mexicana quedó vinculada de modo más estrecho con la economía estadunidense y, en menor grado, a la de Canadá. La nueva orientación fundamental de nuestra política económica —iniciada en los primeros años de la década de los ochenta— quedó protegida, por así decirlo, por los compromisos del tratado.

Fue un paso, sin duda, trascendente. Era la primera vez en la historia en que se firmaba un Tratado de Libre Comercio entre la economía más poderosa y un país en desarrollo. Durante los años previos a su firma, pocos en México creían en su viabilidad. Se argumentaba, y con razón, incluso por el propio presidente Salinas, que la gran asimetría existente entre los dos países lo hacía imposible. Sin embargo, las negociaciones prosperaron y el tratado se firmó. Hoy es un hecho aceptado. Nadie lo pone en duda y, a lo más, hay voces tibias que proponen algunos ajustes menores.

Como era previsible y como sucede en todo esfuerzo de asociación económica internacional, hay ganadores y perdedores. En general, podemos decir que aquellas empresas y regiones vinculadas al sector externo han sido beneficiadas, mientras que aquellas cuya orientación central es el mercado interno han padecido los efectos en una mayor competencia y muchas se han quedado en el camino.

El incremento en el valor del intercambio comercial ha sido, en verdad, impresionante. México se ha convertido en uno de los países exportadores más importantes del mundo. Nuestras ventas de mercancías a Estados Unidos son superiores a las del resto de los países latinoamericanos, en conjunto. Exceden a la suma de las exportaciones de Francia e Inglaterra a ese país.

En 2003, el comercio bilateral ascendió a cerca de 400,000 millones de dólares, en ambas direcciones, con un superávit importante para México. La mayor parte de nuestras ventas son, ahora, productos manufacturados. El petróleo, que hace 20 años representaba 70% de la exportación, hoy absorbe menos de 10%. El cambio ha sido formidable.

Sin embargo, hay que hacer notar que la exportación está altamente concentrada por empresas y regiones. Empresas trasnacionales, principalmente maquiladoras, absorben el grueso de nuestras ventas al exterior, y es el norte del país el que ha desarrollado con claridad su vocación exportadora.

Además, el contenido nacional de nuestras exportaciones es relativamente bajo, lo cual reduce su efecto positivo en el resto de la economía mexicana. Sea de ello lo que fuere, es innegable que la expansión en el comercio bilateral a raíz de la firma y puesta en operación del TLC, significó una palanca importante para sortear la crisis financiera de fines de 1994 y principios de 1995. La recuperación fue más rápida de lo que hubiera sido en ausencia del TLC.

Hasta hace poco, México era el segundo socio comercial de Estados Unidos, después de Canadá. El sorprendente dinamismo de China nos ha desplazado. Algo más de 10% de todas las importaciones estadunidenses procede de México y nos hemos convertido en su principal proveedor de diversos artículos como: automóviles compactos, partes automotrices y prendas de vestir, televisiones, brócoli, etcétera. La relación es tan intensa que es ahora una verdadera interdependencia, con todos los pros y contras que ello implica.

En una perspectiva más general, los problemas que enfrentamos en el intercambio comercial son poco significativos, a pesar que algunos alcanzan cierta notoriedad en los medios de información.

El embargo atunero, la acusación de *dumping* al cemento mexicano, las restricciones a las ventas de jitomate o aguacate, las dificultades con ciertos tipos de ganado, cuotas a la compra de azúcar, fueron problemas que hubo que enfrentar durante aquellos años. La mayor parte de las restricciones a nuestras exportaciones responden a intereses de los productores estadunidenses, con un claro tinte proteccionista, a veces disfrazado de otras consideraciones (sanitarias, protección animal).

La política comercial de Estados Unidos promueve el libre comercio. Es innegable. Sin embargo, en ocasiones se utiliza con criterios cambiantes y con clara protección a sus propios productores, mismos que ejercen presión política a legisladores y a la administración. Por ejemplo, las ventas de tomate mexicano al mercado estadunidense se facilitan o dificultan, en función de la cosecha de invierno en Florida. La entrada del aguacate mexicano —prohibida por décadas por la presencia de un mosquito descubierto en los años veinte del siglo XX— ha estado limitada a sólo unos cuantos estados del este del país, en respuesta a las presiones de los productores de California. En el caso del atún, el argumento utilizado ha sido que la pesca del atún mexicano conlleva la muerte de delfines. México introdujo redes de pesca para facilitar la salida del delfín, y no existe un método de pesca de atún que no signifique daños al delfín. Toda la campaña para impedir la entrada del atún mexicano, no era sino la respuesta a los intereses de la industria atunera del estado de California.

Así también, no deja de sorprender que, a principios de 2006, haya aparecido una solicitud de constructores del sur de Estados Unidos para eliminar la acusación de *dumping* del cemento mexicano y facilitar su entrada a territorio estadunidense. La razón simple: había escasez e incremento en los precios internos del cemento de Estados Unidos.

En una ocasión, varios niños de una escuela primaria en Minnesota se intoxicaron. El origen del problema, según diagnóstico oficial, era que habían comido fresas mexicanas. En realidad se pudo identificar que las fresas procedían de un embarque que había ingresado a San Diego, seis meses antes.[6]

La embajada tenía que intervenir en éste como en los otros problemas. Era necesario contar con toda la información y transmitir nuestros puntos de vista a todos los sectores interesados.

[6] Otro ejemplo: en noviembre de 1996, Estados Unidos impuso restricciones a las importaciones de escobas de mijo procedentes de México.

Seguridad

Años después y fuera de mi responsabilidad en Washington, la agenda bilateral sufrió un cambio importante. Los ataques del 11 de septiembre sobre las Torres Gemelas de Nueva York y el Pentágono en Washington, colocaron al terrorismo y a la seguridad a la cabeza de las prioridades del gobierno estadunidense, tanto en lo interno como en su política exterior. Así se explica la invasión en Afganistán y la guerra injustificada en Irak, donde la salida, después de tres años de conflicto, no se vislumbra con claridad.

A pesar de ser una preocupación casi paranoica sólo del gobierno estadunidense, ha afectado la agenda entre las dos naciones. Se han firmado varios compromisos bilaterales y México se ha comprometido a prestar toda su colaboración en la lucha contra el terrorismo y en la salvaguarda de la seguridad.

Ante un fenómeno tan complejo e imposible de predecir, no se descarta la posibilidad de una nueva amenaza en suelo estadunidense.

El Instituto Cultural Mexicano

No cabe la menor duda de que la mejor manera para elevar la presencia de México en el exterior y mejorar su imagen es mediante la exhibición de nuestra riqueza cultural. Esto es especialmente cierto en el caso de Estados Unidos, en donde nuestra imagen ha sufrido deterioro. Pero el apoyo que se otorga para estas actividades deja mucho que desear.

El Instituto Cultural Mexicano, que ocupa una vieja casona de la Calle 16 donde durante muchos años funcionó la oficina de la cancillería y la residencia del embajador, ofrece un magnífico marco para la promoción de muy diversas expresiones culturales. Lo tratamos de utilizar en la mayor medida posible, dados los escasos recursos disponibles.

A lo largo de aquellos años se organizaron exposiciones pictóricas, conciertos, muestras de arte prehispánico, artesanía mexicana, conferencias y seminarios. Con el apoyo de la Galería Nacional de Arte de Washington, se presentó una magna exposición de Arte Olmeca que resultó verdaderamente espectacular, con las cabezas gigantes despertando la admiración de miles de personas de la sociedad washingtoniana. Recuerdo también el éxito de la exposición de pintura de Rodolfo Morales, quien estuvo presente en la inauguración, deslumbrando con sus brillantes colores y su sencillez. En 1996 se otorgó el premio anual del instituto a Carlos Fuentes, en una memorable ceremonia.

El instituto y la vieja casona de la calle 16 fueron testigos de las festividades del grito de independencia, y en febrero de 1997 fuimos anfitriones de la Reunión Anual de la Asociación Nacional de Gobernadores, donde enfaticé la importancia de un mejor conocimiento recíproco como medio para entender mejor la relación bilateral.

Al final de mi encomienda, se organizó una cena para obtener fondos para el instituto. Invitamos a Plácido Domingo y tengo entendido que fue todo un éxito, que no pude disfrutar por haber iniciado mi regreso a la ciudad de México.

Otros asuntos

Casi no hay día en que no suceda algo entre los dos países que reclama atención prioritaria para la embajada. Una iniciativa en el congreso que afectaría nuestros intereses, un artículo negativo en la prensa que requiere la reacción inmediata de la representación diplomática.

En ocasiones hay que hacer equipo con otros países, cuyos intereses pueden ser afectados de manera semejante. Este es el caso de deportaciones a indocumentados, en donde varios países latinoamericanos y del Caribe, hacíamos frente común. Las cuotas de importación de azúcar han sido, desde hace tiempo, motivo de intereses encontrados entre los varios productores y el comprador.

En materia de administración de justicia, las solicitudes de extradición de ambos lados de la frontera ocasionaron diversos puntos de fricción entre los dos gobiernos. Las nuestras —el caso más sonado fue el de Mario Ruiz Massieu, exprocurador general, encargado de la investigación del asesinato de su hermano—, en varias ocasiones rechazadas por deficiencias procesales y fallas en las solicitudes.[7] Las solicitudes de extradición del gobierno de Estados Unidos eran atendidas por el gobierno

[7] En estos casos, la embajada no es más que un simple intermediario entre el gobierno de México y las autoridades estadunidenses. Sin ser abogado, en más de una ocasión, nos permitimos regresar la solicitud a la Procuraduría General de la República por evidentes errores en su preparación legal.

mexicano dentro de un proceso lento y complicado, sobre todo por las limitaciones para enviar a un acusado que podría estar sujeto a la pena de muerte. El número de las solicitudes atendidas y no atendidas eran siempre objeto de escrutinio severo y reclamaciones al más alto nivel de las autoridades mexicanas. Se interpretaban como símbolos del grado de cooperación entre ambos gobiernos.

Con una frontera de casi tres mil kilómetros, y en la cual viven casi veinte millones de personas, los problemas son casi diarios: contaminación, violencia, problemas de nacionales en ambos lados, etcétera, son motivo de atención de la embajada y de los consulados. El más importante y no resuelto es el del aprovechamiento de las aguas del Río Colorado, que se rige por un viejo tratado que data de mediados de los noventa. Todavía hoy, en 2006, es motivo recurrente de reclamación, sobre todo de parte de nuestro vecino del norte.

Las visitas de funcionarios, empresarios, académicos, legisladores y amigos a Washington son muy frecuentes. Todos esperan que el embajador los reciba en el aeropuerto, los invite a cenar y les arregle la agenda de su visita. Desde muy al principio, me hice el ánimo de no ir a recoger al aeropuerto, sino a los secretarios de estado y a quien yo decidiera. No hacerlo redundaría en que el embajador podría convertirse en un mero acompañante de mexicanos en su visita a Washington.

Uno de los mayores problemas de una relación bilateral tan intensa y compleja como la que existe entre México y Estados Unidos, es cómo evitar que la presencia de un problema en un sector particular contamine la relación global. ¿Cómo hacer para que el problema del narcotráfico no impida avanzar en la solución de cuestiones comerciales, por ejemplo? Me parece que ambos gobiernos tienen muy claro este problema fundamental y que, en general, han actuado en consecuencia. La cancillería y la embajada de México en Washington han perseverado en esta estrategia general, que ha resultado positiva para ambas naciones.

El viaje del presidente Clinton a México

El presidente John F. Kennedy visitó la ciudad de México al inicio de la década de los sesenta. Fue, por cierto, una visita muy exitosa, y el pueblo de México se volcó en su hospitalidad tradicional.

Después de aquella ocasión, las visitas de presidentes estadunidenses a México se organizaron en ciudades fronterizas, La Paz, Cancún. Se temía que en la ciudad de México se pudieran provocar manifestaciones hostiles que convenía evitar.

El presidente Zedillo quiso romper con esos temores e invitó al presidente Clinton y a su esposa a visitar el Distrito Federal a principios de mayo de 1997. Con una organización impecable por parte del Estado Mayor Presidencial, la visita fue todo un éxito. La recepción oficial se llevó a cabo en el Campo Marte, que lucía majestuoso. Por cierto, el oficial del ejército mexicano al hacer los honores se olvidó del nombre del presidente estadunidense, provocando momentos de ansiedad entre los que nos percatamos del incidente.

La señora Clinton se adelantó unas horas y visitó la península de Yucatán, recorrió Uxmal y estuvo en Mérida antes de reunirse con toda la comitiva. En la ciudad de México hizo un recorrido amplio por el Museo de Antropología.

Además de las reuniones protocolarias y las entrevistas de prensa, en donde predominaron las preguntas sobre cuestiones locales de Estados Unidos, se llevaron a cabo visitas a Tlaxcala y a las pirámides de Teotihuacan. En éstas, se pudo apreciar el enorme carisma de Clinton y su habilidad para aprovechar momentos para su lucimiento personal. Ante un coro de niños tlaxcaltecas, el presidente Clinton rompió las formas y se metió dentro del grupo. La foto, rodeado de caras sonrientes, salió estupenda.

La visita fue todo un éxito para ambos mandatarios. Las repercusiones en la prensa estadunidense fueron, sin embargo, relativamente modestas. Así pasa.

A mi juicio, Clinton ha sido uno de los mejores presidentes de Estados Unidos en los últimos años. Un verdadero estadista que fue, siempre, un buen amigo de México.

Mis relaciones con la cancillería

Ha sido tradicional que entre el embajador de México en Washington y la cancillería existan fricciones y malentendidos que dificultan la tarea y reducen la eficacia de nuestra presencia en aquellas latitudes. Cuando el embajador tiene línea directa con el presidente, esas dificultades aminoran. Y si no existe esa relación, las tentaciones de la chancillería, de intervenir en todo y por todo se incrementan. Ése fue mi caso.

Mis relaciones con el canciller Gurría eran inmejorables. Habíamos compartido angustias y esfuerzos en la reestructuración de la deuda externa y ambos nos teníamos amistad y respeto recíproco.

La subsecretaría para América del Norte tiene como preocupación fundamental, el cuidado con el gran vecino del norte. Es natural que se provoquen choques con la embajada y que se busque controlar desde la ciudad de México los asuntos bilaterales.

Desde el principio no hubo una buena comunicación con el subsecretario Juan Rebolledo. El proceso se fue deteriorando con los meses de gestión. No lo culpo. A pesar de varias conversaciones cara a cara y de varios exhortos de amigos mutuos. Soy de los que piensan que estos problemas son de responsabilidad compartida.

Sin embargo, la situación llegó al extremo de solicitarle al presidente de la República evitar el diálogo con la subsecretaría y hacerlo sólo, directamente, con el canciller. Mi petición no fue aceptada.

En una ocasión me enteré de un programa de viaje del subsecretario a Washington, con la lista de entrevistas a realizar, y el embajador no había sido informado de nada. Fue un mal momento que, por supuesto, lo hice saber a la presidencia y al secretario.

Sea de ello lo que fuere, reconozco que estas dificultades me empujaron a solicitar reiteradamente, y en público, mi intención de dejar la embajada. En el otoño de 1997, casi tres años después de mi llegada a Washington, recibí un telefonazo del presidente Zedillo, anunciándome que Jesús Reyes Heroles sería mi sucesor a partir de noviembre de ese año. Sentí un alivio y una pena. Las críticas de palacio, otra vez, estaban presentes, y yo, la verdad, no estaba dispuesto a seguir tolerando intervenciones que lastimaban mi trabajo y mi dignidad. Pena, porque Washington es un lugar muy atractivo y la función de un embajador llena expectativas de poder ser útil al país. A fines de octubre de 1997 hicimos maletas para regresar a México.

En un viaje que hice a Buenos Aires, para dar una conferencia en 1998, me puse en contacto con Raúl Granillo Ocampo, mi amigo y compañero cuando ámbos éramos embajadores en Washington. Él ocupaba, la cartera de justicia en el gobierno de Carlos Menem. Nos invitó a pasar el fin de semana en su estancia cercana a la capital argentina. Estupendas instalaciones, canchas de tenis, alberca, media cancha de futbol, etcétera. Su encantadora esposa Chini me preguntó si tenía inconveniente en que un cura oficiara una misa por la mañana del domingo. Por supuesto, respondí que no tenía ninguno, simplemente yo no asistiría al servicio religioso.

En la comida —un magnífico asado argentino— nos tocó sentarnos juntos en la mesa. Era un sacerdote joven, simpático, culto, conocedor de muchas cosas. En un momento de la conversación me comentó que era necesario cambiar al PRI en el gobierno de México, pues en setenta años que estuvo en el poder no había podido eliminar la pobreza en el país. Con toda calma le respondí que algo semejante podría decirse de la iglesia católica que en 2000 años no había solucionado el probrema de los pobres en el mundo.

La conversación cambió de rumbo salpicada por unos vasos de un buen vino tinto argentino.

Una aventura electoral

A pesar de muchos años en el servicio público, nunca había tenido la oportunidad de contender para una posición electoral. El presidente Carlos Salinas me planteó la posibilidad de ser candidato al gobierno de San Luis Potosí. No reunía el requisito de residencia que establece la Constitución potosina y rechacé la oferta.[1] Años más tarde, en 1997, el presidente Zedillo me insinuó la posibilidad de ser el candidato del PRI a la jefatura de gobierno del Distrito Federal, ofrecimiento que también decliné. Estaba en la embajada de México en Washington y mi ánimo general no estaba para ello. Preferí quedarme en la diplomacia. Mi decisión cambiaría poco tiempo después.

En vísperas de la elección presidencial del año 2000, Carlos Fuentes, desde Monterrey, declara que yo podía ser un candidato idóneo de una alianza opositora. Unos días después, escribe un editorial en el periódico *Reforma* con el título "Silva-Herzog, ¿por qué?". La propuesta me halaga y conmueve. No pasa nada.

En los primeros meses de 1998, me incorporé a la Coordinación de Humanidades de la Universidad Nacional Autónoma de México. Mis planes, después de mi retorno de la embajada de México en Washington, eran dedicarme a la vida académica, participar en seminarios, dar conferencias, escribir. Lo hice durante algo más de un año. Fue una experiencia corta, pero gratificante.

En la primavera de 1999, el secretario de Gobernación Francisco Labastida, amigo de muchos años, me invitó a cenar en sus oficinas de la

[1] El presidente me comentó que eso podría arreglarse. Le respondí que, a mi juicio, esos tiempos habían pasado. Años más tarde, López Obrador, con su "honestidad valiente", no aceptó los dictados de la ley.

calle de Bucareli. Me anunció su intención de buscar la candidatura del PRI para las elecciones presidenciales del año 2000 y me propone acompañarlo como candidato a la jefatura de gobierno del Distrito Federal. El gusanito de la política y del servicio público vuelve a aparecer con su enorme influencia. Acepté en principio. Luego de platicarlo con mis hijos y mi mujer, hago el anuncio público poco después de la renuncia de Paco Labastida a la Secretaría de Gobernación y del anuncio de sus intenciones políticas. Hice el anuncio a través de TV Azteca, la mañana del martes 25 de mayo, en ropa deportiva, tal vez para compensar que en esos días tenía ya 65 años cumplidos.

En aquellos momentos, el PRI había establecido unos candados para la designación de sus candidatos a gobernadores y presidente de la República. Era indispensable haber participado en una contienda electoral. Hay que recordar que los cinco presidentes anteriores (Zedillo, Salinas, De la Madrid, López Portillo y Echeverría) no habían tenido experiencia electoral. Este requisito no se aplicaba a la jefatura de gobierno del Distrito Federal, excepción que estaba ya dirigida a mis posibilidades personales.

Mi relación con el partido fue siempre lejana. Sobre todo después de la reacción agresiva y sin precedente, del Comité Ejecutivo Nacional (CEN), presidido por Adolfo Lugo Verduzco, ante mi salida de la Secretaría de Hacienda. Mi postulación no cayó bien en la estructura del partido en el Distrito Federal. Me vieron como un candidato impuesto desde arriba que desafiaba a la estructura ortodoxa del priísmo capitalino. Por otro lado, hubo quienes pensaron que era una opción positiva para recuperar la regencia perdida tres años antes frente al ingeniero Cuauhtémoc Cárdenas. Así lo señalaban las encuestas.

Papeleo para el registro como precandidato. Pagar cuotas al partido que nunca había cubierto. Inventar mi credencial del partido, que la tenía extraviada. Problemas con mi nombre, pues en el acta de nacimiento me inscribieron como Jesús Silva Flores. En fin, requisitos que había que cumplir.

La ceremonia de registro como precandidato se lleva a cabo en un improvisado y frágil templete frente al edificio del PRI en el Distrito Federal. Antes nos reunimos en el Monumento de la Revolución para trasladarnos caminando al lugar del evento. Me acompañaba mi familia, incluyendo a mis nietos pequeños a quienes hubo que proteger ante la embestida de miles de simpatizantes (acarreados unos y otros emocionados con la posibilidad de volver al gobierno) que se arremolinaban alrededor del candidato. Alberto Foncerrada, hijo de un amigo entrañable desaparecido unos años antes, y quien se desempeñó como secretario particular a lo largo de toda la campaña, lo describe con frescura: "Fue nuestro primer encuentro con la realidad, con la ciudad de las masas, los espontáneos, los acarreos, los empellones, las arengas y las porras." Cabe mencionar lo que le sucedió a un grupo de amigos pescadores de Zihuatanejo que decidieron trasladarse a celebrar mi nominación y a quienes los organizadores les pidieron junto con la demás gente, levantar los brazos y mover las manos como una señal, que por cierto nos acompañaría en eventos venideros y que pronto se convertiría en una especie de complicidad mimética entre candidato y concurrencia. El resultado de esa primera expresión de espontaneidad masiva, después nos enteramos, fue que el contingente de amigos pescadores de Zihuatanejo, al momento de levantar los brazos, fue despojado de sus respectivas carteras.

Después de varios días de trabajo de organización en mi domicilio, encontramos una casa en la Colonia del Valle cuya renta sería pagada por un amigo generoso de un colaborador de la campaña. Los recursos financieros disponibles fueron, desde el principio, muy modestos. El equipo de trabajo empezó a conformarse, fundamentalmente, con amigos y excolaboradores: Octavio Fenollosa, Alberto Foncerrada, Claudia López, Julio Reyes Pescador, Miguel González Compeán y Peter Bauer, Marco Michel, Héctor Gutiérrez de Alba, Manuel Barros Nock y otros que poco a poco fueron conformando el equipo de campaña, primero, para la contienda interna y luego para la etapa de campaña constitucional.

De acuerdo con los lineamientos del partido, para obtener el registro como precandidato, era necesario obtener el respaldo de los diversos sectores que lo integran y de los 40 distritos electorales en el Distrito Federal. En cada uno de estos eventos, algunos maratónicos y frente a un público muy numeroso, hacía una presentación general, tocando, por supuesto los aspectos importantes de cada sector y cada ámbito geográfico, y luego respondía a preguntas de los asistentes. Reuniones de algo más de dos horas, en donde con frecuencia había que sortear actitudes un tanto provocadoras de algunos elementos con consigna.

En varias ocasiones me echaron en cara mi declaración pública hecha tiempo atrás sobre mi militancia priísta. "¿Es usted del PRI?" "Más o menos". Al reconocer lo dicho, respondía que, en efecto, se había registrado un enfriamiento en mi relación con el partido, a raíz de la salida de la Secretaría de Hacienda, pero que seguía considerándolo como la mejor opción para nuestro país y que, de manera repetida, había rechazado los llamados de la oposición. Para los priístas, el sentido de pertenencia y la lealtad a la organización eran absolutamente indispensables. En gran medida, mi precampaña trató de aclarar y fortalecer mi identificación con el partido y sus estructuras.

Lo había imaginado, pero no dejó de sorprenderme desde los primeros días de campaña, la importancia de los recursos financieros disponibles. Todo cuesta, el pago del teléfono y la luz, el desayuno con los distritos, el templete, el equipo de sonido, los artículos promocionales, el transporte, la renta de sillería y tantas cosas más. Se organizó un grupo para recaudar fondos que, dentro de los límites establecidos, cumplió bien su tarea. Recuerdo la primera aportación de una pareja que no conocía y que después de concertar una cita, llegaron a mi casa con una bolsa de papel de estraza llena de billetes. Eran como cien mil pesos. Sin conocer al candidato, pensaban que era la mejor alternativa. Eran fabricantes de las figuras del Niño Dios que se venden, sobre todo, en la fiesta de La Candelaria. Fue una experiencia conmovedora. En el curso de los meses siguientes, organizamos rifas, subastas de artículos de arte y una muy productiva cena de gala con Armando Manzanero y Tania Libertad. Varios amigos empresarios me apoyaron en efectivo o cubriendo, directamente, gastos diversos de la campaña, por supuesto sin ninguna atadura.

Al correr de los meses y, cuando hubo necesidad de tener presencia en los medios masivos de información, la escasez de recursos financieros dejaría sentir sus efectos. "Cuando el candidato no tiene spots televisivos pagados, no tiene cobertura noticiosa de sus actividades." Es una frase que me transmitió un alto ejecutivo de una de las dos grandes televisoras, Jorge Mendoza de TV Azteca. Esto lo resentí con cierta frustración.

El partido estableció una comisión para el desarrollo del proceso interno, presidida por el prestigiado economista Emilio Múgica, encargado de vigilar y supervisar la elección primaria entre los precandidatos registrados. Era una elección abierta y creo que sin precedente. Roberto Campa, Silvestre Fernández y yo, éramos los aspirantes. Se trató de lograr un candidato de unidad, pero no se logró. Hubiera sido lo mejor. La elección tuvo lugar el 7 de noviembre de 1999. El autor de estas líneas resultó ganador, con un margen menor al que se esperaba.

Hubo varios debates públicos, en la radio y la televisión, y, en general, el clima en la contienda interna fue respetuoso y sin descalificaciones personales, a diferencia de lo que aconteció entre los precandidatos a la presidencia de la República.

Sin embargo, una contienda interna produce heridas, que no resulta fácil cicatrizar. El candidato perdedor y, sobre todo, sus seguidores quedan lastimados. Esto se manifiesta no sólo en falta de colaboración con el equipo ganador, sino en ocasiones, en manifestaciones de franca oposición. Tengo la impresión que en las elecciones del año 2000, muchos simpatizantes de Roberto Campa[2] votaron por candidatos distintos al PRI. Mucho me temo que algo similar ocurrió en la elección presidencial con los seguidores de Roberto Madrazo. Mantener la unidad partidista después de una contienda interna representa un desafío difícil de superar. El fantasma de la ruptura en el seno del PRI se hizo evidente en la lucha por la presidencia de la República en julio de 2006.

El 20 de noviembre tuvo lugar el acto de protesta como candidato del PRI a la jefatura de gobierno del Distrito Federal en el auditorio Plutarco Elías Calles del PRI.

En el discurso hice autocrítica del partido, que no gustó a muchos militantes:

> Hemos cometido errores y sería insensato venir y olvidar aquellas deficiencias que nos alejaron de muchos mexicanos, aquellas prácticas que nos restaron credibilidad y aquellas fallas de congruencia entre el discurso del partido y las acciones del gobierno, que tantas críticas nos han merecido.

En aquellos momentos circulaba la idea del nuevo PRI, como frase para compensar un cierto desprestigio acumulado del partido. Me convenció. La frase la utilicé en más de catorce ocasiones durante el discurso. El concepto era bueno, pero se fue desdibujando ante esfuerzos débiles

[2] En una decisión que nunca entendí, Francisco Labastida nombró a Roberto Campa su coordinador de campaña en el Distrito Federal. Es posible que la decisión fuera adoptada en busca de los seguidores de Campa en el Distrito Federal, que los tenía. Pero sin duda ello provocó escisiones en mi campaña. Es una pena que no se haya logrado hacer un frente común. En los pocos actos conjuntos, yo cerraba mi intervención utilizando el eslogan de Labastida "que el poder sirva a la gente", y lo complementaba con el mío, "nuestra ciudad en buenas manos".

de renovación real. Recuerdo, unos meses después, la portada en una revista de amplia circulación nacional, con la foto del equipo de campaña de Francisco Labastida. Todos los que aparecían en la foto eran viejos priístas con larga trayectoria política y pocos aires de cosas nuevas. El concepto del nuevo PRI se fue diluyendo, desafortunadamente.

El acto de toma de protesta fue todo un éxito. Recibí aplausos y felicitaciones. Ahora era el momento de entrar en la campaña constitucional y no perder la mira en el domingo 2 de julio de 2000.

El nuevo PRI era, en el fondo, más que una frase de campaña. Para la gente, nuevo PRI era igual a democracia interna. Los procesos internos, los debates entre precandidatos y, en general, la presentación de una imagen más fresca y moderna del partido, parecían ingredientes centrales de la aceptación ciudadana. Pronto, sin embargo, el nuevo PRI se vería secuestrado por las inercias y las cadenas del pasado. Los personajes de siempre, con las formas de siempre. En gran medida, el PRI perdió en 2000 porque no logró resolver el dilema central entre su renovación y tradición, entre democracia interna y unidad. A la postre, pocos meses bastarían para que el rostro del PRI fuera el mismo de siempre, ése que una porción mayoritaria de la sociedad no quería ver en el poder.

La campaña

La ciudad de México es enorme. Y se extiende todos los días. Cerros donde paseaba en motocicleta hace años, hoy están llenos de casas. En desorden.

La ciudad está llena de contrastes. A veces dolorosos. Con metros de distancia se ubican lugares de opulencia con otros de miseria.

No hay quien pueda decir que conoce la ciudad de México. Alguna vez alguien me señaló que conocía la gran metrópoli como la palma de su mano. Le pedí que me la describiera. No pudo.

En un pequeño microbús, prestado por un simpatizante del gremio transportista, recorrimos las 16 Delegaciones, en varias oportunidades. La gira abarcaba, casi siempre, un recorrido a pie, reuniones con vecinos, discurso(s) del candidato y algún evento social. Visitamos lugares casi inimaginables: las barrancas de Álvaro Obregón, en donde a la mitad de un conjunto de habitaciones precarias existe una campana para alertar a los vecinos de un posible derrumbe en época de lluvias; los cerros de Cuautepec, en la Delegación Gustavo A. Madero y los de la sierra de Santa Catarina en Iztapalapa, en donde el micro apenas y podía subir; las casas abajo del nivel de la calle en la colonia Pensil, a un costado de Polanco; las vecindades hacinadas en el centro de la ciudad.

Todos los días, el candidato recibía un impacto al percatarse, de manera directa, de las condiciones adversas de vida para la mayoría de los capitalinos. Sin embargo, es notable que, aun en aquellos casos con carencias fundamentales, la actitud era positiva, noble, siempre con la esperanza de que las cosas puedan mejorar.

Múltiples reuniones con todos los sectores: trabajadores, campesinos, profesionistas, universitarios, artistas de cine y teatro, pintores, escultores, mujeres, vendedores ambulantes, voceadores, adultos mayores, juntas de vecinos, discapacitados, etcétera. Una mención aparte merece la organización de doce foros temáticos, a cargo, fundamentalmente, de Mauricio de María y Campos, Gabino Fraga y Julio Zamora. Del 9 de febrero al 28 de marzo, en el Polyforum Siqueiros, congregamos a los más destacados expertos para plantear y proponer soluciones a los problemas mayores de la capital: seguridad y justicia; desarrollo urbano y vivienda; desarrollo rural, ecología y medio ambiente; transporte y vialidad; agua y otros servicios urbanos; educación, cultura, deporte y recreación; salud y bienestar social; desarrollo económico; comercio y servicios; empleo, capacitación y desarrollo de los trabajadores; desarrollo administrativo y finanzas, e ideología, gobierno y participación social. Sin actitud partidista, los mejores especialistas hacían su presentación en un máximo de diez minutos, el foro se abría a intervenciones del público y cerraba el candidato con unas palabras a manera de conclusión. Hubo alrededor de diez mil asistentes y doscientos ponentes. Entre los muchos participantes recuerdo a Sergio García Ramírez, David Garay, Jesús Zamora Pierce, Ángel Borja, Julio Millán, Francisco Covarrubias, María de los Ángeles Moreno, Julio Zamora, Miguel González Avelar, Jesús Kumate, Alfredo Phillips Olmedo, Carlos Aceves del Olmo, Mateo Lejarza, Benjamín González Roaro, Pedro Ojeda Paullada, Martha de la Lama, Irma Cué, Gloria Brasdefer, Ulises Schmill, Sergio Reyes Luján. Con seriedad, objetividad, fueron analizados los principales problemas de la capital. Fuimos los únicos que lo hicieron. Sin embargo, es penoso reconocer que su cobertura en los medios fue casi nula. Otra vez, la carencia de recursos desaparecía la noticia. Fue frustrante. Al término de la campaña y después de las elecciones, le ofrecí al jefe de gobierno electo todos los materiales y conclusiones de los foros temáticos. No mostró ningún interés. En el anexo 17 se incluyen, en apretada síntesis, los puntos fundamentales que, después de seis años, siguen vigentes.

El trabajo de campaña fue muy duro. Jornadas de 16-18 horas todos los días, incluyendo fines de semana. Los domingos eran de trabajo interno y, a veces, para descansar. En algunos momentos me señalaron que la campaña era floja y que me dedicaba a jugar tenis. No era cierto. Con frecuencia, jugaba a las 7:00 de la mañana, pero como terapia para enfrentar los retos del día. En algún día de marzo o abril de 2000, al bajar del vehículo para asistir a un mitin en la Delegación Azcapotzalco perdí por unos segundos el conocimiento. Me logré sostener de los brazos de un par de acompañantes. En la reunión no pude pronunciar mis palabras de pié. Lo tuve que hacer desde una silla. De manera discreta y sin que nadie se enterara, me hicieron un chequeo en el hospital de Xoco del Departamento del Distrito Federal. El diagnóstico fue de fatiga extrema. Me dieron unas vitaminas de alto poder y a seguirle.

Curiosamente, a lo largo de esos meses de campaña el candidato y su equipo se percataron que los principales ataques venían de adentro. Al PRI lo lastimaban más sus inercias y mezquindades propias que las críticas de sus adversarios. Las versiones y rumores sobre una campaña ligera y un candidato que no trabajaba, se construyeron desde adentro. Fueron respuesta a que algunos no se sintieron incluidos en la travesía de la campaña, o simplemente a una vieja tradición de criticar todo aquello que no es propio.

A lo largo de la campaña y en casi todos los eventos, el candidato es asediado por gente que ofrece colaboración y lealtad. Hay que creer poco y, más bien, desconfiar. Todos piden o quieren algo. No es coincidencia ideológica o política, sino la posibilidad de obtener algún beneficio personal. Otros piden solución a sus problemas. En todos los actos se colocaba el buzón de Silva-Herzog, donde se depositaron miles de solicitudes. Establecimos un mecanismo de respuesta que funcionó con serias deficiencias. El equipo de campaña, con frecuencia, era rebasado ante las presiones de la comunidad.

En un equipo de trabajo compuesto con personas de diverso origen, con intereses personales no coincidentes y con influencia distinta frente al candidato, era lógico que surgieran posturas diferentes y, en ocasiones, fricciones importantes que amenazaban el trabajo en equipo. Fue necesario tomar algunas decisiones drásticas para delimitar las áreas de trabajo en equipo. Ya desde tiempos de la precampaña, consideré indispensable hacer llamados de atención. Una campaña con posibilidades de triunfo es también una disputa interna por el poder, por la cercanía con el candidato, por las eventuales candidaturas plurinominales a la Asamblea Legislativa o al Congreso de la Unión. El equipo de campaña, si bien profesional y dedicado, no estuvo exento de roces internos que fue necesario administrar y desactivar.

Una de las grandes disyuntivas en las campañas políticas es el mando y la organización del equipo. Algunos candidatos coordinan su propia campaña y constituyen equipos horizontales con responsabilidades asignadas. Otros, asignan esta función a un coordinador general, pero no por ello resuelven la conflictiva interna. Es importante recordar que una campaña es, por definición, una organización transitoria e inestable. Mi experiencia en 2000 me enseñó que no hay fórmulas infalibles para resolver ese problema.

En marzo de 2000, ante la percepción de que las cosas no iban como debieran ir, el equipo de campaña de Labastida, con la anuencia de la presidencia de la República, sugirió a Fernando Lerdo de Tejada, en ese momento vocero presidencial, como coordinador general de la campaña. A pesar de apenas conocerlo, se entregó de lleno a nuestros esfuerzos y significó, sin duda, un activo importante en las siguientes semanas.

Por estas mismas fechas, la relación entre la campaña y el partido en el Distrito Federal se había ya tornado muy tensa. Es notable cómo el PRI siempre tiene los mismos problemas entre su estructura formal y permanente, que son el CEN o los comités directivos estatales, y las organizaciones paralelas que cualquier candidato necesita para operar una campaña. Nuestro caso no fue la excepción. El comité directivo del Distrito Federal era encabezado por Manuel Aguilera Gómez, un político talentoso que dominaba y conocía a los grupos tradicionales del partido. Estaba también Óscar Levín como secretario general, jugando una posición institucional con Aguilera pero también marcada por sus expectativas personales, legítimas por cierto, de llegar a la cámara de diputados. En la campaña, por otro lado, estaban los operadores políticos encabezados por Marco Michel. Esta relación fue siempre tensa y recelosa. No se compartía información y, sobre todo, no se generaban las sinergias necesarias para sumar en pro de la campaña. Fue necesario esperar hasta la asignación de candidaturas al senado, para que Aguilera asumiera como candidato a senador, Levín se quedara como presidente del partido y Marco Michel asumiera la Secretaría General. A partir de este momento la coordinación fue mayor y funcionó relativamente, aunque muchos me señalaron que ya era un poco tarde.

Al término de su responsabilidad como embajador de México ante la OCDE en París, mi entrañable amigo Francisco Suárez Dávila se incorporó al equipo de trabajo en el mes de abril. Incorporación valiosa. Retomó la plataforma electoral que habíamos registrado junto con mi candidatura, y la convirtió en un verdadero documento de propuestas y políticas públicas para la ciudad. De ahí produjo un folleto que resumía las principales ideas del candidato sobre la problemática del Distrito Federal. En las últimas páginas de este capítulo se esbozan algunos puntos fundamentales de la plataforma.

Las plataformas y las propuestas son el centro de una campaña. El discurso del candidato necesita nutrirse de ideas y cosas concretas, que sean cercanas a la gente que lo escucha y que además respondan a una determinada visión de la ciudad. Suárez Dávila y su equipo, retomando el trabajo realizado antes por Peter Bauer en esta materia, lograron aterrizar un discurso viable y atractivo. Esto fue a fines de la campaña, pero se notó en cada auditorio una clara mejoría.

El candidato presidencial del PRI, Francisco Labastida, había tenido una presencia relativamente escasa en el Distrito Federal. Me da la impresión de que daban la plaza por perdida y que era mejor concentrar esfuerzos en aquellas entidades con mayores posibilidades de triunfo. Otra versión que circuló ampliamente es que en la lógica de la campaña de Labastida no era conveniente fomentar un conflicto postelectoral en dos frentes. Es decir, ganarle a Fox y al PAN la presidencia, y ganarle al PRD la ciudad de México. Independientemente de lo que en realidad haya sucedido, lo que es un hecho es que las dos campañas que más se necesitaban una a la otra, se mantuvieron distantes y poco coordinadas.

Tuvimos, sin embargo, varios actos conjuntos. En algunas ocasiones surgieron dificultades entre ambos equipos de trabajo: problemas para colocar propaganda mía en actos compartidos. Increíble. Le reclamé, se sorprendió. Dio instrucciones, pero los problemas continuaron. El 18 de junio, en el regreso a mi casa después del acto de cierre de ambos candidatos en el Zócalo de la ciudad de México ante cientos de miles simpatizantes, mi nieto Santiago, de 8 años de edad, me preguntó: "¿Oye abuelo, por qué no había cartelones con tu nombre en el Zócalo?". Sobran los comentarios.

Iniciamos la campaña seis contendientes: Santiago Creel, Andrés Manuel López Obrador, Marcelo Ebrard, Alejandro Ordorica, Tere Vale y el autor. Ebrard y Ordorica, abandonaron la contienda y se sumaron a López Obrador. Serían, después, funcionarios de su administración. Tere Vale hizo un magnífico papel como candidata del Partido Democracia Social, presidido por Gilberto Rincón Gallardo, hombre respetable y admirado. La contienda era, en realidad, entre tres. Creel, hombre responsable "totalmente palacio". López Obrador no reunía los requisitos para ser candidato a jefe de gobierno del Distrito Federal, como lo señalaron en un momento sus contendientes en la elección interna del PRD, Pablo Gómez y Demetrio Sodi de la Tijera. Sencillamente no tenía los años de residencia establecidos en la ley. Tibieza e ineficiencia por parte de los otros partidos, una consulta popular (a su usanza) o arreglos en la cúpula hicieron superar los obstáculos y obtener el registro oficial como candidato. Tal vez uno de los eventos más importantes, definitivos, en la campaña fueron las impugnaciones al registro de López Obrador. Era evidente para cualquier abogado que no tenía la residencia. Pero no era evidente para cualquier analista político si era conveniente impugnarlo o no. A fin de cuentas, el PRI optó por la peor alternativa posible. Impugnar primero y luego no ir a fondo en los recursos para que el asunto llegara al conocimiento del Tribunal Electoral del Poder Judicial de la Federación. Así, el propio PRI contribuyó a permitirle a López Obrador presentarse como mártir y perseguido. Es evidente que le funcionó en aquel entonces, y que esta mecánica se convirtió en *modus operandi* de sus estrategias políticas.

Recuerdo haber participado en dos reuniones en las oficinas de la presidencia nacional del PRI, bajo la dirección de Dulce María Sauri. En la primera se decidió presentar la impugnación ante el Tribunal Electoral del Distrito Federal. Estuve de acuerdo. Los funcionarios del partido y del equipo de campaña de Labastida aseguraban que el voto mayoritario de los magistrados sería a favor de la descalificación. Fue al revés. En una segunda reunión —a escasas semanas de la elección y después del resultado positivo de su consulta popular—, se tomó la decisión de no continuar con el proceso. En esos momentos, las encuestas favorecían a López Obrador. Corre también el rumor de que hubo un arreglo en la cúpula. No me consta.

Todas las noches, recibía información sobre los actos de campaña de mis dos más serios contendientes. Supongo que ellos hacían lo mismo. López Obrador tenía un par de actos diarios, con muy poca gente, con un enfoque monotemático. Me sorprendió que su discurso era el mismo todos los días, frente a todos los públicos. Después de sus actos se acercaba a los medios de información en la banqueta y les "daba la nota". Una campaña muy distinta, tanto a nivel conceptual como logístico, de lo que se hacía en el PRI.

Rosario Robles, jefa del gobierno del Distrito Federal, montó una intensa campaña de medios con un derroche de dinero para apoyar a la campaña de López Obrador. Sin duda, fue un factor importante en los resultados de la contienda.

Creel, por su parte, insistía, una y otra vez, en la necesidad de respetar el estado de derecho, con pocas ideas originales. Tuvo muchos problemas de campaña, sus actos se cancelaban de vez en cuando y en realidad el PAN montó sus votos del Distrito Federal en el fenómeno de Vicente Fox.

Tuvimos varios debates públicos. En el Club de Industriales, en la Universidad Iberoamericana, en la radio y la televisión. En general, en un clima de respeto, en donde no era fácil señalar al ganador. El equipo de cada candidato se sentía como triunfador.

Los planteamientos de análisis y propuesta sobre los problemas fundamentales: seguridad, empleo, transporte, abasto de agua, etcétera. Eran bastante coincidentes entre los tres. Las diferencias eran pocas, y las que surgían eran de matiz. En cuanto a alusiones personales, me echaban en cara, de modo reiterado, los setenta años de corrupción e ineficiencia del PRI; por mi parte, aludía a la falta de experiencia de Creel, al pasado priísta de López Obrador (autor del himno del PRI en Tabasco) y a su carácter violento y de desacato al estado de derecho. Mi grito de campaña era experiencia, honradez y responsabilidad. "La ciudad en buenas manos."

Las relaciones entre el equipo de campaña y los dirigentes del PRI del Distrito Federal nunca mejoraron lo suficiente para darle a la campaña el impulso que necesitaba. Hay un celo natural entre ambos lados. Intereses personales que dominan actitudes. Sin duda, esto daña a la campaña. Discrepancias en la organización de las giras, puntos a visitar, mensaje del candidato, invitados especiales, etcétera. Con frecuencia, hubo que alzar la voz. Hay dentro de los militantes del partido en el Distrito Federal, muchos que están acostumbrados a que su pertenencia y actividad debe estar acompañadas de prebendas de algún tipo. Supongo que esto sucede en los demás partidos. En el curso de la campaña, sobre todo en su fase final, tenía la percepción de que había grietas en la lealtad y que, tal vez, me engañaban. No resulta agradable no saber con quién se está tratando. A pesar del escrúpulo que pusimos en el manejo de los recursos financieros, y de lo meticuloso del administrador Octavio Fenollosa, me quedé con la sensación de algunos desvíos hacia bolsillos personales, no del equipo de campaña, sino en las filas del partido del Distrito Federal.

En diversos momentos, la campaña fue amenazada por integrantes del propio partido. Hubo quienes pretendieron e intentaron secuestrar las decisiones del candidato y del partido, usando de plano métodos de chantaje y amenazas. Una señora de Iztapalapa, notable entre muchos más, llegó a amenazar a la campaña con conferencias de prensa en contra del candidato, si no obtenía las candidaturas que exigía para su gente. No fue un caso aislado. El PRI en el Distrito Federal, tal vez como en ninguna otra parte, ha sido rehén de sus propios grupos, de quienes militan en él no porque creen en algo, sino porque quieren algo.

El PRI en el Distrito Federal estaba dominado por un grupo reducido de funcionarios con cierta larga participación partidista. Las dirigencias de los sectores, distritos, secciones dependían de aquéllos, en una estructura vertical. Supongo que así sucede en los otros partidos. Sin embargo, la menor disponibilidad de recursos financieros, menores posibilidades para llevar a cabo la gestión social y ciertos excesos en la conducción del mando habían producido un distanciamiento entre el partido, sus bases y la sociedad. A lo largo de la campaña me encontré con grupos de militantes críticos de la estructura del partido, sin cohesión y cuyo único objetivo era sustituir a quienes en ese momento ocupaban los cargos directivos. Prevalencia clara de los intereses personales. Bien se puede decir que la ética se había perdido.

Mi mujer, Hilde, colaboró en la campaña de manera entusiasta y con entrega total. Acudimos juntos a innumerables actos, e incluso posamos juntos en un poster con la leyenda "La democracia es pareja". Se instaló en una casa de campaña II, organizó un equipo de trabajo, múltiples eventos y una red de simpatizantes del candidato. Un magno evento de mil mujeres con Jesús Silva-Herzog, se llevó a cabo en un desayuno en un hotel de la ciudad y reveló una enorme capacidad de organización y convocatoria. Fue todo un éxito.

Hilde, mi mujer, hizo, de verdad, una labor estupenda. Organizó una estructura denominada "Enlaces con la ciudad" para tratar de convencer a infinidad de votantes sobre mi candidatura. Realizó múltiples giras por todos los rincones de la ciudad y llevó a cabo muy numerosas reuniones con todos los sectores de la sociedad. Al final de la campaña, se había convertido en una magnífica expositora, con aplomo y con un mensaje sencillo y convincente.

A mediados de 2005, tuve oportunidad de ver un video de una de sus reuniones. Me impresionó su soltura y manejo de la misma. En esa reunión, intervino una líder nacional de Iztapalapa y reclamó la falta de artículos promocionales —gorras, plumas, camisetas— con los cuales hacer un proselitismo más eficaz. Esto claro, como reflejo, de la escasez de recursos que padecimos durante la campaña. Tenía razón. En contraste, ella argumentaba, el PRD, en el gobierno, hacía obras en las colonias y daba cosas. La contienda era dispareja. Y tenía razón.

Es una verdad que se reitera una y otra vez que las elecciones, hoy en día, se ganan con la presencia en los medios y con dinero. Creo que es cierto.

La campaña recibió dinero público proveniente de las prerrogativas del PRI en el Distrito Federal, y aportaciones privadas. Hicimos diversos eventos de recaudación de fondos. Amigos y simpatizantes cubrieron el gasto de artículos promocionales: posters, espectaculares, plumas, gorros, encendedores, bolsas del mercado, mantas y muchos más. En cierto momento parecía que no había problema financiero. Pero sí lo hubo. A fines de 1999 y principios de 2000, encabezaba yo las encuestas con más de 40% de intención de voto y con un margen amplio con los contendientes. Hubo en los primeros meses del año un bache de liquidez y salimos de los medios de información, lo cual fue aprovechado por López Obrador y Creel para intensificar su propia presencia. Ahí se dio un quiebre que no sería recuperado en el resto de la campaña.

En los meses y años posteriores a la elección de julio de 2000, muchos me preguntaban: "¿Por qué perdió?". La respuesta no era fácil. Sin duda, el voto de castigo al PRI representó un factor importante. Alguien me comentaba que mi candidatura era un buen producto, pero de mala marca. La campaña fue, a mi juicio, buena. Se hizo el mayor esfuerzo, se trabajó sin descanso y el equipo de trabajo se desempeñó con laboriosidad, entrega y lealtad. Reconozco que el que pierde, tiende a buscar culpables. Es indudable que no tuve el apoyo económico necesario ni del PRI nacional, ni del PRI local, ni de la campaña presidencial. La ausencia de un respaldo financiero adecuado impidió tener una presencia razonable en los medios de información, sobre todo en las semanas previas al 2 de julio.

Por otro lado, corren rumores de que la derrota del PRI en el Distrito Federal y de sus candidatos estaba arreglada a nivel cupular. Reconozco la pérdida en la capital, a cambio del reconocimiento del triunfo a nivel nacional. En fin, son rumores.

Hugo Scherer, conocido y respetado estratega de comunicación, nos había venido acompañando en el diseño de la imagen de la campaña, elaborando spots de radio y televisión. Mi impresión es que hizo un magnífico papel en el diseño de los mensajes. El problema era el dinero para pagar los tiempos. El costo más importante en una campaña es el que corresponde a la radio y, en especial, a la televisión. Un spot de 30 segundos en hora pico de la televisión costaba en aquellos momentos 350,000 pesos. En un partido importante de futbol, se proyectó un spot mío, cuyo costo fue superior al millón de pesos. Los recursos disponibles no alcanzaron para mantener una presencia activa y permanente. Este era el caso para el candidato del PRI a jefe de gobierno, pero también para los candidatos a jefes delegacionales y diputados locales y federales. La influencia de los medios en la política y en los políticos ha llegado a niveles excesivos, lo que conlleva riesgos que pueden ser importantes para el país.

Después de las elecciones, era necesario presentar un informe de los gastos de campaña al Instituto Electoral del Distrito Federal. Debo decir que la nuestra fue la única que no tuvo observaciones sobre su financiamiento, e incluso recibió una felicitación de la autoridad electoral.

Supe por ahí que un candidato ganador o perdedor suele quedarse con algo de los recursos obtenidos en la campaña, como "compensación" por sus esfuerzos. No lo hice. Nunca lo pensé.

Algunos incidentes

Muchos años antes había cambiado mi nombre de Jesús Silva Flores, que aparecía en el acta de nacimiento, al que había utilizado toda mi vida de Jesús Silva-Herzog Flores. Lo había hecho a través de un acta notarial. Mi título universitario, el Registro Federal de Causantes, el pasaporte, utilizaban mi nombre "corregido". Sin embargo, el PRD, con ningún otro propósito que molestar, impugnó mi registro. Fue necesario distraer tiempo y atención, acudir a un juez administrativo y llevar a cabo un juicio un tanto demorado. El asunto no terminó con la sentencia favorable. El gobierno del Distrito Federal, con presiones del PRD, designó a una nueva directora del Registro Civil, quien de inmediato impugnó la sentencia de la juez de lo administrativo. Hubo que acudir a un Tribunal Colegiado, el que ratificó la sentencia a mi favor. El problema, finalmente, se resolvió.

En una gira de proselitismo a la unidad habitacional El Rosario, en Azcapotzalco, construida por INFONAVIT durante mi gestión como director general, visité a las 5:30 de la mañana, una lechería de LICONSA para saludar a las señoras que hacen fila desde esa hora para recibir su dotación de leche para su familia. En un momento dado, me acerqué al depósito de leche y ayudé, físicamente, a la entrega de las bolsas de plástico heladas. Por cierto, la prensa tomó fotos y aparecí a la mañana siguiente en varios de los periódicos de la capital, "con las manos en la leche". El PRD me acusó de utilizar bienes públicos para hacer proselitismo, "leche por sufragios". Otra vez hubo que acudir a los abogados, hacer la defensa, pagar una multa y perder tiempo en estos incidentes.

Al término de un encuentro con jóvenes de la Delegación Ixtapalapa, acompañando al candidato presidencial Francisco Labastida y después de haber tenido un diálogo abierto y cordial, nos ofrecieron unas latas de aerosol de colores, de los que se utilizan para hacer grafiti. Había una pared blanca que aprovechamos para hacer una broma y lo que no debe de hacerse. La prensa lo registró y, al día siguiente, fue la nota dominante. Se pensó que el asunto estaba arreglado por nuestros equipos de campaña. Pero no fue así. El dueño de la casa, cuya pared habíamos grafiteado, de filiación perredista nos demandó. Tuvimos que pagar una multa y volver a pintar. A lo largo de la campaña, varios de los adversarios lo volvieron a mencionar como ejemplo de mala conducta. Tenían razón.

En la mitad de la campaña, apareció un editorial de Guadalupe Loaeza en el que imaginaba la casa de los tres principales candidatos a jefe de gobierno del Distrito Federal. La descripción de la mía era la de un hombre rico —después de tantos años en el gobierno—, con baños de mármol, una gran biblioteca con libros empastados en piel, pero sin abrir, una sala con muebles heredados de mi padre y una colección de marcos con fotografías de magnates empresariales. Nada más alejado de la realidad. Vivo en la misma casa hace cuarenta y dos años. La compré en 1963 con un crédito del Banco de México. Es una casa, de 650 m², el despacho es pequeño, lleno de libros (leídos, casi todos), el piso del baño es de barro y no tengo un sólo mueble de mi padre. Las fotografías que adornan la casa son de familia y de hombres públicos (el rey de España, Felipe González, Clinton, Carter, Fidel Castro, Octavio Paz, Carlos Fuentes, etcétera).

La lectura del editorial me agravió. Tocaba fibras sensibles. Si hay algo de lo que me siento orgulloso es de mi trayectoria limpia en el servicio público. Lo heredé de mi padre. "Soy ave que vuela sobre el pantano...".

Le llamé por teléfono y la invité a cenar en la casa. Aceptó. Recorrimos los distintos espacios. Pasamos una velada muy agradable.

Desde hace muchos años, establecí que en las cenas en la casa se ofrecen tortas de La Castellana, una tortería ubicada en Avenida. Revolución. Así lo hicimos aquella noche.

Unos días después, Guadalupe Loaeza, abierta simpatizante del PRD y de López Obrador, escribió su editorial titulado "Las tortas de Chucho", en el que rectificaba sus afirmaciones anteriores y reconocía mi casa como la de un profesionista con larga trayectoria, sin excesos de ninguna naturaleza.

No todos los periodistas están dispuestos a rectificar aseveraciones anteriores y reconocer errores. Ella lo hizo. Hago un tributo a su actitud abierta, a su honorabilidad como periodista.

El proceso de selección de candidatos

El 2 de julio de 2000 se disputaban la presidencia de la República, la jefatura de gobierno del Distrito Federal, 16 jefes delegacionales, 40 diputados locales, 30 diputados federales y 2 senadores. Como candidato a jefe de gobierno, participé en el proceso de nominación de los candidatos. Nada sencillo. Concentré mi atención en los candidatos a jefes de delegación. Se conformó una lista que, con excepciones que confirman la regla, era de personas con buenos antecedentes, conocidas en sus localidades y, sin duda, con mejores credenciales y atributos que los de los otros partidos. En cuanto a los candidatos a diputados locales y federales, carecía de información suficiente en la mayoría de los casos. La decisión final se tomó, en buena medida, siguiendo la sugerencia de las autoridades del PRI en el Distrito Federal. Y en ocasiones, del Comité Ejecutivo Nacional. Sin duda, se nos colaron algunos prietitos en el arroz, de los que después nos arrepentiríamos. Uno de los criterios utilizados para la selección era el número de votos con los que determinada persona podría contribuir el día de la elección. En la mayoría de los casos las expectativas o promesas no correspondieron con la realidad.

Fue terrible el día de la elección, ninguno de los candidatos del PRI en el Distrito Federal obtuvo la victoria. El voto de castigo fue dramático y el marcador, lapidario: noventa a cero.

Dos meses antes de la elección, presentí que no iba a ganar. No sólo eran las encuestas que no me favorecían, sino una percepción y olfato político. No se lo dije a nadie. Trabajé intensamente y cerré la campaña en El Tenampa de la Plaza de Garibaldi a las 12 de la noche del 28 de junio, límite máximo establecido en la ley. Hubo días en el último mes de campaña en que realizaba 20 entrevistas con los diversos medios de información, en cabina, por teléfono, en mi casa o en la oficina de campaña. Días antes, llevamos a cabo ceremonias de cierre en las 16 delegaciones en un lapso de menos de 72 horas. El domingo 25, realizamos cierres de campaña en Milpa Alta, Tlahuac, Xochimilco, Cuajimalpa, Magdalena Contreras, Tlalpan y Cuauhtémoc. Lo pudimos hacer gracias al apoyo de un helicóptero amigo. En cada una de las delegaciones presenté una plataforma electoral específica. Con análisis y acciones concretas en cada demarcación.

Obtuve casi un millón de votos y quedé en tercer lugar, después de López Obrador, que recibió alrededor de 1.2 millones de votos —menos que el ingeniero Cárdenas tres años antes—, y de Santiago Creel que se subió al carro de la campaña de Vicente Fox.

En el 2003, en la elección intermedia, el PRI obtuvo 300,000 votos. El PRD volvió a ganar casi carro completo.

La problemática de la ciudad

Los problemas de la ciudad son enormes. Se han venido acumulando a lo largo de las últimas décadas. Las soluciones que las autoridades capitalinas le han dado a los problemas se han quedado cortas, han sido insuficientes y, con frecuencia, extemporáneas. El crecimiento de la capital ha sido desordenado y los planes reguladores son violados por la corrupción. Somos muchos lo que habitamos en el valle de México. Todo nos ha quedado chico y las demandas de los capitalinos exceden a las posibilidades reales para atenderlos. Hay escasez de agua en numerosas colonias, el servicio público de transporte es infame, las condiciones de tránsito son lamentables, la vialidad es insuficiente, la contaminación crece, el desorden está en todos lados. El Distrito Federal ocupa uno de los primeros lugares en la república en materia de desempleo y, por supuesto, la inseguridad es el reclamo más generalizado. Es verdaderamente lamentable.

Para quienes hemos vivido aquí toda la vida, la llamada ciudad de la esperanza es, en realidad, la ciudad de la nostalgia.

La ciudad de México es una gran ciudad, tiene todo, es el corazón de México. Su actividad económica representa una cuarta parte del producto interno nacional y sus habitantes tienen el mayor nivel educativo del país. El ingreso por habitante es casi tres veces el promedio nacional. Cuenta con la mejor infraestructura de comunicaciones y transportes, servicios de salud, educativos y culturales, así como con modernos servicios financieros. La población del Distrito Federal prácticamente ya no crece. Es la capital histórica, política, cultural y económica del país. Es, en suma, una gran ciudad con potencialidades desaprovechadas.

A lo largo de la campaña aprendí mucho. En cada reunión, de las muchas que se realizaron, aparecía un comentario, una sugerencia, que me permitía mejorar mi conocimiento de algún problema de la ciudad. En el Debate por la Ciudad, los doce foros temáticos fueron un manantial de información y experiencias de gran valor.

Todo ello me permitió elaborar, con la ayuda invaluable de Francisco Suárez Dávila y de Peter Bauer, una serie de "propuestas y respuestas" que constituyeron la plataforma electoral 2000 para el Distrito Federal.

Los reclamos ciudadanos más sentidos los agrupamos en cinco demandas básicas:

1. *Inseguridad* y corrupción.
2. *El deterioro de la ciudad*, convertida en una urbe caótica, paralizada por manifestaciones, con transporte y vialidades congestionadas, con aire y agua contaminadas y, en general, con malos servicios.

3. Crecimiento de la *desigualdad social*, así como mala calidad de los servicios de salud, educación y vivienda.
4. *El estancamiento económico*, los altos niveles de desempleo y los salarios insuficientes.
5. *Un mal gobierno de la ciudad*, con miras de corto plazo, buscando sólo el resultado electoral o el efecto de imagen.

Con esta visión, se elaboró un programa de acción de largo plazo, sustentado, también en cinco conceptos.

1. Un *modelo de desarrollo integral* de la ciudad que incluya y resuelva en forma coordinada aspectos políticos, institucionales, jurídicos, económicos, sociales y ambientales.
2. Una *visión a largo plazo*, sin descuidar las acciones inmediatas. Anticipar y construir el futuro en lugar de padecerlo.
3. Una *concepción metropolitana y regional.*
4. Una *ciudad global.* Hay que pensar globalmente y actuar localmente.
5. Una *democracia actuante* con plena *participación ciudadana.* El ciudadano debe participar en el análisis, diseño y evaluación de las políticas públicas.

El programa de acción se sustenta, a su vez, también en cinco grandes estrategias:

1. *Seguridad*, con una eficaz *impartición* de justicia.
2. *Mejores servicios para servir* mejor.
3. *Una política social de vanguardia* para dar una mejor calidad de vida y bienestar.
4. *Más empleo y mayores ingresos* en una ciudad con crecimiento económico vigoroso.
5. *Un gobierno que gobierne* para bien de todos, que rinda cuentas y que luche contra la corrupción.

Cada una de estas grandes estrategias incluía el diagnóstico del problema, propuestas y compromisos concretos en cada área.

Mi oferta de gobierno tenía el respaldo de una capacidad de liderazgo, firmeza, experiencia, sensibilidad social y honestidad probada.

En materia de seguridad, los compromisos enunciados eran: prioridad en la asignación del gasto del gobierno; mejoría en los niveles policiacos; autonomía del Tribunal Superior de Justicia; mayor atención a los Centros de Readaptación Social, entre otros.

En cuanto a los servicios, el énfasis se colocó en la infraestructura de la ciudad (Metro, acuaférico y drenaje profundo), en el abasto de agua (desperdicio, fugas, plantas de tratamiento) y en la necesidad de mejorar las condiciones de la vialidad y el transporte, con un enfoque claramente metropolitano.

En materia de política social, el acento estaría en la educación (la llave que abre todas las puertas), un mejor aprovechamiento de las instalaciones de salud y un programa de construcción de vivienda, incluyendo acciones de rehabilitación de unidades habitacionales. La propuesta incluía una serie de programas para la atención a grupos vulnerables, mujeres, niños, adultos mayores, jóvenes y estímulos para la vida cultural y el deporte.

En el tema económico, las propuestas pretendían recuperar el papel activo y promotor del gobierno, mediante una mayor inversión pública y generación de empleo. La vocación de largo plazo de la ciudad de México se centra en el comercio y los servicios.

Una conclusión fundamental del programa de gobierno era la imperiosa necesidad de establecer el *orden* en la ciudad. Así, en lo general. Fue grito reiterado a lo largo de la campaña. Asimismo, nos comprometimos a ejercer un gobierno transparente y con amplia rendición de cuentas, alentando una mayor participación ciudadana. En materia de finanzas públicas, se identificaron maneras de elevar la recaudación, sin aumentar impuestos (mejoras administrativas, lucha contra la evasión y actualización de los valores catastrales). A manera de conclusión de toda la plataforma, anotamos en letras mayúsculas una lucha a fondo contra la corrupción: tolerancia cero.

— Álbum fotográfico —

En la toma de posesión como director general de Crédito de la Secretaría de Hacienda y Crédito Público, diciembre de 1970

Inicio de la obra del Infonavit, Tijuana, Baja California, 15 de agosto de 1972

En el Infonavit, 1973

Saludo a don Fidel Velazquez, 1973

Con Olof Palme, presidente de Suecia,
en una visita al conjunto habitacional
de Iztacalco, 1974

Con Olof Palme
Aparece Porfirio Muñoz Ledo, 1974

Asamblea general del Infonavit,
1973

Reunión en el Infonavit,
1974

Entrega de vivienda del Infonavit, 1975

Con José López Portillo

Con Fidel Castro, La Habana, Cuba, 1980

Un dorado del Mar de Cortés, 1981

Con Raúl Ramírez, en Loreto,
Baja California Sur, 1983

Un buen revés

Meditabundo...

Con el presidente
Miguel de la Madrid, 1983

Con Carlos Salinas de Gortari,
secretario de Programación
y Presupuesto, 1983

Con Carlos Salinas de Gortari, 1983

Con don Fernando Gutiérrez Barrios, Daniel Díaz y Ricardo García Sainz

Cantinflas y mis hijas Tere y Eugenia en el desfile conmemorativo de la Independencia de México, Los Angeles, California, 1984

En un recorrido por el Templo Mayor con George Shultz, secretario de Estado de Estados Unidos, 1984

Frente a la Coyolxauqui con George Shultz

En el Congreso de la Unión, 1984

En una comparecencia ante el Congreso de la Unión, 1984

Con don Antonio Ortiz Mena, presidente del Banco Interamericano de Desarrollo, 1984

En la firma del Presupuesto de Ingresos y Egresos, 1984

En la Cámara de Comercio de Madrid, 1985

Con el presidente James Carter y su esposa, Palacio Nacional, 1984

Con el presidente James Carter, 1984

En la Casa Blanca con el presidente Ronald Reagan, mayo de 1985

Con los presidentes Felipe González y Miguel de la Madrid, Madrid, 1985

Con el rey Juan Carlos, en la presentación de cartas credenciales, Madrid, 1991

Con el presidente Felipe González y una misión empresarial mexicana, Palacio de la Moncloa, Madrid, 1991

Con Carlos Fuentes, Washington, 1996

Con Octavio Paz, Madrid, 1992

Con mi familia en la presentación de cartas credenciales al presidente William Clinton, 1995

To Ambassador Silva Herzog
With best wishes, and appreciation
for your fine work
Bill Clinton

Con el presidente William Clinton, 1995

To Ambassador & Mrs. Jesus Silva-Herzog
Best Wishes,
Hillary Rodham Clinton

Los Clinton y los Silva-Herzog

Con el presidente Ernesto Zedillo, 1996

To Ambassador Jésus Silva-Herzog
Best Wishes,

Con el gobernador de Texas,
George W. Bush, Austin, Texas, 1996

Con el príncipe Felipe y un grupo de estudiantes mexicanos, Universidad de Georgetown, Washington, 1996

En una conferencia, Universidad de Georgetown, Washington, 1996

Con Hilde, mi esposa

Con Hilde, mi esposa, en un mitin
en el Monumento a la Revolución, 2000

Con hijos y nietos, Oaxaca, 2005

ÍNDICE DE NOMBRES

ANEXOS

ANEXO 1

ASAMBLEA CONSTITUTIVA DEL INSTITUTO DEL FONDO NACIONAL DE LA VIVIENDA PARA LOS TRABAJADORES

Primero de mayo de 1972

Palabras del licenciado Jesús Silva-Herzog F.

En feliz coincidencia histórica nos reunimos hoy, primero de mayo de 1972, para participar en el nacimiento del organismo que hará realidad una importante conquista obrera: el establecimiento de un sistema nacional para dotar de viviendas dignas a un numero creciente de trabajadores. Culmina así un día dedicado a la clase obrera y a la vivienda obrera, durante el cual el señor presidente ha hecho entrega de varios miles de casas de interés social.

El proceso a través del cual se dieron los pasos para conducirnos a este momento —de trascendencia indudable— es digno de reflexión profunda. A pesar de que, desde 1917, quedó consignado en nuestra Carta Magna el derecho del trabajador para disfrutar de una vivienda cómoda e higiénica, transcurrieron varios lustros sin que se pudiera atender tal necesidad de manera sistemática y organizada. Los gobiernos revolucionarios, a través de muy diversos mecanismos, han realizado, sobre todo en los últimos años, una importante tarea, utilizando fondos públicos y privados. Sin embargo, se trata de un problema de magnitud tal que, lejos de resolverse o disminuirse, se agrava todos los años. En 1970, la nueva Ley del Trabajo incluye diversos ordenamientos para tratar de avanzar en esta materia, aun cuando estableció algunas limitaciones a su campo de aplicación y provocó una cierta inquietud acerca de su cumplimiento, previsto después de transcurrido un breve lapso.

Para hacer frente al problema de modo más firme y eficaz era necesario emplear nuevos procedimientos y sistemas con una actitud abierta de cambio, imaginativa y creadora. De esta manera, el ofrecimiento hecho por el señor presidente durante la reunión para el estudio de la vivienda en junio de 1970 en San Luis Potosí, encuentra cabal cumplimiento. Es en el seno de la Comisión Nacional Tripartita, surgida hoy hace un año con el propósito de conocer la opinión de los sectores de obreros y empresarios sobre importantes problemas nacionales, donde surgieron las primeras ideas para modificar el esquema vigente y poder avanzar mejor hacia la solución del problema de la vivienda en México. En sucesivos planteamientos, la idea se fue concretando y afinando con el concurso de los sectores interesados dentro de un marco nuevo, abierto al diálogo franco, a la discusión constructiva. Este proceso culmina con la reforma constitucional, las modificaciones a la Ley Federal del Trabajo, y la expedición de la ley que crea al Instituto del Fondo Nacional de la Vivienda para los Trabajadores, que hoy reúne, por primera vez, su asamblea general.

Vivimos en un mundo en el que el cambio constituye el rasgo fundamental. Ninguna exageración o hipérbole pueden describir la profundidad, extensión y la velocidad del cambio. De hecho, como dice un destacado psicólogo social, "sólo las exageraciones aparecen como verdad". La tecnología, en muy variadas materias, se transforma con un paso muy veloz; la sociedad y las actitudes sociales se modifican en todo momento; en realidad nada es estático, todo es un proceso. Lo único que no cambia es que todo cambia.

No siempre somos capaces de apreciar este proceso de cambio. No siempre reconocemos con rapidez que lo que fue bueno ayer, puede dejar de serlo hoy; que las soluciones requieren de transformación al paso y medida en que cambian los problemas que pretenden resolver.

La evolución que estamos presenciando en el tratamiento al problema de la vivienda, no sólo por su reconocimiento más cabal, sino, sobre todo, por su concepción solidaria, por el mecanismo financiero utilizado, por su campo de aplicación y por su dimensión esencial, constituye un reflejo verdadero de una nueva actitud de nuestro gobierno. Actitud nueva que reconoce la necesidad de cambio en muchos órdenes de la vida nacional.

Quisiera referirme a tres aspectos fundamentales:

1. El problema habitacional en México relacionado con la labor futura del Instituto del Fondo Nacional de la Vivienda para los Trabajadores.
2. Aspectos operativos del instituto.
3. Objetivos esenciales.

En la evolución económica reciente, entre los problemas de mayor gravedad e importancia, en los países ricos como en los pobres, figura el problema de la vivienda y del urbanismo. Aun los países más industrializados se encuentran imposibilitados para dar cabal atención a las necesidades de vivienda urbana. En algunos países pobres el problema se considera insoluble.

Señala, por ejemplo, un estudio de las Naciones Unidas que para evitar que se agrave el problema acumulado de la vivienda en América Latina, se requeriría dedicarle casi la mitad de la inversión bruta global. Y claro, esto es imposible.

México no es excepción, dado nuestro elevado índice de crecimiento demográfico y, sobre todo, urbano. Se estima que el déficit habitacional existente en 1970 ascendía a alrededor de 2.3 millones de viviendas urbanas y que su tasa de aumento medio anual era superior a 3%. De esta manera, para 1980 el déficit se elevaría a cerca de 3.2 millones, si no se toman medidas urgentes para evitarlo. Estas cifras nos permiten comprender en perspectiva más concreta y realista la labor que tiene enfrente el instituto, desde el punto de vista cuantitativo. El número de viviendas que podrá construir se ha estimado en quinientas mil al finalizar el sexenio. Esta cifra no puede ser precisa, pues dependerá no sólo de los recursos financieros que se canalicen hacia tal objeto, sino del tipo de inversión que se realice y de la medida en que los trabajadores contribuyan con su esfuerzo propio.

He querido mencionar estos aspectos cuantitativos para señalar, de manera clara y precisa, que la labor del instituto, a pesar de ser el instrumento más poderoso con que contaremos, no puede constituir la solución del problema de la vivienda en México. Se pretende reducir el déficit habitacional; pero no se trata de ninguna panacea.

Por eso habrá que redoblar los esfuerzos que están realizando otras dependencias del sector público, y habrá que reforzar los mecanismos para la canalización de los recursos manejados por la banca hipotecaria y de ahorro hacia la vivienda de interés social.

Se requiere mejorar el grado de coordinación entre los distintos programas, evitar errores y duplicación de esfuerzos. El instituto está listo para colaborar en estas tareas.

En la actualidad están en marcha programas de construcción de viviendas; algunos se encuentran en su etapa final y otros en sus fases iniciales. Suman alrededor de cuarenta mil casas-habitación con una inversión estimada en 2,000 millones de pesos. Estos esfuerzos, a los que se ha asignado alta prioridad, aunados a las tareas inmediatas del instituto, significan un alivio para el problema de la vivienda y constituyen además un propulsor poderoso de la actividad económica nacional, sin efectos negativos sobre la balanza de pagos, dado que el gasto en construcción se realiza, casi exclusivamente, en bienes y servicios de origen nacional.

La construcción de viviendas es utilizada como uno de los indicadores básicos para evaluar el ritmo de crecimiento de una economía. Esto obedece a los vigorosos estímulos que brinda a la ocupación —directa e indirectamente—, así como a la demanda que supone de materias primas, artículos industriales y artesanales, equipos y obras de infraestructura. La construcción de una vivienda genera salarios que equivalen a alrededor de 20 a 30% del costo de la obra. Este porcentaje depende del tipo de tecnología utilizada, es decir, de la importancia relativa en el uso de la mano de obra y del capital.

La información disponible señala posibilidades —que deberán ser bien estudiadas— de transformar los sistemas de construcción de viviendas sin detrimento de la eficiencia, y con efectos favorables en la generación de empleos, convertido ahora en un objetivo prioritario de la política económica de la administración.

Las consideraciones anteriores nos permiten estimar que el programa del instituto puede generar salarios directos durante el presente sexenio por alrededor de 4,000 millones de pesos y dar ocupación directa adicional a más de 200 mil trabajadores; ello aparte del efecto estabilizador que tendrá sobre el nivel de empleo en el sector de la construcción. En esta derrama de salarios e impulso al empleo, deberá darse consideración especial a nuestro medio rural.

Ciertos aspectos operativos creo que merecen algunas aclaraciones, porque han dado lugar a comentarios en sectores interesados.

En las últimas semanas hemos apreciado opiniones llenas de optimismo por la labor futura del instituto frente a otras que lo contemplan con desconcierto e incluso con franco pesimismo. Los pesimistas estiman que las finalidades señaladas al instituto son tan extensas que para ellos es difícil concebir una operación exitosa; consideran que un programa de vivienda de la magnitud del que hoy se inicia habrá de verse obstaculizado por diversos factores: oferta insuficiente de materiales, dificultad para localizar terrenos adecuados, costo de la tierra, complejidades administrativas, etcétera.

Somos los primeros en reconocer que existen problemas. Pero frente a ellos mantenemos un espíritu optimista, sereno y convencido de que las barreras son para superarlas, y los problemas para ser resueltos. Estamos dispuestos a enfrentarnos a ellos con los múltiples recursos que ofrece la técnica moderna en los campos de la administración, las finanzas, la planificación, el urbanismo y la construcción. Un firme criterio técnico permitirá alcanzar los fines que persigue el instituto; un firme criterio y un deseo de superación le librará de desorientaciones y desviaciones que pudieran apartarle de su objetivo.

El instituto requiere de mecanismos operativos que debemos elaborar de inmediato. Nos encontramos ante un reto extraordinario al que nos proponemos enfrentarnos con audacia e imaginación y sin más límite que la prudencia. Vamos a crear una organización, y participar en un esfuerzo de creación nos parece una de las aspiraciones máximas del ser humano.

Entre los problemas de carácter operativo que mayores comentarios han provocado, figura el registro y control de los aportes, abonos y retiros de cada uno de los trabajadores afiliados al sistema. Deseo señalar en este punto la colaboración prestada por la Secretaría de Hacienda y Crédito Público, para diseñar —con el auxilio de las técnicas más avanzadas de computación electrónica— los sistemas de registro que permitirán cumplir con esta responsabilidad fundamental de nuestra institución. El problema es difícil; se han dado ya pasos firmes para su solución y no consideramos que exista ninguna dificultad insuperable.

El instituto estará en posibilidad de financiar la construcción de alrededor de quinientas mil casas durante lo que resta del presente periodo presidencial. Esta cifra, frente al número de trabajadores que participarán en el mecanismo, estimado en 2.5 y 3.0 millones de obreros, no va a permitir que cada trabajador pueda disfrutar de una vivienda en los próximos cinco años. Empero, debemos tener presente que el mecanismo se basa en un enfoque profundo de solidaridad social, y que el obrero que no pueda disponer de una vivienda a corto plazo, lo podrá hacer, dado el carácter permanente del sistema, en los años subsecuentes, y tendrá derecho, por la característica de sus depósitos, a retirarlos, dentro de los términos de la ley.

El instituto representa, sin duda, la cristalización de un derecho de la clase trabajadora. Los recursos que maneja son aportados por los empresarios y corresponden a los trabajadores. La composición de sus órganos directivos asegura su éxito, y la participación, la experiencia y el patriotismo de los sectores obrero y patronal serán los elementos decisivos para la adopción de políticas y para la toma de decisiones. El esfuerzo de ambos sectores contará para su administración con la participación del Estado, que es evidentemente indispensable por el volumen de recursos que forman su patrimonio, la significación de los programas de vivienda dentro del marco del crecimiento urbano y los servicios públicos, así como por la necesidad de regular las fuerzas del mercado en un programa de tan considerables proporciones.

El mero anuncio de la creación de un organismo destinado a la construcción de grandes volúmenes de viviendas ha provocado la aparición de tendencias negativas e intereses mezquinos, tanto en lo relativo a terrenos como a los materiales necesarios para la construcción.

Deseo señalar, desde este momento, que el instituto estudiará la forma de contrarrestar estos fenómenos injustificados, y que propondrá al ejecutivo federal procedimientos y medidas enérgicas para evitarlos.

No debe permitirse que el esfuerzo colectivo y la generación masiva de recursos aproveche a unos cuantos en detrimento de los demás.

Estamos dispuestos, y en su oportunidad lo sugeriremos a las autoridades competentes, a promover empresas mixtas, con el propósito de que produzcan los insumos necesarios para desalentar cualquier actitud especulativa o situación monopolista.

Un aspecto esencial nos permite ver con optimismo los planes financieros proyectados: la adecuación de la capacidad de pago de los trabajadores al costo de las viviendas. El programa se ha diseñado de modo que el pago mensual por concepto de crédito que otorgue el instituto, no exceda en ningún caso de 25% del salario, a largo plazo, sin enganche y 4% de interés anual. Por ejemplo, un trabajador con salario mínimo podrá adquirir una casa de 30,000.00 pesos con un abono de sólo 190 pesos al mes; un trabajador con un ingreso de 1,800 pesos mensuales, podrá comprar una casa de 50,000 con 325 pesos de abono mensual. Se combate en esta forma el dramático error de emprender programas de vivienda fuera del alcance económico de los grupos obreros mayoritarios.

El sistema adoptado por el instituto representa ventajas importantes sobre el esquema anterior no sólo para el trabajador, sino para la colectividad en conjunto. Entre otras, por las siguientes razones:

1. La generación masiva de recursos permitirá hacer frente, en términos y plazos razonables, al déficit reciente de vivienda urbana y, de hecho, reducirlo de manera apreciable.
2. Todas las empresas del país quedarán obligadas a contribuir a la solución del problema.
3. Los asalariados del país —estén o no sindicalizados— podrán ser propietarios de sus viviendas, mediante la obtención de créditos adecuados a su capacidad económica.
4. El usuario del crédito estará protegido por un seguro para el caso de muerte o incapacidad, cuyo costo absorberá el instituto.
5. Los trabajadores quedarán convertidos en ahorradores permanentes, puesto que la totalidad de las aportaciones empresariales se aplicará a constituir depósitos a su favor. De hecho, se trata de un sistema de ahorro interno generalizado.

El tercer aspecto al que quería hacer mención se refiere a ciertos objetivos básicos del instituto.

La ley que lo crea establece, dentro de sus finalidades y funciones, la de administrar los recursos del Fondo Nacional de la Vivienda; la de establecer y operar un sistema de financiamiento que permita a los trabajadores obtener créditos baratos y suficientes para adquirir en propiedad habitaciones cómodas e higiénicas; construir, reparar, ampliar o mejorar las existentes, y liberar créditos contraídos con anterioridad por los conceptos mencionados. Finalmente, le señala la responsabilidad de coordinar y financiar programas de construcción de habitaciones para la clase trabajadora del país.

Metas e instrumentos como los señalados al instituto, le dotan de un enorme potencial para contribuir, de manera efectiva, a hacer frente a serios problemas que nos aquejan: descentralización geográfica, regulación del asentamiento humano (hasta ahora caótico y desorganizado) y la lucha contra la contaminación del ambiente y contra la sobrepoblación en las grandes ciudades.

El inicio de las labores del instituto coincide, asimismo, con la necesidad de establecer una política nacional de vivienda y desarrollo urbano. Será indispensable intensificar la coordinación de los organismos públicos y privados que participan en esta materia, y la coordinación con las dependencias oficiales que tienen a su cargo las necesidades de infraestructura: luz, agua, calles, transportes públicos, etcétera.

Debe evitarse la acción aislada y dispendiosa. El problema de la vivienda exige una concepción integral. Se requiere definir criterios no sólo para las áreas nuevas, sino también —y en ocasiones con prioridad marcada— hacia necesidades de regeneración urbana. Es preciso establecer criterios normativos sobre desarrollo urbano, servicios a la habitación, escuelas, parques recreativos, lugares de reunión juvenil, mercados, zonas de recreación; y a las relaciones que existen entre todo ello y el medio ambiente.

El reconocimiento del derecho de los trabajadores a ejercer el crédito que les otorgue el instituto en la localidad y con las características que señalen, hace imperiosa la adopción de criterios ajustados a nuestra realidad nacional y regional en cuanto a clima, costumbres y tradiciones, para definir la ubicación de los terrenos, los materiales de construcción y el tipo de vivienda. En esta labor, será sobresaliente la participación de las comisiones consultivas regionales.

Es obvio que el problema de la vivienda es el problema del hombre. Éste la considera como un medio de adaptación de sí mismo a su ecología y, dentro de ésta, tenemos la relación con los otros hombres, con la sociedad en la que vive y se desenvuelve.

El objetivo esencial del instituto es brindar los medios necesarios para permitir crear un hogar, en el sentido global del término, al mayor número posible de trabajadores. Dotarlos de un hogar, que —como lo señaló el señor presidente durante su campaña como candidato a la primera magistratura— es el "sitio en el que se congrega la familia, en el que satisface sus necesidades básicas de subsistencia, en el que los miembros de ella coexisten solidariamente", será el paso firme para contrarrestar la tendencia negativa de desintegración del núcleo familiar.

La obra que realizará el instituto contribuirá significativamente a redistribuir el ingreso, no sólo por la transferencia de recursos de los empresarios a los trabajadores y por el aumento del bienestar para quien obtenga su vivienda, sino además, por el impulso que significa en la generación de empleos. No debe olvidarse que uno de los medios más eficaces para redistribuir el ingreso es elevar los coeficientes de ocupación. El instituto tendrá una preocupación marcada por lograr una distribución geográfica que responda a las necesidades del país y trate de corregir nuestro desigual crecimiento regional. En este aspecto, nos proponemos estimular a los grupos de constructores, proveedores, técnicos y profesionales de las localidades donde se lleven a cabo los programas de construcción.

Las características de los depósitos de los trabajadores en el instituto lo convierten en un fondo permanente de ahorro que ciertamente elevará la seguridad económica del trabajador y habrá de permitirle disponer de sus recursos de una manera más congruente con sus necesidades y con las del país. Desde otro punto de vista, las aportaciones empresariales son recursos reales de la colectividad, y no contribuyen a crear presiones inflacionarias. La situación de México contrasta favorablemente en este aspecto con los esfuerzos de otros países donde esto no ha sido posible. Aparte de ello, el impacto sobre los costos en las empresas es de una insignificancia relativa que podrá absorberse sin mayores dificultades, sin justificar alza alguna de los precios.

Señoras y señores: la propuesta del señor presidente de la República, aprobada por esta asamblea general, para hacerme cargo de la dirección general del Instituto del Fondo Nacional de la Vivienda para los Trabajadores es motivo de profundo agradecimiento que compromete mi responsabilidad frente al país.

Llego aquí sin compromiso alguno frente a grupos políticos o económicos, y esa misma condición será exigida para el personal directivo cuyo nombramiento someteremos a la aprobación del Consejo de Administración. A las tareas que iniciamos dedicaremos toda nuestra capacidad y energía.

Concibo la labor del instituto —cuya concepción es profundamente mexicana— no por la importancia que se le ha dado en algunos órganos de difusión basada sólo en el volumen de recursos financieros que va a manejar. Lo contemplo, en primer lugar, como una conquista obrera; en segundo lugar, como un mecanismo social no sólo destinado a construir casas y a mejorar el ambiente urbano de diversas partes de nuestra república, sino como un poderoso auxiliar en el mejoramiento de las condiciones de vida de nuestra clase trabajadora. Estamos conscientes de que en la vivienda se conjugan muy diversas facetas del hombre, pero de que es éste, en toda su compleja naturaleza, nuestro único y último objetivo. Estamos plenamente conscientes también de que el Instituto de la Vivienda para los Trabajadores es un organismo de servicio social. Nuestra responsabilidad para el manejo de los recursos que los trabajadores de México nos confían, fija una ruta clara e inconmovible a nuestra actuación. La ruta que significa velar por los intereses de la colectividad.

En esta tarea requerimos del apoyo, orientaciones y experiencia de los sectores representados en el instituto, porque estamos convencidos de que sólo una acción conjunta podrá asegurar los resultados que el pueblo de México espera.

Apoyados en el fondo patrimonial aportado por el gobierno federal al instituto, iniciaremos un plan de acción de alcance inmediato que facilite a todos los programas de construcción que satisfagan los requerimientos técnicos del caso, el trámite expedito que les haga convertirse este mismo año en realidad palpable. Para ello contamos con la valiosa colaboración del Instituto Nacional para el Desarrollo de la Comunidad Rural y de la Vivienda Popular (INDECO), que además de brindarnos su apoyo técnico, dispone de 1,280 hectáreas de reservas territoriales aproximadamente, donde pueden construirse más de 70,000 viviendas.

Quisiera, por último, como un elemento joven en la administración pública de nuestra patria, hacer una exhortación franca y sincera para solicitar el apoyo, la ayuda técnica, la percepción de la necesidad del cambio que nos puede ofrecer la juventud estudiosa de México. Requerimos de jóvenes arquitectos e ingenieros, economistas y sociólogos, trabajadoras sociales y antropólogos, sin mayor requisito que su capacidad técnica y su deseo de servir al país por encima de intereses particulares.

Señor presidente: permítame terminar con una frase de un maestro mío, muy cercano, querido y admirado: "La historia de la civilización es una hazaña de la inconformidad, cuando sabe descubrir caminos nuevos para el bienestar y el progreso del hombre."

Usted, señor presidente, siendo un inconforme frente a la realidad nacional que nos rodea, ha abierto hoy un nuevo camino para el bienestar y el progreso de la clase trabajadora mexicana.

ANEXO 2

PALABRAS PRONUNCIADAS POR JESÚS SILVA-HERZOG F., DIRECTOR GENERAL DE INFONAVIT EN LA CEREMONIA DE ENTREGA DE LOS PRIMEROS CRÉDITOS DEL INSTITUTO

Los Pinos, 23 de marzo de 1973

Señor presidente de la República.
Señores miembros de los Órganos Tripartitas del INFONAVIT.
Compañeros trabajadores:

La entrega que el señor presidente hace esta noche de los primeros créditos del INFONAVIT a trabajadores de México, marca una fecha trascendente en la corta existencia de este nuevo instrumento de bienestar social, fomento económico y redistribución del ingreso.

No cabe la menor duda de que frente a avances muy considerables en diversos renglones de nuestra vida económica y social registrados en las últimas décadas, el problema de la vivienda se ha venido deteriorando y ha provocado situaciones que con frecuencia adquieren proporciones dramáticas. No cabe la menor duda, por otro lado, de que la vivienda, la casa, la morada, tiene una profunda trascendencia en la vida y en el desarrollo de todo ser humano.

Ante estos hechos y tomando en cuenta el acelerado crecimiento de nuestra población —sobre todo de la población urbana— se puede apreciar el significado que tiene y que tendrá en los próximos años la alta prioridad que el señor presidente Echeverría ha concedido a la vivienda dentro de los objetivos de política económica y social. Esta prioridad se puede apreciar no sólo en la creación del INFONAVIT, que representa una conquista de los trabajadores y una solución profundamente mexicana a un grave problema nacional, sino también por el establecimiento de otros mecanismos similares destinados a los trabajadores al servicio del estado y al personal de las fuerzas armadas; se puede apreciar, asimismo, por el impulso adicional que se ha dado a organismos tales como INDECO, Banco Nacional de Obras y Servicios Públicos, FOVI, a la labor habitacional del Departamento del Distrito Federal y a otros esfuerzos a nivel estatal.

A la creación del INFONAVIT, hace apenas once meses, siguió una ardua labor reglamentaria para dotar al organismo del marco jurídico indispensable para su acción. Se formó el equipo básico de trabajo y a 107 días de su establecimiento, se inició el primer programa de construcción de casas en ocho lugares de la república, mismo que se amplió a veinte localidades en diciembre pasado. En todos estos esfuerzos, que no son sino el germen, la semilla de lo que deberá ser una acción permanente y sostenida, se ha contado con una entusiasta colaboración tripartita que constituye, sin duda, un reflejo de una nueva manera de hacer las cosas.

Hace apenas unos días se llevó a cabo el proceso de asignación de los primeros veinte mil créditos del instituto, distribuidos en 22 ciudades de la república, con un importe de 1,000 millones de pesos.

Pero toda la labor desarrollada, el equipo de trabajo, los reglamentos, el inicio de las casas, el otorgamiento de créditos, sólo adquieren justificación esencial cuando alcanzan al trabajador y a su familia; es decir, cuando se llega al aspecto humano.

Hoy estamos presentes en esta simbólica ceremonia en la que trabajadores procedentes de 22 localidades recibirán, en casa del señor presidente de la republica y de sus manos, un crédito para vivienda del INFONAVIT y, junto con ellos, 20 mil familias, o sea 100 mil mexicanos, se convierten hoy en receptores de los primeros beneficios de una ley nueva que los propios trabajadores han bautizado como Ley Echeverría. A este programa inicial de créditos sucederán otros en el año de 1973, el segundo a partir del próximo 15 de abril, para cubrir antes del primer año de actividades del INFONAVIT a todas las entidades de nuestra patria.

No es, a nuestro juicio, trascendente el día de hoy sólo por las razones que hemos mencionado, sino que también tiene profunda significación la forma, el procedimiento utilizado para la distribución de estos primeros créditos. Ante un problema de la magnitud del que enfrentamos, no era posible utilizar métodos tradicionales, sino que era necesario ensayar soluciones nuevas: el uso de las computadoras, de las computadoras de la Universidad de México, significa, por una parte, una expresión del verdadero sentido de la técnica moderna, puesta al servicio del hombre y de los problemas sociales.

Por último, quisiéramos aprovechar esta oportunidad, señor presidente, para hacer una expresión de renovado optimismo frente a la labor futura y terminar con las palabras de uno de los compañeros trabajadores aquí presentes que el día de ayer expresó: "Son los primeros pasos para ver cristalizados nuestros sueños de tener un hogar propio."

ANEXO 3

PALABRAS PRONUNCIADAS POR EL LICENCIADO JESÚS SILVA-HERZOG F. EN LA VI ASAMBLEA GENERAL DEL INSTITUTO DEL FONDO NACIONAL DE LA VIVIENDA PARA LOS TRABAJADORES

Primero de mayo de 1974

Señor presidente de la República
Honorable asamblea general
Señores invitados especiales
Señoras y señores:

En esta sesión de la vi asamblea general del Instituto del Fondo Nacional de la Vivienda para los Trabajadores celebramos el segundo aniversario de la institución más joven de la república. Lo hacemos en un marco de trabajo, en plena obra, con el espíritu alto, entusiasta y optimista, y ante la presencia honrosa y estimulante del señor presidente de la República.

El propio primer magistrado, hace exactamente un año, nos exhortaba a reunirnos en esta fecha para evaluar juntos lo alcanzado y contemplar, con amplio sentido realista, la tarea futura.

Dos años en la vida de una institución que nace es un periodo muy corto si lo contemplamos en su dimensión histórica, pero ha resultado un lapso suficiente para emprender el vuelo y trazar una ruta.

Los primeros años de una institución representan la etapa formativa, aquella en la que recibe sus características fundamentales, cuando adquiere la fisonomía y la filosofía de su proyección futura, y en este segundo año de vida la emoción puesta en nuestras tareas ha crecido, y en diversos aspectos hemos podido acelerar el paso. Hace un año nos encontrábamos todavía en la etapa de los proyectos y de las ideas pendientes de aplicar. Nos vemos ahora en la etapa de las realidades. Hemos compartido la emoción de los que reciben una casa, a veces acompañada por esa lágrima del anhelo hecho realidad tras la prolongada espera, y claro, hemos detectado errores que habremos de corregir. Nos sentimos ahora mejor capacitados para acelerar la marcha y vemos las metas que nos hemos fijado más al alcance de nuestra mano.

Hoy, como hace un año, tenemos que presentarle a usted, señor presidente, una obra todavía inacabada e imperfecta, porque se está haciendo todos los días y porque sabemos que puede y habrá de mejorarse.

Los sectores que forman el INFONAVIT—trabajadores, empresarios y el gobierno— han sido partícipes activos y celosos de su desarrollo. El espíritu tripartita que le dio origen se ha mostrado siempre solidario de sus primeros pasos; ha dado muestra cabal del más amplio sentido de colaboración y es prueba clara de lo que se puede lograr con diálogo franco y espíritu constructivo. Estamos persuadidos de que esta nueva manera de analizar y hacer las cosas, es la más adecuada.

El equipo de trabajo del instituto —que por fuerza ha tenido que crecer y diversificarse—, con la plena conciencia de pertenecer a un organismo de servicio social, se ha entregado, lleno de entusiasmo, al esfuerzo de creación de algo que es verdaderamente nuevo en nuestro país.

En el informe anual de actividades que, en cumplimiento de la ley, presentamos a consideración de esta asamblea se describen al pormenor las tareas y realizaciones del segundo año de actividades del INFONAVIT; se señala que se ha tratado de un periodo trascendental para la vida del instituto; hace ver que durante el mismo se pusieron en marcha casi todos los programas y sistemas proyectados, tanto de construcción como de crédito, tanto de la cuenta individual de ahorro y de la titulación de viviendas, como los de la reserva territorial, el seguro de vida y la adaptación al cambio a una nueva morada y a una nueva idea comunitaria.

Permítanme señalar aquí algunos aspectos sobresalientes de la labor realizada por el instituto en estos últimos doce meses; permítanme también algunas reflexiones sobre el largo camino que falta por recorrer:

1. Los programas de crédito y de financiamiento a la construcción de viviendas se han extendido a 89 ciudades, que cubren todos los estados de la República.
2. El número de créditos asignados pasa de 56 mil —casi tres veces más que hace un año— beneficiando a cerca de cuatrocientas mil personas en todo los rumbos del país. El importe global de estas operaciones excede de los 4,100 millones de pesos, y 49% de los créditos concedidos corresponde a trabajadores que devengan entre 1 y 1.5 veces el salario mínimo. Han resultado beneficiados trabajadores de 12,127 empresas, 3.8 trabajadores por empresa, en promedio.

   El programa de crédito del instituto carece de paralelo en nuestra historia por el número y por el volumen asignado, pero además porque el concepto de capacidad de pago se ha visto sustituido por el *derecho* del trabajador mexicano a disfrutar de una morada. Las condiciones crediticias son las mejores del mundo; el origen de nuestros recursos nos asegura un financiamiento no inflacionario, y para quienes reciben sus beneficios representa un renglón importante de estabilidad en el presupuesto familiar. También es cierto que consideramos indispensable ajustar los procedimientos de adjudicación de los créditos para evitar rechazos, simplificar trámites, facilitar la ocupación de la vivienda y extender el crédito más ampliamente a otros campos de aplicación previstos.
3. Estamos financiando en estos momentos la construcción de setenta y nueve mil viviendas en todo el territorio nacional; hemos entregado 42 conjuntos habitacionales, incluso en lugares a los que nunca antes había llegado un programa de viviendas. El compromiso de entregar por lo menos un conjunto habitacional cada dos semanas, que nos impusimos al principio del año, ha quedado pues cumplido. Las viviendas entregadas desde hace apenas diez meses pasan de veinte mil.

   El INFONAVIT, permítaseme insistir en ello, nunca ha pretendido ser ni una panacea, ni una solución mágica a un problema acumulado por decenios. En cambio, es el instrumento más vigoroso y efectivo con que se cuenta para atender el problema de la vivienda de los trabajadores y constituye, sin ningún género de duda, la expresión de una efectiva, indiscutible conquista obrera. En el escaso tiempo de actividad transcurrido, el INFONAVIT ha sido capaz de generar una obra constructiva sin precedentes en el país, lo mismo por el número de unidades en proceso que por el cambio del concepto mismo de unidad habitacional; el instituto ha podido atender, además, necesidades de emergencia como han sido la entrega en enero pasado del conjunto solidaridad en Irapuato, y la de casas en Río Blanco, Córdoba, Orizaba y varias poblaciones del sur de Puebla que tendrá lugar dentro de pocas semanas.

   Lo señalado no obsta para que estemos persuadidos de que es necesario hacer mayores esfuerzos por mejorar el diseño, el uso de materiales y los sistemas constructivos de la vivienda; de que necesitamos armonizarlo mejor con la capacidad de pago y las necesidades familiares; tampoco significa que no debamos seguir abiertos, como lo hemos estado, para complementar el esfuerzo interno, a iniciativas de los trabajadores, de los empresarios o de otras entidades del sector público, que puedan aumentar y mejorar las alternativas de elección para los beneficiarios del instituto.
4. Administramos las cuentas de ahorro de más de 3.1 millones de trabajadores; los depó-

sitos a su favor ascienden, al día de hoy, a 4,942 millones de pesos, aportados por más de doscientas mil empresas.

5. Los órganos tripartitos del instituto han desarrollado, por su parte, una extraordinaria labor de orientación y apoyo. Las 652 sesiones de trabajo que han realizado significan, en promedio, más de una por día hábil transcurrido desde el nacimiento del INFONAVIT.
6. La participación de las localidades en nuestros programas se ha convertido además en una realidad, no sólo por la activa participación de treinta y cinco comisiones consultivas regionales, sino por la utilización de técnicos, constructores, mano de obra y materiales de los lugares en que se realizan nuestras obras. La asignación de contratos de obra asciende a 1,022, incluyendo compañías constructoras de todo el país, y de todos los tamaños, con un promedio de 4.3 millones de pesos.
7. El proceso de descentralización administrativa se ha fortalecido a través de la operación de catorce delegaciones regionales del instituto.
8. La reserva territorial disponible suma ahora 45 millones de metros cuadrados en 63 ciudades del país —más del doble de la de hace un año—, con una inversión que pasa de 1,000 millones de pesos.
9. El centro de computación electrónica que inauguramos hace un año se halla en pleno funcionamiento y nos permite disponer, por primera vez en México, del directorio nacional de trabajadores y de empresas del país, instrumento imprescindible para nuestras tareas y para conocer mejor nuestra realidad económica y social.

   Un aspecto sobre cuya atención se manifestó pesimismo antes e inmediatamente después de la creación del INFONAVIT, fue el del registro y control de los aportes, y el de los abonos y retiros de cada uno de los trabajadores. Permítaseme decir que el INFONAVIT ha podido establecer un mecanismo eficiente y que nos encontramos en la posibilidad, a partir del día de hoy, de manejar adecuadamente las cuentas individuales de ahorro. El sistema, diseñado por técnicos mexicanos, procesa en estos momentos más de doscientos documentos por minuto, y puede identificar plenamente y casi en el acto, las aportaciones empresariales y los depósitos individuales de ahorro de los trabajadores. Todavía necesitamos avanzar, sin embargo, en el diseño y la implantación del mecanismo de recuperación de créditos, en el que estamos atrasados.

   La información que estamos recibiendo del sistema establecido ofrece elementos valiosos sobre aspectos decisivos para la vida económica y social del país; por ejemplo, que una muestra de casi tres millones de trabajadores nos ha revelado que 77% de los inscritos en el instituto devengan un salario superior al mínimo, y que en este promedio nacional observamos contrastes muy significativos, tanto por lo que se refiere a regiones del país como a actividades productivas. También hay zonas donde, en cambio, 70% percibe menos del salario mínimo, y actividades económicas donde la mitad de nuestros beneficiarios no alcanza a obtener 1,500 pesos mensuales. Estas cifras nos obligan a reforzar nuestro criterio regional y constituyen una muestra de la compleja problemática a la que se enfrenta el instituto.
10. Hemos iniciado la devolución de depósitos de ahorro a trabajadores jubilados, incapacitados o a las familias de los fallecidos y, en los próximos meses, con la colaboración del Instituto Mexicano del Seguro Social, se intensificará este programa.
11. Las labores de difusión y orientación se han extendido y multiplicado. Hemos distribuido ya cerca de dos millones de folletos sobre las actividades del instituto para la mejor información de los trabajadores.
12. El ritmo de actividad del instituto en beneficio de los trabajadores se ha elevado, al mismo tiempo, de modo extraordinario. En los últimos cuatro meses las erogaciones sólo

por concepto de pago de estimaciones, compra de terrenos y otorgamiento de créditos, han pasado de 320 millones de pesos mensuales, es decir, de 16 millones diarios. Se ha cuadruplicado la cifra correspondiente al año anterior.

Esas cifras, por elocuentes que parezcan y por mucho que señalen la dinámica actividad del INFONAVIT, no nos permiten conformarnos con lo alcanzado hasta estos momentos. Sólo una inconformidad auténtica hará posible que sigamos superándonos en el camino de nuestro destino histórico.

Son muchos y diversos los problemas a que se enfrenta esta institución tan compleja que es el INFONAVIT. Los deseos incontenibles de ver avanzada la tarea, y los riesgos a que se enfrenta toda labor pionera, nos obligan a estar replanteando, incansablemente, todos nuestros procedimientos y mecanismos.

Es necesario, además, enmarcar la acción del instituto dentro de la problemática del desarrollo de nuestras ciudades, que atraviesan, como alguien lo señaló recientemente, por una verdadera "crisis de aceleración". Los problemas del urbanismo y de la vivienda han llegado a adquirir en nuestro país las proporciones dramáticas que son de todos conocidas. Por eso son urgentes planteamientos nuevos; por eso exigen la mayor atención.

Los esfuerzos del INFONAVIT, junto con los que significan los fondos destinados a los trabajadores al servicio del estado y de las fuerzas armadas, y también con los que se derivan del fortalecimiento de las fuentes tradicionales de crédito habitacional, representan el cambio radical que se ha producido en la atención concedida por nuestro gobierno al problema de la vivienda.

Los recursos asignados por la presente administración a mejorar las condiciones de vivienda del mexicano en sus tres primeros años de actividad representan cinco veces más de los asignados en promedio durante toda la década pasada. A la escuela, al camino y al centro de salud, se ha agregado ahora la vivienda en las prioridades de nuestra política económica y social.

Honorable asamblea general:

Las instituciones, como los seres humanos, traen al mundo cuando nacen infinidad de expectativas, promesas infinitas; de su propia evolución, de su preparación, sin embargo, dependerá cuáles expectativas y qué tantas promesas vayan a resultar realidad. Nos parece que al cumplir nuestros dos primeros años hemos conseguido identificar por lo menos lo que podemos y lo que no nos será dable hacer. El INFONAVIT ha tenido que madurar muy de prisa para poderles explicar con claridad a sus derechohabientes lo que es, y lo que no es; lo que ha hecho, y lo que falta por realizar. Todavía no podemos adivinar plenamente los deberes que la comunidad pueda asignarnos, pero sabemos ya muy bien que hay un puñado de tareas fundamentales que nos justifican, y que nos obligan permanentemente con el país.

Desde el principio nos hemos dado cuenta de que el problema de la vivienda no es un simple problema de paredes y de techos, ni una cuestión financiera o de ventas. Nos hemos dado cuenta de que es un problema social, de naturaleza esencialmente humana. Y también hemos comprendido que el problema de la vivienda no termina en el momento de la entrega de la casa al trabajador. Entonces se inicia una nueva fase, más importante todavía, porque tiene que ver con el hombre, con su familia y con su hogar.

La administración de los conjuntos habitacionales nos parece un problema todavía sin resolver y a cuya solución deberá dedicarse la máxima atención en los próximos meses. El éxito o el fracaso de los grandes conjuntos de vivienda, en México como en otros países del mundo, están relacionados estrechamente con aspectos de su administración y mantenimiento.

Nos parece que hemos podido innovar, romper la inercia y salir de moldes tradicionales en cuestiones tan importantes como la adquisición de reserva territorial, la titulación masiva de la vivienda y el diseño arquitectónico, pero la verdad es que toda la estructura industrial, las normas que regulan gran parte de nuestra actividad, y ciertos moldes mentales parecen responder más bien, todavía, a un modelo de sociedad en el que la construcción de vivienda era un hecho individual y episódico y no, como ahora se requiere, a la necesidad imperiosa de construir masivamente hogares para miles y miles de familias de trabajadores.

Hace dos años vislumbrábamos —entre los obstáculos que iban a dificultar la labor del instituto— la oferta insuficiente de materiales y las especulaciones con la tierra; grandes han sido los obstáculos, en efecto, y hemos podido superar algunas de tan importantes barreras. Seguimos conscientes de que habremos de permanecer alertas para evitar que el esfuerzo colectivo se traduzca en beneficio de unos cuantos.

Señalemos, en fin, que el proceso para conocer las verdaderas necesidades de vivienda del trabajador y de su familia debe afinarse e intensificarse estableciendo el contacto más estrecho posible con las organizaciones obreras, y con los trabajadores mismos, para fortalecer la alianza que debe existir siempre entre los que debemos servir y los que deben ser atendidos.

Señor presidente de la República:

La confianza nace de la sinceridad y de una actitud abierta, y la confianza no excluye la opinión divergente de quienes están interesados en el INFONAVIT. El INFONAVIT no ha estado exento de críticas que entendemos cabalmente, porque ha nacido una gran esperanza para los trabajadores y es comprensible que se quiera que hagamos más, más rápido y mejor. Claro que hemos tenido problemas de suministro y aun de organización, y a veces de falta de comunicación. Pero en todo momento hemos contado para resolverlos con la ayuda de los sectores y, especialmente, con el aliento invariable del jefe del Ejecutivo Federal.

Hoy viene el INFONAVIT a refrendar el propósito de acelerar sus trabajos y mejorar sus procedimientos. Queremos una institución crítica; severamente crítica para con nosotros mismos. Rehuimos la autocomplacencia, porque es el camino más seguro para la inercia, la inmovilidad y la pérdida de los elevados propósitos de solidaridad social que nos dieron origen.

Contribuir a crear una institución al servicio de las mayorías nacionales, y servirla con lealtad y sin fatiga, es una oportunidad extraordinaria, pero no es una aventura. Si usamos los sistemas modernos de computación electrónica no es por afición tecnocrática, sino para resolver los problemas sociales en el terreno de la eficiencia. Si acometemos obras en 89 ciudades de la república, no es para comprometer la calidad de las viviendas o nuestra capacidad de realizarlas, sino para atender la urgencia de una necesidad postergada por decenios. Si queremos una institución tercamente honrada es porque lo que tenemos a nuestro cuidado son los recursos de los trabajadores de México.

Este segundo aniversario es un fruto, primordialmente, de solidaridad entre mexicanos y ejemplifica la vocación de justicia social que orienta la actividad del Estado popular presidido por Luis Echeverría. La nación se organiza en Estado y el Estado actúa a través de instituciones; queremos que la nuestra sea digna de la nación y del estado y que siempre esté al servicio de los trabajadores.

ANEXO 4

**PALABRAS PRONUNCIADAS POR EL LICENCIADO JESÚS SILVA-HERZOG F.
DIRECTOR GENERAL DEL INFONAVIT, DURANTE LA SESIÓN-COMIDA DE LA
CÁMARA NACIONAL DE LA INDUSTRIA DE LA CONSTRUCCIÓN**

México, D. F., 2 de junio de 1976

Sr. Ing. Julio Argüelles
Presidente de Cámara Nacional de la Industria de la Construcción
Señores constructores mexicanos
Señoras y señores:

Con profundo reconocimiento y especial agrado acudimos a esta comida mensual de la Cámara Nacional de la Industria de la Construcción, a la que concurren constructores de todo el país. Enviamos un cordial saludo a todos y, en especial, a quienes se trasladaron desde la provincia mexicana para asistir a este evento.

Hace casi cuatro años, en una de las primeras ocasiones en que el naciente organismo expresaba sus tesis e inquietudes iniciales, nos reunimos por primera vez con los constructores de México, a escasos cincuenta días del nacimiento del INFONAVIT. Durante este lapso, han sido múltiples las ocasiones en que hemos conversado tanto en la capital como en diversos puntos de la república. El diálogo ha sido siempre cordial y fructífero, y los problemas normales de una relación intensa y compleja han sido siempre superados.

Hoy, cuando el INFONAVIT acaba de cumplir su cuarto aniversario, contamos con una oportunidad valiosa para evaluar lo realizado y apreciar dónde estamos.

En aquella ocasión —21 de junio de 1972—, en los primeros balbuceos de la nueva institución planteamos algunas cuestiones que conviene revisar y evaluar con seguridad y responsabilidad social:

1. En aquella fecha dijimos que, con la creación del INFONAVIT, el FOVISSSTE, el FOVIMI y el apoyo adicional a instituciones ya existentes, el problema de la vivienda adquiría una alta y marcada prioridad política, económica y social. Creo que lo que entonces se afirmaba, corresponde a lo que ha sucedido en estos años. Muchos mexicanos en todos los rincones de la patria recordarán ahora y en el futuro a quien hizo posible su hogar, al presidente Luis Echeverría. Basta un dato: en 1976, se canalizarán, en conjunto, más de 10,000 millones de pesos a la atención del problema de la vivienda, o sea casi diez veces más del promedio anual invertido en la década pasada.
2. En aquella fecha reiteramos, como lo hemos hecho desde entonces, que el INFONAVIT no era una panacea, ni representaba una varita mágica para resolver un problema que no ha sido resuelto y que aqueja a todos los países del mundo, tanto a los ricos como, en mayor medida, a los pobres. Hoy volvemos a decir lo mismo. El INFONAVIT no ha resuelto el problema de la vivienda en ningún lugar de la república. Y yo me pregunto: ¿Tenemos resuelto el problema de la educación, de la salud, el del hambre...? Sin embargo, volvemos a repetir, ahora con mayor convicción, que el INFONAVIT sí constituye el mecanismo más poderoso para atender el problema de la vivienda de los trabajadores.
3. En aquella fecha se anunció el inicio del programa de financiamiento a la construcción de vivienda para los trabajadores el 15 de agosto de 1972, y la atención de dispersar, des-

de el principio, la acción institucional a diversos rincones del territorio nacional. Así sucedió y ese día se contó con la presencia estimulante del primer mandatario de la nación. Hoy nos encontramos trabajando en casi ciento veinte ciudades de la república y hemos entregado doscientos ocho conjuntos habitacionales, experiencia que no tenemos conocimiento que haya acontecido en ningún lugar del mundo.

4. En aquella fecha señalamos que el INFONAVIT era "un mecanismo que permitía la construcción masiva de vivienda de manera constante, creciente y sostenida". Así ha sido. En 1972 se invirtieron 475 millones de pesos; en 1973, 2,189; en 1974, 4,304 millones; en 1975, 5,513 y en 1976 se invertirán más de 6,000 millones de pesos. Esto es, la inversión en este último año será casi trece veces lo de hace apenas cuatro años.
5. En aquella fecha de junio de 1972, manifestamos la disposición para aprovechar y estimular promociones tanto del sector público y privado y del sector de los trabajadores. En la actualidad 22% de la oferta de viviendas promovidas por el instituto, corresponde a las llamadas promociones externas. Entre paréntesis, *todas* las que ha presentado el sector de los trabajadores han sido autorizadas por el Consejo de Administración.
6. Por último, en aquella fecha apuntamos la intención del instituto de utilizar los servicios de los técnicos y empresas constructoras regionales, para buscar la siembra de mayor capacitación y beneficios en cada localidad, y para asegurar que este nuevo organismo de desarrollo social invirtiera sus recursos en beneficio de las regiones que los aportaran. Hoy, tal vez no sea aventurado señalar que el INFONAVIT es el organismo que cuenta con mayor número de constructores en todo el país: 570 empresas diferentes, con un monto promedio de contrato equivalente a alrededor de 5 millones de pesos.

Desde aquellos momentos reconocimos la estrecha relación que necesariamente existiría entre la institución y los constructores. Creo que así ha sido y que la permanencia y los crecientes niveles en la actividad del INFONAVIT reforzarán, aún más, esta relación. Hay muchos de los aquí presentes que están colaborando con el instituto no por primera vez, sino en una cuarta o quinta etapa, dentro de un proceso de superación permanente en la atención, al problema de la vivienda. Este mismo hecho nos compromete, de manera especial, con los trabajadores y con el país en su conjunto. La obra que se realiza para los grupos mayoritarios no es sólo una obra más, sino que es una tarea que lleva implícita una seria responsabilidad social.

La industria mexicana de la construcción tiene un grave compromiso en esta magna labor habitacional: el compromiso de servir con la mayor eficacia a los trabajadores de México. Superar las etapas de la desconfianza a la complicidad, para que instituciones públicas y constructores se comprometan sencilla, profundamente, a servir al país.

Debemos señalar aquí que esta importante industria —totalmente mexicana y con actitud siempre nacionalista y patriótica— tiene una corresponsabilidad con el INFONAVIT. Este organismo tiene serias carencias de personal, derivadas de las limitaciones presupuestales de su ley.

La escasez de personal de supervisión del instituto no es, de ninguna manera, elemento para salvar dicha responsabilidad, sino todo lo contrario. Y cuando alguien deje de cumplir con ella, el instituto y sus propios compañeros de cámara, sabrán exigir el cumplimiento cabal de ese compromiso nacional.

Señores constructores de México:

Hace unos días, en el IV Aniversario del INFONAVIT, se dijo que su única esencia es la de ser una institución al servicio de los trabajadores de México y de que existirá la profunda convicción de que en las instituciones como en los hombres siempre hay algo por hacer y mucho por mejorar. En un balance objetivo se señalaron logros y deficiencias y se apuntó, con profunda convicción, su futuro altamente promisorio.

Gracias al espíritu visionario y patriota del presidente Echeverría, se ha creado un instrumento poderoso y trascendente de bienestar social. Después de más de medio siglo de olvido, se actualiza un derecho postergado de los trabajadores mexicanos, ahora extendido a todos los asalariados de nuestro país. Se establece un mecanismo que cubre todo el territorio nacional, una fuente permanente de recursos para atender el problema de la vivienda de los trabajadores, sin que ello signifique, hay que repetirlo una y mil veces, la solución integral al problema en el corto y mediano plazo. Por primera vez en México un trabajador de salario mínimo puede aspirar a tener un hogar propio.

Me parece que con frecuencia hemos perdido capacidad para evaluar la verdadera esencia de las cosas. Así por ejemplo, un trabajador de salario mínimo, utilizando las mejores condiciones financieras disponibles antes de la creación del INFONAVIT, podría hoy aspirar a un crédito de 37,000 pesos, notoriamente insuficiente para la compra de una casa, con un pago mensual de 380 pesos. Ahora, con el INFONAVIT, ese mismo trabajador con ese mismo pago mensual, puede comprar una casa sin enganche de 142,000 pesos; es decir, casi cuatro veces más. Y a esto hay que agregar que ahora son muchos más los trabajadores de muchos más lugares los que tienen por primera vez, esa oportunidad. En cuatro años se han hecho más casas para trabajadores de ingresos reducidos que en todos los años anteriores.

Señalo estos datos para ubicar la verdadera trascendencia del esfuerzo habitacional de la presente administración, como un marco para comentar a continuación algunas cuestiones que han ocupado la atención de la opinión pública en los últimos días, aún cuando debo mencionar, como testimonio de un enfoque prematuramente equivocado ante nuestro organismo, que casi todas ellas fueron expresadas desde octubre de 1972, a escasos seis meses del nacimiento de nuestra institución.

1. Se ha dicho que el INFONAVIT debe ser financiero y no constructor, y concentrar su acción en el otorgamiento de créditos y no en la construcción de viviendas. De acuerdo. La oferta de créditos del instituto expande, de modo claro, la demanda real de vivienda de los trabajadores, la cual debe satisfacerse con la oferta de vivienda en el mercado. Pero cuando nació este organismo no había suficiente oferta de vivienda a precios bajos, y la que existía estaba concentrada en unas cuantas ciudades de la república. Había que actuar y, con el consenso del propio Consejo de Administración, se empezó a trabajar para generar, con financiamiento directo, las viviendas necesarias para atender la demanda creada por el propio instituto.

   Hubiera sido quizá más fácil ceder esta responsabilidad a otros grupos o sectores y esperar, por ejemplo, la llegada de las promociones externas de vivienda. Pero no es tiempo de renunciar a responsabilidades, sino de asumirlas con decisión y firmeza. Ya he dicho que las pocas promociones obreras que se han presentado, todas han sido aprobadas por nuestro Consejo de Administración.

   Sin embargo, el instituto siempre ha estado abierto a recibir con gran interés todo esfuerzo por elevar el número de viviendas disponibles para los trabajadores. Se han explorado nuevas fórmulas para la generación de oferta habitacional, tarea que deberá ser permanente para pugnar siempre por el más adecuado cumplimiento de nuestras finalidades institucionales.
2. Se ha dicho que debe modificarse el proceso de asignación de los créditos. En primer lugar debe señalarse que este proceso no es —como se dice— un sorteo.

   Se trata de un problema demasiado serio para que se solucione con una lotería de vivienda. El instituto analiza una selección a través de un proceso de calificación electrónica, de los datos aportados por el solicitante, y como consecuencia de ella se escoge a los trabajadores que tienen una mayor necesidad de vivienda, con apego a lo dispuesto por el artículo 47 de la Ley del Instituto, que señala que "los créditos se otorgarán tomando en cuenta el número de miembros de la familia de los trabajadores, el salario[...] Y las características y precios de venta de las habitaciones disponibles". Eso es lo que se está haciendo, dentro de una metodología aprobada por el Consejo de Administración y la Asamblea General del Instituto. Sin embargo, hemos introducido modificaciones a los sistemas crediticios, para aprovechar la experiencia acumulada, siempre sobre la base de que el principio de equidad e imparcialidad en la asignación de créditos, establecido claramente en nuestra ley, es irrenunciable y debe ser cuidadosamente respetado.

Vale la pena agregar aquí que si los cambios en el sistema de asignación de créditos conducirán a situaciones como la que hoy tenemos en Torreón, en donde un grupo de trabajadores afiliados a una importante central obrera invaden y ocupan viviendas aún no asignadas, en una acción ilegal que atenta contra el patrimonio de todos los trabajadores, entonces nosotros no podemos sino rechazar vigorosamente esos cambios.

Las casas del INFONAVIT, al igual que todo el patrimonio y toda la acción de este organismo, deben beneficiar a todos los trabajadores del país, y no sólo a algunos grupos específicos, por muy resueltos que aparezcan.

3. Se dice que las casas del INFONAVIT son caras. El término caro es relativo y por ello hay que compararlo con algo. Caro es lo que no se puede adquirir, y hay que señalar que 80% de las casas del INFONAVIT han sido destinadas y compradas por trabajadores que devengan menos de dos veces el salario mínimo. Gracias al sistema financiero del instituto, la familia obrera sólo destina 14 o 18% de su salario para pagarlas; mucho menos, la mayoría de las veces, de lo que habían estado pagando de renta.

   En la ciudad de México, por ejemplo, no hay una oferta abundante de casas de interés social y las más baratas, en área similar a las del INFONAVIT, tienen, según un muestreo realizado, un precio de 350,000 pesos. Por otra parte, si comparamos las casas del instituto con las realizadas por promociones externas, incluyendo las promociones obreras, éstas resultan 13% más caras, en promedio, que aquéllas.
4. Se ha dicho que los obreros deben realizar la construcción de las casas. Sobre este punto debemos decir que estamos abiertos a cualquier programa de autoconstrucción y esfuerzo personal del trabajador beneficiado para levantar él, junto con otros, sus viviendas. A este respecto la administración del instituto es sólo mandataria de la decisión de sus órganos tripartitas. Pero si de lo que se trata es de entregar toda la contratación del instituto a compañías constructoras comunes y corrientes, simplemente embozadas en una fachada obrera, entonces el asunto compete tratarse en un foro empresarial; tal vez, en el seno de esta propia cámara.
5. He querido dejar para el final el comentario sobre la calidad de la construcción y las fallas técnicas, por la evidente relación que esta cuestión tiene precisamente con quienes han realizado la obra del INFONAVIT, o sea, los constructores del país.

El problema tiene dos aspectos: uno general, y otro, el específico del conjunto habitacional El Rosario. Pasemos al primero.

Todo quehacer humano tiene fallas y requiere, permanentemente, de ajustes, correcciones y mejoras. La producción de automóviles, que utiliza una alta tecnología, mano de obra especializada y rigurosos controles de calidad, tanto en la línea de producción como en la venta, requiere necesariamente de ajustes a inevitables fallas técnicas. ¿Hay alguien por aquí que no haya tenido problemas con su automóvil? En el proceso constructivo esto es todavía más claro, y en la construcción de casas, en especial las de interés social, el asunto es parte misma del proceso. ¿hay alguien aquí que no haya tenido problemas constructivos en su casa? Por ello, el instituto cuenta, dentro de sus modestas disponibilidades de personal, con un sistema implantado en todo el país para el control y remedio de las fallas constructivas. Es cierto que el ajuste es a veces lento, pues no contamos con personal suficiente, y que es necesario agilizarlo, hacerlo más eficaz. Por otra parte, dichas fallas técnicas pueden originarse en la calidad de los materiales, la supervisión institucional, la ejecución de la obra constructiva o el mal uso del inmueble.

Este sistema nos permite detectar, por ejemplo, que 30% de las fallas se ubican en muros interiores (humedad, acabados, etcétera), 17.5% en instalaciones hidráulicas y 11% en accesorios y muebles. Dichos ajustes constructivos deben realizarse y se están realizando; pero no se gana nada con exagerarlos en tono escandaloso. Lo que importa es sumar esfuerzos y voluntades para remediarlos. Lo que sí podemos afirmar es que es falso, que alguna casa entregada por el instituto se haya derrumbado. Aquí, como en todo, hay que ser responsables cuando, sin juicio seguro, se señala con dedo acusador.

Ahora bien, pasemos al Conjunto Habitacional El Rosario. Allí, en Azcapotzalco, está surgiendo una nueva unidad. Era el único terreno grande cercano a los importantes centros de trabajo del norte de la ciudad. Se trata de un nuevo modelo de asentamiento humano, cuya magnitud es equiparable a varias ciudades mexicanas cuyo desarrollo ha tomado más de cuatro siglos. En su diseño se utilizaron profesionistas distinguidos, y en su construcción están interviniendo más de 59 empresas constructoras de reconocida solvencia y todas ellas afiliadas a esta Cámara Nacional de la Industria de la Construcción.

Actualmente existen 4,349 viviendas asignadas, de las cuales 58% corresponde a trabajadores que ganan hasta 1.25 veces el salario mínimo. En su culminación habrá diecisite mil viviendas, con una población de casi ciento veinte mil habitantes, doce escuelas primarias, secundarias, preparatorias, universidad, y tres centros sociales, más de doscientos locales comerciales, lugares de recreación, cementerio, etcétera.

Por supuesto que en El Rosario existen fallas técnicas que se están atendiendo en la medida de nuestras posibilidades. El problema es, sin embargo, muy especial por su magnitud. Por esto, hemos propuesto a la Cámara de la Construcción, y la propuesta ha sido aceptada, y propondremos a la representación de los trabajadores en el Consejo de Administración, el establecimiento de una comisión integrada por constructores, trabajadores y técnicos del instituto, para supervisar y agilizar el sistema de control de fallas técnicas. Entre paréntesis debo decir que los muros divisorios se utilizaron en algunos edificios de una primera etapa que han sido sustituidos en las posteriores y que se trata de un material generalmente utilizado en muchas construcciones modernas en todo el mundo.

El INFONAVIT nace bajo el signo de la solidaridad social, como un producto netamente mexicano y una estructura tripartita. Éste como siempre lo hemos dicho, es una institución de los trabajadores y para los trabajadores... Y ahora agregamos, para todos los trabajadores. Ojalá y ese signo solidario bajo el cual nació se mantenga y fortalezca y no que suceda que la solidaridad de todos los trabajadores se transforme en solidaridad para un grupo de trabajadores.

México está en el camino de una profunda revolución moral y de actitudes.

El presidente Echeverría, de cuyo gobierno somos solidarios y orgullosos funcionarios, ha dado a la cuestión de la vivienda una dimensión y una altura excepcionales. La obra por realizar es enorme y reclama una responsabilidad compartida y digna de mexicanos que de verdad se esfuerzan por engrandecer al país. No demos a la nación el espectáculo de regodearnos con las pequeñas fallas de un programa que será histórico; que no nos divida el debate fútil sobre unos muros divisorios; y que en cambio nos una a todos la sincera actitud de servir a México.

ANEXO 5

CONFERENCIA DE PRENSA DEL SECRETARIO DE HACIENDA NUEVAS MEDIDAS CONTRA LA CRISIS FINANCIERA[1]

Martes 17 de agosto de 1982

El gobierno de la República se ha visto en la necesidad de adoptar diversas medidas en defensa del patrimonio y la economía nacionales, las que por las circunstancias y la celeridad en que debieron dictarse, no permitieron hacer explícita su racionalidad y todos sus alcances en forma plena.

Hoy nos proponemos, en un acto que confirma la voluntad de la administración del presidente José López Portillo de democratizar el acceso a la información, enterar al pueblo de México de las circunstancias, motivos y alcances de las medidas de orden financiero que el gobierno ha adoptado. Y lo hacemos con entera veracidad y realismo, con la convicción de que sólo por ese camino, el de la verdad, se sirve al pueblo.

Dividiremos nuestra exposición en tres partes: la primera, que podríamos llamar de antecedentes, del origen de la situación en que nos encontramos; la segunda, una descripción breve, somera, de las medidas que el gobierno ha venido adoptando, y una tercera en la que intentaremos prever, con realismo y objetividad, las perspectivas de nuestra economía en los próximos meses.

Es preciso aclarar que no consideramos que todas las medidas adoptadas sean las más deseables, las mejores; muchas de ellas se han dictado ante el imperio de las circunstancias que amenazaban seriamente la integridad patrimonial del país y, por tanto, se consideraron como el menor de los males.

Debemos ser conscientes que ninguna medida puede juzgarse en abstracto, sino en el contexto de las circunstancias de tiempo y de lugar en que se adopta.

Consideramos que en la coyuntura actual de nuestra economía, las medidas que se reseñarán son las más indicadas para defender al país de los efectos de la crisis, aunque impliquen sacrificios para todos los mexicanos.

Antecedentes

¿Cuál es el entorno internacional en el que nuestra economía se ha movido durante los últimos años? No por conocido de muchos resulta ocioso subrayar algunos de sus aspectos fundamentales.

El mundo industrial viene padeciendo desde hace ya varios años una recesión profunda; algunos analistas, algunos observadores, la consideran la crisis más seria de las últimas décadas, que en algunos aspectos se asemeja a la gran depresión de 1929-1932.

En la mayoría de esos países, que por supuesto tienen una influencia directa en las posibilidades de crecimiento de las naciones en desarrollo, el crecimiento de la economía ha sido muy modesto en los últimos años. Para 1982, en varios de ellos se prevé un crecimiento nulo, o hasta un decremento en sus economías.

Existe un alto grado de desocupación que, por ejemplo, para mencionar un caso, en Estados Unidos excede de los diez y medio millones de personas.

[1] Tomado de *Mercado de Valores*, año XLII, núm. 34, agosto 23 de 1982.

Ha habido éxito en algunos casos en el control de inflación, pero a costa de cantidades muy elevadas de personas que no tienen trabajo. Todos conocemos, y de alguna manera hemos padecido, aspectos del desorden en los mercados financieros internacionales; y lo raquítico del volumen de las mercancías que se están intercambiando entre los países no tiene precedente en la historia moderna del comercio mundial.

Ante este panorama internacional que, por supuesto, afectó y está afectando a la mayoría de los países en el mundo, México logró en los últimos cuatro años un crecimiento sin paralelo. Logramos incrementar lo que produce el país, el volumen total de bienes y servicios que producimos todos los mexicanos, en más de 8%. Cifra que no tiene precedente en nuestra historia y que difícilmente lo tiene en el escenario internacional.

Se pudieron generar en este periodo alrededor de cuatro millones de nuevos empleos: una de las necesidades básicas de nuestra economía y uno de los mecanismos que más contribuyen a mejorar la distribución del ingreso en nuestro país.

La inversión pública y privada, lo que destina el sector público, lo que destinan todas las compañías privadas a aumentar su capacidad de producción, pudo crecer en estos periodos a tasas de más de 15%. En épocas pasadas, esta magnitud, la inversión, crecía al 6 o 7%, pero pudo duplicarse en este periodo más reciente.

Prácticamente todos los sectores de la economía participaron de este crecimiento. Incluso la agricultura, que traía un letargo de más de quince años, pudo, en los últimos años, recuperar un crecimiento acelerado y lograr aumentos en la producción cercanos a 7% al año. Por eso hemos dicho en forma reiterada que México se acerca a la autosuficiencia alimentaria.

Los sectores sociales, la educación, la salud, pudieron ser atendidos con recursos que tampoco tienen precedente en nuestra historia económica moderna.

En junio de 1981, aparecen los primeros nubarrones en el horizonte. Baja el precio del petróleo como consecuencia, no de un hecho al azar, sino de una estrategia perfectamente definida, que transforma el mercado petrolero de raíz y lo convierte, de un mercado en el que dominaban los vendedores, los países productores de petróleo, en un mercado en el que la influencia del que compra se deja sentir con mayor claridad.

Bajó el precio del petróleo y bajaron las exportaciones del petróleo. Bajaron también los precios de diversas materias primas muy importantes para México. Bajó el precio del café, del cobre, de la plata y, por otro lado, subieron o se mantuvieron a niveles muy elevados, las tasas de interés en los mercados financieros del mundo. De un nivel de 6 o 7% en los años de 1976 y 1977, llegaron a una altura de alrededor de 15% en la actualidad. Este solo hecho le ha significado al país, para el año de 1982, una erogación adicional cercana a los 6,000 millones de dólares. Es decir, si estuviéramos pagando por nuestra deuda las tasas de interés de 1976 o 1977, estaríamos erogando alrededor de 6,000 millones de dólares menos de lo que tendremos que pagar en 1982. Se dice que la tasa real, o sea la que quita el efecto de los precios, es la más alta que se ha registrado en los mercados financieros desde que se tiene memoria. Y esto tiene efectos importantes para los países en desarrollo. No solamente encarece el pago de las deudas, sino que actúa como un imán que jala recursos de los distintos países del mundo, buscando precisamente eso: la tasa de interés real más elevada.

Hemos estimado que por el efecto de la baja en el precio del petróleo, en las exportaciones del petróleo, en el precios de algodón, cobre, plata, etcétera, y por la elevación en las tasas de interés, el país tuvo, en el segundo semestre de 1981, un efecto negativo de alrededor de 10,000 millones de dólares.

En ese momento se planteaba una decisión fundamental: o ajustamos la economía para absorber ese efecto de disminución de alrededor de 10,000 millones de dólares, o buscamos mantener el dinamismo, el crecimiento de nuestra economía, la generación de nuevos empleos, apoyándonos en endeudamiento externo adicional. Se optó por esta segunda alternativa. El país mantuvo su crecimiento, y en el año de 1981 nuestra economía registró un crecimiento superior a 8%. Pero buena parte de esa compensación la hicimos con deuda de corto plazo, la cual empezó a requerir su pago en los primeros meses de 1982.

En enero y en los primeros días de febrero, además de ese pago adicional por los endeudamientos de corto plazo que hicimos el año pasado, empezamos a apreciar una cierta salida de capitales derivada esencialmente de la apreciación por parte de la comunidad de que nuestros precios, los precios de México, iban a estar por encima del aumento en los precios de los principales países con los que comerciamos.

Para decirlo en términos sencillos: si a principios de 1982 en nuestro país había una estimación de que nuestros precios subirían entre 40 y 50%, también se sabía que los precios en Estados Unidos, nuestro principal cliente y proveedor, aumentarían entre 7 y 10%. Me estoy refiriendo a lo que se pensaba a inicios del año.

Con esa apreciación, la colectividad, o una parte de la colectividad, los que disponen de recursos líquidos, sintieron que iba a ser necesario un ajuste en el tipo de cambio. Y así empezamos a sentir salidas de capital que provocaron la devaluación del peso mexicano a mediados del mes de febrero pasado.

Medidas coyunturales

Se instrumentan en seguida medidas de apoyo contra la devaluación, apoyo a las empresas con algunas dificultades, estímulos adicionales a la exportación y, finalmente, se configura un programa de ajuste económico que se da a conocer el 20 de abril pasado. Ese programa buscaba esencialmente dos objetivos: por un lado, reducir nuestro desequilibrio, nuestro desnivel, nuestra diferencia con el sector externo entre lo que compramos y lo que vendemos.

El año pasado ese desequilibrio había venido creciendo y había alcanzado niveles extraordinariamente elevados. En 1981, la diferencia entre lo que compra México del exterior y lo que le vendemos, incluyendo turismo, transacciones fronterizas, ascendía a una cifra de 13,000 millones de dólares. Era necesario —y de ahí el programa de ajuste— reducir ese desnivel, esa diferencia, para hacerla más compatible con los recursos de que disponía el país.

Así nos propusimos bajar el déficit de 13,000 millones de dólares a una cifra que en aquel momento —abril pasado— estimábamos en 8,000 millones, bajarlo en 5,000 millones de dólares. ¿cómo? Básicamente mediante una reducción en las importaciones. Así establecimos que durante el año, las importaciones de mercancías debían bajar en 6,000 millones de dólares.

El otro gran objetivo del programa de ajuste era reducir el déficit del gobierno, el déficit del sector público. Por lo que vimos antes, el impulso a los sectores económicos implicó una participación creciente del estado y un desnivel creciente en sus cuentas fiscales. Así, el déficit del gobierno alcanzó en 1981 niveles que era necesario reducir en este año de 1982.

Lo íbamos a hacer, y así se señaló, mediante un aumento en los ingresos, básicamente en los precios de los bienes y servicios que ofrece el sector público. De ahí las medidas recientes del aumento al precio de la gasolina, de la electricidad, del combustóleo y de algunos petroquímicos. Pero había que actuar también, y así estaba previsto, en el gasto, mediante una reducción significativa.

Por supuesto que se contemplaba otras medidas, como la flexibilidad en la política de tasas de interés, para mantener atractivo el ahorro de los mexicanos en México y el mantenimiento anunciado y reiterado del desliz del tipo de cambio para evitar una nueva caída brusca del peso mexicano.

El programa iba bien. El desequilibrio con el exterior, que se había previsto bajar de 13,000 a 8,000 millones de dólares, al mes de junio se había reducido en 4,200, y las importaciones, que queríamos bajar en 6,000 millones, las habíamos bajado en la mitad en el primer semestre; íbamos en programa.

Por primera vez en seis años apareció en ese primer semestre un saldo positivo en nuestra balanza comercial. La balanza comercial no es otra cosa que la diferencia entre lo que México vende en mercancías y lo que compramos en mercancías. Es una parte del otro desnivel de que hablábamos.

Por primera vez en seis años tuvimos de junio a julio un saldo positivo de más de 700 millones de dólares que contrastó en forma muy importante con el desnivel, con el desequilibrio, con el saldo negativo del año pasado, de más de 1,200 millones de dólares. Íbamos bien en el sector externo.

En el sector de las finanzas públicas se estaban llevando a cabo ajustes en el gasto y realizando los programas de elevación de los ingresos del gobierno mediante la revisión de precios y la disminución de subsidios.

La tasa de interés la habíamos venido elevando y el tipo de cambio había mantenido su desliz de modo permanente y de acuerdo con lo anunciado.

Y si todo iba bien en el primer semestre, con algunos resultados concretos, positivos ¿qué fue lo que pasó, qué condujo a la necesidad de adoptar otras medidas en las semanas más recientes?

Situación actual

Para la mitad del año, había expectativas claras de que nuestros precios internos iban a subir más de lo esperado. Esto generó —como lo había hecho en las primeras semanas del mes de enero de 1982— nuevas expectativas de que si esto se confirmaba, de que si nuestros precios estaban muy por encima del comportamiento de los precios en las economías vecinas, esto necesariamente iba a conducir a un nuevo ajuste cambiario.

Así, se observó, a mitad del año, una nueva corriente de cambio de pesos por dólares buscando no sólo tener en el dólar un instrumento de almacén de valor y de conservación de patrimonio, sino también un instrumento con el cual podía aspirarse a obtener ganancias importantes, si sucedía un cambio en la paridad.

Por el otro lado, nuestro país empieza a sentir con mayor rigor, con mayor frecuencia, dificultades crecientes para obtener recursos de crédito en el exterior.

Seguramente, la opinión pública recuerda cómo en los últimos días de junio, México firmó un crédito importante, de los más importantes que hemos tenido en nuestra historia, de 2 500 millones de dólares, pero en el que se acentuaron las dificultades para su terminación y conclusión definitiva. Y esto hay que explicarlo, hay que entenderlo no como un cambio de la banca internacional hacia nuestro país, sino como un cambio muy importante, casi dramático, que ha tenido la propia banca internacional en todo el mundo.

En el año de 1981, los grandes bancos obtenían enormes cantidades de recursos de los países productores de petróleo; los países árabes, en sus ventas de petróleo, depositaban sus excedentes en la banca de Alemania, de Inglaterra, de Japón, de Suiza, de Canadá o de los estado unidos: los llamados petrodólares. Y estos recursos son los que usaba la banca internacional para prestarlos a los países en desarrollo; para prestarle a México, para prestarle a Brasil, a algunos países europeos o asiáticos.

Hay un dato que ilustra mucho lo que estamos hablando. El año pasado la suma de excedente de los países petroleros fue de alrededor de 80,000 millones de dólares; pero como el mercado petrolero cambió y transformó a la gran mayoría de los países productores de petróleo en países deficitarios, para 1982 se estima que esa suma se reducirá a 4,000 millones; es decir, los bancos internacionales tienen ahora menos recursos para atender las necesidades de financiamiento externo de los países en desarrollo. Además, en los últimos años ha habido problemas con varios países deudores; algunos socialistas, otros del hemisferio occidental. Esto ha provocado una actitud más cuidadosa y prudente por parte de la banca internacional.

Si a esto unimos el elevado nivel de nuestra deuda externa, podemos entender que nos fue siendo cada vez más difícil obtener los recursos de crédito externo para apoyar nuestras necesidades de divisas; para poder hacer los pagos por importaciones, para poder hacer los pagos por servicio de nuestra deuda.

Así las cosas, y actuando en dos sentidos: por un lado una conversión adicional de pesos a dólares, y por la otra, una menor corriente de ingresos de dólares, teníamos que optar entre diversas alternativas. Primero era aguantar y esperar a que se utilizara el último dólar disponible en nuestras reservas y después —como sucede en estos casos— declarar que el país no tenía posibilidades de cumplir con su deuda exterior.

Las consecuencias hubieran sido muy desfavorables. Al día siguiente seguramente se habría interrumpido de raíz cualquier entrada adicional de dólares a México. No hubiera sido posible obtener ningún crédito adicional y las importaciones que se pagan con crédito en su gran mayoría probablemente hubieran tenido que descender a cero, y el descenso de la compra de materias primas, de equipo, de materiales que vienen de fuera, en una planta industrial todavía en desarrollo, hubiera significado, casi con seguridad y en el corto plazo, un estancamiento dramático de la actividad económica, de la actividad industrial de nuestro país.

Esto hubiera conducido, por otro lado, una vez que se hubieran producido estas consecuencias, a una nueva devaluación del peso mexicano, pero probablemente con una magnitud, en una extensión, en una profundidad mucho mayor.

La otra alternativa era hacer lo que hicimos en febrero: simplemente abandonar el mercado cambiario y dejar que las fuerzas de la oferta y la demanda fijaran el tipo de cambio. Sentimos que era necesario buscar algunas otras alternativas y establecimos un sistema de cambio dual para asegurar esencialmente que los ingresos de divisas del sector público, que son 70% de todo el ingreso de divisas del país, pudieran dedicarse de modo claro, de modo transparente, a la atención de las necesidades fundamentales del país; a cubrir los compromisos financieros con el exterior; a realizar importaciones básicas que garantizan el abasto de productos indispensables para el consumo popular.

Así fue como establecimos dos tipos de cambio: el tipo de cambio preferencial, que como fuente de ingresos iba a tener nuestra exportación de petróleo y los créditos que del exterior pudiera obtener el sector público mexicano. Estos ingresos se usarían, primero, para cubrir nuestro servicio, atender nuestras deudas, el pago de intereses de la deuda pública y privada, y simultáneamente para efectuar la importación de aquellos artículos verdaderamente esenciales que requiera nuestro país.

Esas divisas, esos ingresos por concepto de exportación de petróleo, ya no se usarían para nutrir al mercado y para que éste pudiera utilizarlos para usos legítimos sin duda, pero suntuarios y no indispensables. El otro tipo de cambio, el general, quedaría sujeto a la oferta y la demanda del mercado.

Cuando hicimos el anuncio el pasado 5 de agosto, comentamos que en los primeros días iba a haber diversas cotizaciones del peso y el dólar y que inclusive la paridad iba a fluctuar en el curso de cada día; y así sucedió durante esos primeros días después del anuncio de esta nueva medida de política cambiaria.

Repito aquí lo que señalé al principio: no creemos de ninguna manera que hubiera sido la mejor de las medidas. Sentimos que era la menos mala que teníamos a nuestro alcance.

Después del ajuste del 5 de agosto y la obtención de una cierta normalidad en el mercado cambiario, poca afluencia a los bancos y cotización del peso a la baja, nos enfrentamos a dificultades crecientes para renovar créditos del sector público y del sector privado, créditos que normalmente cada tres meses o cada treinta días se van renovando; nos enfrentamos a las circunstancias de que ahora había que pagar.

Teníamos un nivel de reservas limitado desde principios de año, desde la primera devaluación, y tuvimos la semana pasada el mismo problema al que nos habíamos enfrentado en febrero y en los primeros días de agosto.

Se tomó la decisión de cerrar el mercado cambiario y una de las grandes preguntas, una de las medidas que no se explica, es por qué se cerró el mercado cambiario. Éste se cerró porque de otra suerte hubiéramos podido incurrir en el problema verdaderamente dramático y serio de hacer transferencias de fondos al exterior, que no hubieran estado respaldadas por recursos en moneda extranjera; es decir, estábamos en condiciones muy apretadas en cuanto a la disponibilidad de divisas y de moneda extranjera.

Si no hubiéramos cerrado el mercado cambiario el viernes, el lunes hubiéramos podido enfrentar la situación de aquel que gira un cheque sin fondos, y eso no lo puede hacer un país como el nuestro.

Dijimos hace algunas semanas que nos enfrentamos a una situación nueva; que ha sido necesario establecer y adoptar medidas que son novedosas en nuestro país, pero que no lo son tanto en otros países.

Problemas inmediatos

¿Cuál es la situación actual? Tenemos en primer lugar un problema de disponibilidad de divisas, un problema de disponibilidad de dólares para hacer frente a necesidades en el exterior del país. Segundo, tenemos el mercado de cambios cerrado y hemos limitado la transferibilidad de los depósitos en dólares en la banca mexicana hacia el exterior. Y nos enfrentamos —tercer punto— a un problema de rumores serio que se extiende en la sociedad.

Frente a estos problemas inmediatos, quisiera informar a ustedes qué estamos haciendo: en primer lugar, con relación al problema de la disponibilidad de recursos en moneda extranjera. Esta disponibilidad la requiere México para cubrir las deudas del sector público y del sector privado, para pagar intereses, para pagar capital; pero la requiere también para poder hacer importaciones que el país necesita.

Hemos tomado y estamos tomando diversas acciones para tratar de resolver este problema, el de la disponibilidad de recursos en moneda extranjera. En primer lugar, hemos ampliado las ventas de petróleo a Estados Unidos, aprovechando nuestra mayor capacidad de exportación.

En algún otro momento hemos comentado cómo hemos podido alcanzar un nivel de exportación en los meses de junio y julio pasados, de alrededor de un millón setecientos mil barriles diarios de petróleo, cifra que no tiene precedente en nuestra historia y que ofrece perspectivas alentadoras a la industria petrolera.

Aprovechando esta mayor capacidad de exportación y el convenio de suministro ya existente desde hace varios años, ampliamos el suministro de petróleo y obtuvimos un pago por anticipado del Fondo de Estabilización Monetaria de la Secretaría de Hacienda de Estados Unidos, por 1,000 millones de dólares que ayer quedaron acreditados en la cuenta del Banco de México, en el Federal Reserve Bank de Nueva York.

En proceso avanzado se encuentran negociaciones con las autoridades monetarias y financieras de los principales países acreedores del mundo, para extender una línea de crédito a nuestro país por alrededor de 1,500 millones de dólares. Se trata de un apoyo monetario principalmente de los bancos centrales de Alemania, Italia, Francia, Inglaterra, Canadá, Suiza, Japón y otros países industriales.

Hay un informe reciente, de hace unas horas, de que estas negociaciones van por muy buen camino y que seguramente podrán concluirse en el curso de esta semana, con lo cual nuestro país obtendrá este apoyo de los países acreedores más importantes del mundo, que en el pasado estaba limitado casi sin excepción a líneas de apoyo entre los propios países industriales.

Un tercer elemento para hacer frente a este problema inmediato de disponibilidad de dólares es una negociación que tendrá lugar en los próximos días con los principales bancos del mundo, para voluntariamente reestructurar la deuda pública y privada de nuestro país; buscar, como lo hacemos por política, el que los vencimientos de corto plazo se transfieran a un plazo mayor.

Quiero informar que la reacción que hemos tenido, de manera preliminar, es de comprensión a estos problemas de coyuntura por los que pasa nuestro país, y que seguramente nuestra economía tendrá el apoyo financiero de este alargamiento de los plazos.

Un cuarto elemento es que desde hace ya diez días aproximadamente, hemos iniciado conversaciones con el Fondo Monetario Internacional para utilizar, si ello es posible, los recursos que nuestra calidad de miembros de ese organismo internacional nos permite.

El Fondo Monetario Internacional es un organismo formado por 146 países; apoya esencialmente los problemas de balanza de pagos y de carácter transitorio que tienen sus países miembros. En este momento, por ejemplo, entre los países que tienen el apoyo del Fondo Monetario Internacional están Yugoslavia, Italia, China Popular, Nicaragua, Corea y Rumania, entre otros. Somos países miembros desde su fundación en el año de 1945, y hemos acudido al fondo en otras ocasiones. Lo hemos hecho siempre presentando un programa de las autoridades mexicanas, acordado con el personal técnico del fondo.

Será así en esta ocasión, y las conversaciones que apenas se iniciaron pueden tener una conclusión adecuada.

Quinto punto para este problema inmediato de la disponibilidad de recursos: se obtuvo este fin de semana pasado, en un viaje relámpago que ha sido comentado en varios medios, un crédito adicional, de un organismo de apoyo a las ventas estadunidenses, que facilita la importación de granos y alimentos fundamentales en un monto de 1,000 millones de dólares.

El segundo problema inmediato es el del mercado de cambios. El día de mañana aparecerán publicados en el Diario Oficial dos decretos del presidente de la República. El primero de ellos norma e instrumenta el tipo de cambio dual que establecimos el 5 de agosto anterior; normaliza, dispone los distintos ordenamientos para el manejo de este tipo de cambio dual, incluyendo el registro de las deudas privadas para poder disfrutar del tipo de cambio preferencial. Establece la mecánica para determinar qué artículos son los que van a poder disfrutar de este tipo de cambio y entre paréntesis, pero subrayado, me gustaría señalar desde ahora, en este momento, que para el tiempo inmediato, para los próximos meses, dada la escasez de moneda extranjera de que disponemos, serán verdaderamente excepcionales los artículos y las importaciones que podrán disfrutar de esta preferencia. El grueso de las divisas será destinado fundamentalmente, casi exclusivamente, a atender los compromisos de México con el resto del mundo.

El otro decreto establece el régimen cambiario para los depósitos en dólares en la banca mexicana, los llamados mex-dólares, mismos que, subrayo, pueden ser dejados intactos en sus cuentas en sus bancos respectivos. No hay ningún ordenamiento, de ningún tipo, que obligue a la conversión de estos depósitos en dólares a otra moneda. Seguirán gozando de sus intereses y será plena y totalmente transferibles a pesos mexicanos, o plena y totalmente transferibles entre depósitos en dólares de dos personas que tengan precisamente esa clase de depósitos.

No es posible atender a la transferibilidad hacia el exterior, y no es posible porque tenemos una situación —como lo he tratado de subrayar— de escasez de divisas, una escasez de moneda extranjera.

En ese decreto se establece, con interpretación de la ley monetaria, un tipo de cambio distinto, al cual podrán ser convertidos estos depósitos en dólares de la banca mexicana. No será el tipo de cambio preferencial, no será tampoco el tipo de cambio general.

Estamos buscando la solución que mejor responda a un criterio de equidad y de manejo equilibrado de este problema especial. Habrá un tipo de cambio para estas conversiones que será dado a conocer por el Banco de México en forma diaria a partir de muy breves días, que inicialmente será de 69.50 por dólar. Será un tipo de cambio no sujeto a variaciones erráticas como el del mercado libre y tendrá desliz, como lo tendrá también el tipo de cambio preferencial.

Estos decretos aparecerán publicados en el *Diario Oficial* el día de mañana y hemos decidido abrir el mercado de cambios el próximo jueves. Habrá oportunidad para que la población, los conocedores vean, estudien y absorban las disposiciones de este decreto y acudan a la apertura del mercado el próximo jueves, con la mayor serenidad y la mayor racionalidad.

Será anunciado mañana, igualmente, un paquete adicional de protección de empresas que en este momento tienen dificultades derivadas de los cambios de paridad. Se han asignado 30,000 millones de pesos para que puedan ser canalizados a créditos preferenciales que apoyen las necesidades de esas empresas, sobre todo las pequeñas y medianas con problemas de liquidez, y habrá, igualmente, diversas medidas de carácter tributario para atender a esa necesidad de liquidez de las empresas mexicanas.

No se va a cobrar las retenciones del Impuesto sobre la Renta, en los próximos meses, lo que equivale, en esencia, a dar un crédito a cargo o en contra de los impuestos que pagarían las empresas. Estas podrán disponer de los recursos destinados al impuesto para atender sus necesidades inmediatas.

Con este diferimiento las empresas podrán pagar los impuestos retenidos con un plazo de gracia y en el término de doce meses. Hemos estimado que esta medida de aliento a la liquidez de las empresas puede significar otros 30,000 millones de pesos.

Así también, en este paquete, en este conjunto de medidas, se establecerán normas para permitir la deducción instantánea, inmediata, de 50% del valor de las inversiones que puedan realizarse de aquí al finalizar el mes de julio de 1983. Es decir, se va a autorizar una deducción de 50% del valor de las inversiones que se realicen en los próximos doce meses.

Igualmente se dictará una corrección a la tarifa del impuesto sobre la renta, aplicable a los ingresos que obtengan las personas físicas en los próximos cuatro meses, de 35%. Buscaremos, igualmente, aprovechar estas coyunturas para lograr un verdadero estímulo a las exportaciones de mercancías y una adecuación razonable de los aranceles que gravan las importaciones en este momento.

El tercer problema inmediato (dijimos que el primero era la disponibilidad de recursos en moneda extranjera; el segundo, el mercado cambiario y el tercero los rumores) es que hay todo tipo de rumores. Hay rumores de que se van a congelar las cuentas en pesos —absolutamente inexacto—; hay inclusive quien señala que se tienen intenciones de intervenir las cajas de seguridad en los bancos. Eso sería un acto ilegal y el gobierno no hace actos ilegales.

Se dice también que la política ha venido reaccionando a las circunstancias y que no ha sido coherente, sino que más bien ha sido errática. Que en ocasiones lo que dijimos un mes, al mes siguiente era diferente. Lo acepto, las circunstancias son cambiantes y no es posible aplicar la misma receta a fenómenos, a circunstancias, a problemas que cambian a una velocidad y con un dinamismo verdaderamente extraordinario. El médico que ve al enfermo a las ocho de la mañana puede recomendar una cierta receta. Si lo ve a las cuatro de la tarde y el cuadro que observa es distinto, la receta será también distinta, y eso no es errático, ni reacción ante las circunstancias, sino que dentro de una política, dentro de una estrategia, hay que tener la flexibilidad para reaccionar con agilidad a esas circunstancias cambiantes.

Concluidos los ajustes fundamentales a las medidas cambiarias adoptadas en días pasados y contando con una serie de estímulos para favorecer la producción, sobre todo mantener el empleo y evitar una caída adicional en la ocupación, en la lucha contra una inflación creciente, el próximo jueves, como me permití comentarlo hace unos minutos, se abrirá el mercado cambiario conforme a las disposiciones que aparecerán publicadas mañana.

Perspectivas

Es importante que todos mantengamos la calma ante esta nueva situación del mercado cambiario, actuemos sin precipitaciones y recurramos a las operaciones en divisas en la forma más reducida posible, para evitar que una demanda alta eleve artificialmente el precio de este recurso escaso, o sea el tipo de cambio. Afectaría esto nuestras relaciones comerciales con el exterior y los niveles de precios internos.

El panorama de corto plazo nos presenta graves retos que tendremos que afrontar; los esfuerzos de nuestro programa de ajuste no han sido suficientes. En varios rubros la realidad nos ha rebasado; el déficit del sector público no se ha ajustado en la medida prevista, la inflación excede los niveles originalmente estimados. Y la restricción del sector externo, del crédito externo, ha llegado a ser de una magnitud tal, que nos obliga no sólo al cumplimiento de las medidas originalmente anunciadas, sino a fortalecerlas. Actitudes definidas que el sector público habrá de ejemplificar, deberán convertirse en la norma de conducta de los mexicanos en los tiempos venideros.

Si bien es cierto que México es un país fuerte en sus estructuras, también es grande la magnitud de los problemas por los que atravesamos, lo cual requiere esfuerzos de todos nosotros en proporción a lo que todos hemos recibido de este país.

El problema esencial al que nos enfrentaremos en los próximos meses será el de ajustar nuestra economía a una disponibilidad de dólares menor, y eso va a requerir reducir nuestras compras al exterior, nuestras compras de todo, incluyendo algunos insumos que tendrán necesariamente que repercutir en menores ritmos de actividad económica en varios sectores de nuestra economía.

Tendremos el cierre de algunas empresas y habrá aumentos en los volúmenes de desocupación; será necesario adoptar actitudes verdaderamente solidarias para cumplir con uno de estos objetivos fundamentales: hacer que la disminución de la ocupación sea la menor posible. Será necesario adoptar actitudes y criterios diferentes en los meses por venir.

El programa de ajuste anunciado en abril, habrá que reforzarlo, no solamente en el desnivel con el exterior para adecuarlo a esa menor disponibilidad de divisas, sino también en un clima de austeridad mucho más clara, generalizada y profunda, en el sector público y en el sector privado.

México, en todas sus manifestaciones, ocupa un lugar preponderante en el mundo. Somos el décimo cuarto país en cuanto a superficie; décimo primero en población; décimo tercero por el tamaño de nuestra economía; el cuarto en la reserva de petróleo y quinto en la producción de petróleo. Somos el principal productor de plata; el país número dos en el número de pasajeros transportados en avión y vehículos de motor, y el quinceavo en el número de aparatos telefónicos instalados.

Somos un país que tiene recursos naturales amplios y diversificados: en primer lugar petróleo; pero no sólo petróleo, en nuestro territorio prácticamente se puede producir todo. Tenemos recursos humanos que cada vez se educan y capacitan mejor; una infraestructura institucional que hemos venido desarrollando desde hace más de medio siglo, y una larga tradición de nuestro país por crecer y transformarse.

Definitivamente, el problema que enfrentamos es un problema serio, es un problema de coyuntura, es un problema de carácter financiero, es casi —exagerando los términos— un problema de caja, pero no ha pasado nada en la estructura, no ha pasado nada en la esencia de nuestra economía ni en nuestra sociedad.

Por eso me permito reafirmar y expresar mi convicción profunda de que debemos ver el futuro con renovado optimismo y plena confianza.

La evaluación de las circunstancias económicas actuales y el conjunto de medidas que anunciamos, no pretenden ni pueden concitar la adhesión complaciente ni el aplauso. No venimos a proclamar popularidad y simpatía para el programa, sino unidad y solidaridad para con México. Queremos apelar al patriotismo y al sentido del deber y compromiso con esta tierra que pródigamente entrega sus frutos. Sus riquezas y sus recursos naturales y humanos están intactos. Su estructura productiva, en funcionamiento. Ésta es una crisis eminentemente financiera. No la convirtamos en una fractura, en un estallido y menos aún en una derrota moral. Dimensionemos el problema en sus justos términos. La situación es difícil y no pretendemos disimularlo, pero el país ha superado desafíos mayores cuando era infinitamente más vulnerable de lo que es ahora.

Lo que proponemos es la única fórmula que conocemos para superar el trance actual, pero todas las recetas técnicas serán impotentes si no logramos unirnos por encima de nuestros intereses individuales o sectoriales y probamos una vez más que México es una empresa y un destino que trascienden a esas contingencias de la historia.

La actual es una crisis económica que tiene su principal reflejo en una profunda crisis financiera, pone a prueba nuestra capacidad para observar los efectos negativos de la crítica situación internacional, superar los obstáculos internos que frenan el desarrollo, acelerar el cumplimiento de las metas que nos hemos propuesto, garantizar un prestigio en el exterior logrado con muchos esfuerzos durante muy largo tiempo; en suma, es un desafío a nuestra dignidad e integridad como individuos y como nación.

Hacer frente a este desafío demanda un esfuerzo de todos los mexicanos proporcional a su participación en los beneficios de la riqueza nacional. El Estado encabezará este esfuerzo en defensa de nuestro patrimonio y nuestro prestigio; pero todos tienen la posibilidad de aportar algo al mismo en el ámbito de su competencia y en la medida de su compromiso con el país.

Sumarse a esta empresa es fortalecer la soberanía nacional. Que nadie deserte o se margine de ella. México lo reclama para seguir construyendo su destino en un ámbito de justicia.

ANEXO 6

TESTIMONIOS DE DOS NUEVOS BANQUEROS

Juan Foncerrada, diciembre de 1986

En aquellos agitados días de septiembre de 1982 que siguieron al último informe de gobierno del presidente López Portillo, me encontraba trabajando como jefe de asesores del secretario de Hacienda y Crédito Público. Se observaba un clima de expectación en las oficinas de Palacio Nacional, ya que estaban gestándose las medidas que permitirían llevar a la práctica el decreto expropiatorio, entre otras el nombramiento de nuevos responsables que encabezaran las instituciones de crédito nacionalizadas.

Al que escribe estas líneas le tocó recibir su designación como responsable de un eficiente banco de provincia, el Refaccionario de Jalisco, por la vía de la red interna del licenciado Jesús Silva-Herzog, quien buscaba afanosamente los últimos nombres de funcionarios para someterlos a la consideración del presidente de la República. Mi sorpresa fue mayúscula, ya que a pesar de trabajar en el área financiera y de mi reciente experiencia en el Banco Mundial, mi mayor mérito para tan honrosa distinción es el cariño que le tengo al Jalisco que vio nacer a mis padres.

Una vez conocida la lista de los representantes de la Secretaría de Hacienda y Crédito Público, aprobada por el primer mandatario, se nos convocó de inmediato para instruirnos sobre la forma de tomar posesión de los activos de las instituciones expropiadas.

Las preguntas eran muchas de nuestra parte al licenciado Enríquez Savignac, entonces subsecretario de Hacienda y Crédito Público y encargado del despacho del titular, quien se encontraba fuera del país. El resto de esa semana sostuvimos constantes reuniones tendientes a normar nuestra actuación ante los antiguos dueños de los bancos, el personal y su clientela y en donde se debía combinar una acción sin titubeos no carente de prudencia y sensibilidad.

El sábado antes de salir a Guadalajara, establecí contacto telefónico con quien fungía como presidente del banco, quien, dentro de su frustración, se mostró complacido de mi designación por haberme tratado años atrás. Esta circunstancia facilitó nuestro primer encuentro al día siguiente, reunión en la cual determinamos la estrategia para hacerme cargo de inmediato de la institución.

Lo que hasta el momento parecía miel sobre hojuelas, posteriormente se empezaría a complicar. Un primer indicio de ello fue la visita que hice a la oficina matriz, en donde se hallaba un retén de soldados con un tanque de nuestro ejército nacional que impedía el paso a quien pretendiera entrar al edificio, incluyéndome a mí a pesar de esgrimir con marcada insistencia el nombramiento presidencial que me acreditaba. Más tarde tuve que acudir al jefe de la zona militar para solicitar su apoyo, mismo que se me brindó cerca de la media noche del domingo y unas pocas horas antes de tener que abrir al público las puertas de la institución.

Un incidente aparentemente prosaico estuvo originado por la necesidad de hacer la limpieza de las oficinas que habían permanecido cerradas por disposición oficial desde hacía cinco días. El director general anterior insistía violentamente que se permitiera la entrada al personal de intendencia, pero ello implicaba un permiso especial bajo mi responsabilidad. Los rumores abundaban sobre posibles intenciones de la clientela o de los mismos funcionarios bancarios de propiciar el retiro masivo de depósitos, valores y cajas de seguridad.

Finalmente, en la madrugada del lunes 6 de septiembre supervisamos personalmente, con algunos amigos leales que me acompañaban, el que se llevaran a cabo las labores cotidianas de un banco, como son la preparación de las valijas a sucursales, el control de remesas hacia otras instituciones y el acondicionamiento de oficinas e instalaciones. El parte fue de "sin novedad", pero el ambiente que se respiraba era de tensión e incertidumbre.

Esa misma sensación la tuve en mi primer mensaje a los funcionarios y más tarde en las reacciones del personal a conceptos nuevos como el de afiliarse a una organización sindical. Existía un trato paternalista por parte de los directivos, seguramente bien intencionado en muchos casos, pero que se tornó desconfiado ante la presencia del burócrata intruso que llegaba de la capital a quebrantar tradiciones y jerarquías.

Enrique Bacmeister Gudiño, febrero 1987

Breves comentarios en torno al nombramiento que me fue conferido por el señor licenciado Jesús Silva-Herzog Flores, exsecretario de Hacienda y Crédito Público, en septiembre de 1982, como director general de Banca de Provincias, S. A., a raíz de la expropiación bancaria en México.

Después de haber permanecido en Japón por un largo periodo (un año becado, más seis y medio al frente de la oficina de representación de Nacional Financiera en el Lejano Oriente, con sede en Tokio), regresé a la ciudad de México al principiar el mes de agosto de 1982. Durante ese tiempo había vuelto a México en diversas ocasiones, pero siempre por pocos días o semanas. Este regreso era, sin embargo, el definitivo.

Llegaba yo a un México que empezaba a vivir uno de sus periodos más difíciles y complejos en toda su historia, sin siquiera sospechar que en unas semanas más, además de testigo de esta trascendental etapa histórica, iba yo a asumir un papel de actor en la misma.

A los pocos días de mi regreso recibí una gran sorpresa. El 2 de septiembre en la noche, estando frente al televisor escuchando las noticias, como me imagino lo estaban también ese día millones de mexicanos, timbró de pronto el teléfono y me dijeron que la llamada era para mí. Me buscaba el licenciado De Pedro. Brinqué materialmente del sillón y me apresuré a tomar la bocina. En el trayecto del sillón al teléfono presentí la sorpresa. Textualmente me dijo Alejandro: "Enrique, como estás, te voy a pasar al secretario porque "te quiere hablar". Fue tan breve, que ni siquiera le pude preguntar de qué se trataba y después de unos cuantos segundos ya tenía al señor secretario por el otro lado del auricular. Inició el diálogo diciéndome lo siguiente: "Enrique, qué dice, cómo le va." "Bien señor, muchas gracias, ¿y a usted?", respondí. "pues imagínese", me dijo, y continuó: "Enrique, lo vamos a hacer banquero". Le respondí: "¿Pues qué no soy ya banquero?". A ello me contestó: "Sí, sí lo es, pero ahora lo será en serio. Lo vamos a nombrar director general de un banco."

Y la conversación continuó así:

EB: Le agradezco mucho señor secretario, es un gran honor y una distinción, pero yo acabo de regresar de Japón y apenas estoy reintegrándome al país; no le quiero fallar.
JSH: No me va a fallar; usted tiene con qué responder.
EB: Pero señor secretario, comprenda usted...
JSH: Nada Enrique, usted no se preocupe; aquí hay que jalar parejo.
EB: Pues muy bien señor, muchas gracias nuevamente y sepa usted que pondré todo lo que esté de mi parte para salir adelante.
JSH: Así me gusta Enrique. Mañana le hablarán para darle instrucciones. Buenas noches.
EB: Que descanse licenciado, buenas noches.

Esa noche dormí muy poco, al igual que las que siguieron. Pensé en los nombres de los bancos más conocidos y me angustió mucho el no saber en cuál de ellos iría yo a quedar. Al día siguiente surgió una angustia más: ¿En qué parte de la república podría estar el banco? En la ciudad de México, Guadalajara, Tijuana o tal vez en Sinaloa. Disipé mis dudas el viernes por la tarde cuando Alejandro de Pedro, en Palacio Nacional, me dijo: "Te vas a Banca de Provincias. Suerte profesor", antes de que saliera precipitadamente de su despacho hacia el aeropuerto, me dije a mí mismo: "¿Banca de Provincias? ¿Dónde estará eso?". Lo primero que se me ocurrió fue buscar en el directorio telefónico. Encontré el nombre y fue hasta ese momento cuando supe que me tenía que ir a la ciudad de Morelia, ya que ahí era en donde se encontraba la oficina matriz del banco.

La experiencia que viví el sábado por la mañana en Los Pinos, al ir a saludar con todos mis colegas directores generales de bancos al entonces presidente de la República, José López Portillo, fue algo increíble e inolvidable. A partir de ese día ya no hubo descanso: reuniones, juntas y más reuniones. Finalmente me trasladé en automóvil a Morelia el domingo 5 por la tarde, con un abogado de la Procuraduría Fiscal de la Federación que me apoyaría en todo lo concerniente al aspecto legal de la toma de posesión del banco.

La llegada por la noche a Morelia, cuna del insigne héroe de nuestra independencia, José María Morelos y Pavón, y cuna también de uno de los fundadores del PAN y de algunos de sus fervientes seguidores, fue el inicio de una serie de experiencias y profundas vivencias de toda índole que seguramente me llevarían algunas páginas más.

Concluiré comentando solamente que en todos esos días, agitados e inolvidables para mí, ni tiempo tuve de avisarle a mi esposa Nao, que aún se encontraba en su país natal, Japón, lo que había sucedido. Ella se enteró de la noticia a través de la embajada de México, en donde trabajaban en aquel entonces dos buenos y apreciados amigos que casualmente eran oriundos de Morelia. Fueron ellos quienes se encargaron de mostrarle a mi esposa libros de Michoacán y señalarle, en un mapa, el "puntito negro" en donde ya se encontraba su esposo empezando a sufrir "las de Caín". Nunca se imaginó Nao, que la bella Morelia iba a ser el tonificante "aperitivo" que México le brindaba por haber escogido este país como su segunda patria.

ANEXO 7

NOTA DE PRENSA SOBRE LA LIQUIDACIÓN DEL PRÉSTAMO-PUENTE A ARGENTINA

México, D. F., julio 31 de 1984

El embajador de Argentina en México, Rafael M. Vázquez, confirmó hoy oficialmente al secretario de Hacienda y Crédito Público, licenciado Jesús Silva-Herzog F., la decisión del gobierno de su país de liquidar, con esta fecha, el adeudo de 100 millones de dólares que contrajo con México el 30 de marzo pasado.

El depósito correspondiente fue hecho por el gobierno argentino mediante el traspaso de la cantidad total, incluyendo los intereses devengados, en la cuenta que el Banco de México tiene en la ciudad de Nueva York.

Dicho crédito formó parte de un paquete de 525 millones de dólares, de los cuales correspondieron 100 a México e igual suma a Venezuela, 50 a Brasil, 50 a Colombia, 100 a la propia Argentina y 125 a un grupo de bancos extranjeros.

Los recursos fueron utilizados para cubrir los intereses que Argentina adeudaba al exterior al 30 de marzo pasado, y evitaron que esa nación dejara de cumplir con sus compromisos. Lo anterior permitió, igualmente, que las pláticas del gobierno argentino con el Fondo Monetario Internacional y con los acreedores extranjeros siguieran su curso normal.

La operación —ejemplo importante de solidaridad latinoamericana— fue pactada inicialmente a 30 días, con posibilidad de renovarse mediante acuerdo con las partes, lo cual sucedió en tres ocasiones por plazos de 30 días cada uno.

La comunicación escrita entregada por el embajador Vázquez al titular de Hacienda, señala:

> Tengo el honor de dirigirme a vuestra excelencia con referencia al aporte efectuado oportunamente por el Banco de México, a nombre del gobierno de su país, para la financiación de un fondo que permitiera a la República Argentina hacer frente al pago de intereses de su deuda externa con bancos extranjeros.
>
> Es necesario destacar que igual actitud asumieron los bancos centrales de Brasil, Colombia y Venezuela, lo que constituyó no sólo una acción de unidad latinoamericana, sino un gesto que mi país valora en todo su significado.
>
> Ese apoyo tenía por objeto permitir la continuación de las tratativas con el Fondo Monetario Internacional y con la comunidad bancaria internacional sobre bases más flexibles, al haberse cancelado parte de nuestras obligaciones. No obstante, y aunque las negociaciones prosiguen a ritmo acelerado, no ha sido posible hasta la fecha concluir esos arreglos, que se considera se concretarán a la brevedad.
>
> En la presente situación mi gobierno estima que no debe requerir, al vencimiento de los fondos suministrados, un nuevo esfuerzo a los países amigos y por consiguiente ha decidido cancelar esas obligaciones al finalizar el periodo de validez de la última prórroga concedida.
>
> Al poner en conocimiento de vuestra excelencia esta circunstancia, me hago un deber en transmitirle expresamente, en nombre de mi gobierno, el agradecimiento por la solidaridad puesta de manifiesto, que no hace sino reafirmar los vínculos que unen a nuestros dos países como un exponente más del grado de integración y colaboración entre las naciones latinoamericanas.
>
> Saludo a vuestra excelencia con mi consideración más distinguida.

A continuación el titular, de la SHCP, licenciado Silva-Herzog, expresó:

Deseo subrayar lo que a nuestro juicio tiene un significado importante: por una parte nos permite apreciar, una vez más, como esta idea latinoamericana de apoyar financieramente a Argentina a finales del mes de marzo pasado, sirvió y fue útil para que su país pudiera ganar un tiempo valioso y continuar con sus conversaciones para tratar de encontrar la mejor fórmula de solución a su problema de endeudamiento externo.

Por la otra, ha mostrado, de manera muy clara, cómo América Latina es capaz de reaccionar con agilidad y solidaridad cuando uno de sus países más destacados se enfrenta a problemas específicos. Esta solidaridad seguramente debe ser considerada y tomada muy en cuenta por naciones de otras latitudes para que también puedan adoptar actitudes de cooperación y de mayor solidaridad internacional.

Para México fue, además de una oportunidad de estrechar nuestros vínculos tradicionalmente cercanos con la Argentina, ocasión para mostrar, con nuestra participación, la convicción de que en este problema de la deuda externa los problemas no pueden ser analizados de una manera totalmente aislada, ya que lo que le suceda a uno de los países miembros va a afectar, de una manera u otra, los resultados de los demás. Como en aquella oportunidad señalamos: estamos en el mismo barco y todos podemos y debemos ayudarnos recíprocamente.

También quiero hacer un testimonio de nuestro reconocimiento: la liquidación, a su vencimiento, de este apoyo de México, Brasil, Venezuela y Colombia, demuestra, de manera muy clara, la seriedad con la que el gobierno de Argentina está atacando sus problemas financieros internacionales; su actitud responsable, perseverante, en busca de una solución que al mismo tiempo que le permita resolver sus problemas apremiantes, no imponga costos excesivos a la población de su país.

Nos ha complacido mucho conocer, por conversaciones directas y declaraciones de los funcionarios argentinos, que sus pláticas con la comunidad financiera internacional van por buen camino y que pronto podrán dar un paso que les permita tener un clima más tranquilo y dejar este problema del endeudamiento externo, por lo menos por un cierto tiempo, un poco de lado.

Nuestros mejores deseos porque sus conversaciones se coronen con el éxito y, sobre todo, nuestra decisión y voluntad reiterada de que estando en el mismo barco, como lo estuvimos hace unos cuantos meses, podamos ayudarnos recíprocamente con la mejor de las disposiciones.

Reciba, señor embajador, nuestro testimonio de agradecimiento por la amable comunicación que se ha servido entregarnos.

A la ceremonia asistieron también el subsecretario de Hacienda y Crédito Público, licenciado Francisco Suárez Dávila; los directores generales del Banco de México, licenciado Miguel Mancera, y de Crédito Público de la SHCP, licenciado José Ángel Gurría Treviño, así como el encargado de negocios de la embajada de Argentina, Horacio R. Bassto.

ANEXO 8

EVOLUCIÓN Y PERSPECTIVAS DEL PROBLEMA DE LA DEUDA LATINOAMERICANA

El licenciado Jesús Silva-Herzog Flores, secretario de Hacienda y Crédito Público, participó, el pasado 27 de enero de 1986, en la conferencia "La crisis de la deuda externa en Latinoamérica y sus consecuencias en los próximos diez años", organizada por el Banco Interamericano de Desarrollo y el *International Herald Tribune* y que se llevó a cabo en Londres, Inglaterra.

En su intervención, el licenciado Silva-Herzog abordó el tema de la "evolución y perspectivas del problema de la deuda latinoamericana", haciendo un recuento y análisis de su desarrollo y de sus repercusiones sociales y políticas. También se refirió a la iniciativa del secretario del Tesoro de Estados Unidos, James Baker, conocida como "programa para el crecimiento sostenido".

A continuación se presenta la intervención del secretario de Hacienda y Crédito Público en la conferencia mencionada.

El fenómeno de los préstamos de la banca comercial a entidades soberanas en desarrollo fue la respuesta a la necesidad de reciclar los llamados "petrodólares" que resultaron del drástico incremento de los precios del petróleo en 1973. La magnitud, fortaleza y creciente sofisticación del mercado de los eurodólares evolucionó al parejo de esta situación. Miles y miles de millones se canalizaron hacia los países de América Latina, África y Asia que requerían apoyo financiero para la ejecución de sus proyectos de desarrollo, mismos que rebasaban la capacidad de financiamiento de las instituciones multilaterales para el desarrollo.

La banca comercial apoyaba con particular satisfacción esta tendencia como un cauce a los enormes problemas de liquidez que el propio mundo industrializado no requería, debido a su estrategia antinflacionaria de nulo o limitado crecimiento.

En 1978, época de la segunda gran crisis petrolera, la maquinaria se encontraba funcionando debidamente y el escenario se estaba preparando para una verdadera explosión en los niveles de la deuda comercial de estos países, particularmente en América Latina.

De 1978 a 1982 la deuda de los países de la región se incrementó en más del doble: de 150,000 a 318,000 millones de dólares, provenientes principalmente de la banca comercial.

Conforme las tasas de interés se incrementaron y los términos de intercambio comercial empezaron a deteriorarse, la mayoría de los países latinoamericanos encontraron dificultades para ajustar sus economías a la nueva situación internacional. Continuaron endeudándose para compensar pérdidas de ingresos por exportaciones o el pago de tasas de interés más elevadas, mostrando disposición para llevar a cabo las reformas estructurales requeridas para hacer frente a nuevas condiciones externas.

Como lo demostraron los acontecimientos, la combinación de variables externas hostiles y la continuación de políticas económicas de crecimiento basadas en el endeudamiento externo fue profundamente desestabilizadora. Sin embargo, todos los principales actores continuaron el mismo peligroso camino. Gobiernos de países industrializados, banca comercial y países en desarrollo intervinieron con particular entusiasmo.

Todos participamos en el surgimiento de la crisis de la deuda. Todos fuimos responsables, pero aún más, todos fuimos sorprendidos por ella. El 20 de agosto de 1982 es el día en que oficialmente empezó la crisis. Sin embargo, como hemos visto, sus orígenes datan de años antes.

En esa fecha México, el segundo deudor más grande del mundo, anunció que no podría cumplir con los pagos programados y solicitó un diferimiento por un periodo de 90 días.

A fines de 1982 y durante los primeros meses de 1983, cuando ya era claro que México no era el único país que afrontaba problemas de deuda externa y que el fenómeno se había generalizado afectando a la mayor parte de Latinoamérica y también a algunos países de Asia y de África, un sentimiento de confusión y pesimismo se apoderó de la comunidad financiera internacional. Se percibía que la situación había llegado demasiado lejos y que la enorme acumulación de la deuda resultaba inmanejable. Además, los bancos estaban inevitablemente destinados a incurrir en pérdidas considerables. Las acciones bancarias descendieron y una fuerte presión política se centró alrededor de su "falta de prudencia y un excesivo otorgamiento de préstamos", así como negligencia en el manejo de la política económica de los países en desarrollo.

Después del impacto inicial, las respuestas a la emergencia de la crisis se produjeron paulatinamente, conforme los diversos actores recorrieron los escenarios mundiales en búsqueda de las acciones y los parlamentos adecuados, en una situación para la cual no había libreto.

Al final, las soluciones que se encontraron para lidiar con el problema inmediato fueron más bien de una naturaleza ortodoxa y tradicional, aunque efectiva para aminorar las amenazas a la estabilidad del sistema. Se colocó también el mayor peso de la carga en los países en desarrollo y, como se confirmó claramente en forma posterior, tales soluciones se construyeron alrededor de cuatro principios operativos básicos:

a) Una reprogramación de los plazos para el vencimiento del principal (en el caso de México, dos años cuatro meses, de agosto de 1982 a diciembre de 1984).
b) Un convenio con el Fondo Monetario Internacional, ya fuera en la forma de un EFF[1] o de un acuerdo Stand by,[2] diseñado para estabilizar la economía mediante un severo ajuste de los sectores internos y externos.
c) El supuesto de que las economías de los países de la Organización de Cooperación y Desarrollo Económico (OCDE) crecerían, de forma tal que sus importaciones de bienes procedentes de las naciones deudoras coadyuvarían a la solución de los problemas financieros de estas últimas.
d) Recursos frescos, "según se requiriera", para complementar un creciente superávit en la balanza comercial, resultado, fundamentalmente, de una contracción de sus importaciones.

Los primeros acuerdos del periodo de 1982-1983 incluyeron perspectivas de corto plazo en términos de vencimientos. Sin embargo, como dichas reestructuraciones empezaron a generar acumulaciones inmanejables, comprendiendo las deudas ya reestructuradas en los vencimientos originales pagaderos a los años posteriores, se hizo evidente la necesidad de un tratamiento más comprensivo de los montos del principal de la deuda.

Así, a mediados de 1984, México negoció el primer Acuerdo Multianual de Reestructuración que comprendía vencimientos de 1985 a 1990 e incluía una reprogramación del perfil de vencimientos de toda la deuda y no de aquella pagadera en el futuro inmediato. Estos acuerdos, conocidos como Acuerdos de Reestructuración Multianual (MYRA), implicaron cierto alivio, pero también conllevaron el pago total de intereses a tasas de miedo. Muchos países ahora adoptan estos acuerdos.

Durante este periodo, estos acuerdos continuaron enfatizando el ajuste a costa del crecimiento, y las naciones deudoras, con pocas excepciones, experimentaron un porcentaje per cápita de crecimiento negativo. Sin embargo, "los signos económicos vitales" mejoraron, ya que

[1] Extended Fund Facility (Convenio de Facilidad Ampliada).
[2] Acuerdo de Reserva.

la inflación descendió, se redujeron drásticamente los déficit principales y las cuentas corrientes mostraron balanzas positivas.

Por supuesto, los bancos sintieron alivio, sus ingresos por concepto de intereses se estabilizaron y normalizaron. El Fondo Monetario Internacional y las instituciones mundiales reguladoras expresaron su profunda satisfacción con los resultados. Un sentido de complacencia se apoderó del sistema financiero.

La emergencia se había superado. Habíamos conseguido "salirle al paso" a la crisis. Habíamos encontrado la fórmula correcta, o por lo menos mucha gente lo percibió así. No obstante, el crecimiento era el elemento ausente.

El efecto combinado de las políticas de ajuste; la permanencia de altos niveles en las tasas de interés, especialmente cuando se les comparaba con la inflación descendente de los países de la OCDE; el continuado deterioro de los términos de intercambio comercial, y por último, pero no menos importante, el inesperado descenso de los empréstitos de la banca comercial a América Latina, puede ser claramente ilustrado por las siguientes cifras, que se aplican por igual a toda la región.

- Considerando 1980 como base, se observa un deterioro en los términos de intercambio comercial de 16%, mismo que continúa hasta la fecha.
- La relación entre pagos por concepto de intereses a las exportaciones de bienes y servicios se incrementó 20% en 1980 y 36% en 1985.
- El ingreso neto acumulado de capital en el periodo comprendido entre 1983 y 1985 fue de 1,000 millones de dólares, cifra inferior a la de 1982, que representa la mitad de los montos que ingresaron en 1980 y 1981.
- En ese mismo periodo de tres años (1983-1985) los pagos por concepto de interés y las remesas de utilidades ascendieron a 105,000 millones de dólares, ocasionando una transferencia negativa de recursos por 87,000 millones de dólares. En 1985 esta transferencia negativa fue particularmente importante: únicamente 5,000 millones de dólares ingresaron a América Latina y 35,000 millones fueron erogados como pago de intereses y remesas de utilidades al exterior.

El esfuerzo realizado en el sector externo de nuestras economías es igualmente impresionante:

- Las importaciones de bienes, que se habían elevado a 90,000 millones de dólares en 1980, cayeron en 1983 a niveles inferiores a los 60,000 millones de dólares y permanecen a ese nivel.
- Por otro lado, las exportaciones afectadas por el deterioro de los términos del intercambio han permanecido inalteradas en cerca de 90,000 millones de dólares. Llegaron a 92,000 millones de dólares en 1985, contra 89,000 millones de dólares en 1980.
- Correspondientemente, la balanza comercial se ha fortalecido, al pasar de un déficit de 2,000 millones de dólares en 1980 a un superávit de 34,000 millones de dólares en 1985.
- Las cuentas corrientes de los países del área, mismas que incluyen los pagos por concepto de interés, mejoraron dramáticamente, al pasar de 40,000 millones de dólares en 1981 y 1982 a un equilibrio virtual en 1984 y a un reducido déficit de 4,000 millones de dólares en 1985.
- En 1983 la deuda externa creció 8%, en 1984 se incrementó a 4.5%, y en 1985 en 2.5%. Estos porcentajes contrastan con tasas de crecimiento de la deuda de aproximadamente 20% anual, que se dieron entre 1978 y 1982.

El crecimiento y el bienestar pagaron un precio muy alto:

- El Producto Interno Bruto (PIB) per cápita ha descendido más de 10% desde 1980, y en 1985 apenas se evitaron niveles "regresivos" de crecimiento.
- En casi toda nación latinoamericana el desempleo urbano es hoy más alto que en 1980.
- El promedio de salarios reales ha descendido, incluso drásticamente, en muchos países y se requerirán cinco o seis años de crecimiento sostenido para alcanzar los niveles de 1980.
- Además, y aún peor, la inflación —cuyo control era el principal objetivo de los programas de ajuste— se incrementó de un promedio de 57% en 1980 y 81% en 1982, a 144% en 1985 (exclusión hecha de Bolivia y Cuba).

Ni falta hace destacar la seriedad de las repercusiones políticas y sociales de estas cifras, que amenazan la estabilidad de nuestras sociedades y minan seriamente el encomiable proceso democrático que se ha producido en América Latina en los últimos años.

Asimismo, esta situación ha generado un proceso irreversible de politización de la temática de la deuda, que crea fuertes presiones políticas en las naciones deudoras a favor de enfoques más radicales para aligerar la carga de la deuda.

Surgió el Consenso de Cartagena que, tras hacer un responsable y certero diagnóstico de la situación, expidió lineamientos para alcanzar acuerdos efectivos de reestructuración que hasta la fecha han orientado nuestros esfuerzos y han insistido, además, en la necesidad de sostener un diálogo político de alto nivel en torno al problema de la deuda.

En Oaxtepec, México, se dio cita un grupo de expertos que recomendó el establecimiento de límites precisos en las transferencias negativas, con el fin de permitir el crecimiento en la región. En la reunión de la Habana se recomendó el desconocimiento de las deudas, y el presidente de Perú, Alan García, fijó un límite de 10% de los ingresos por exportaciones para el pago de la deuda externa.

Las presiones se incrementaron. Una respuesta de la OCDE se hacía esencial. En su ausencia, las naciones deudoras podrían tomar una acción independiente.

En octubre de 1985 el secretario del Tesoro de Estados Unidos, señor James Baker, propuso en Seúl, Corea, durante las reuniones anuales del Fondo Monetario Internacional y del Banco Mundial, su "programa para el crecimiento sostenido".

En dicha iniciativa se seleccionaron 15 naciones, 10 de ellas latinoamericanas, que en conjunto adeudan a la banca comercial cerca de 274,000 millones de dólares, 33,000 millones de dólares a la banca multilateral de desarrollo, 72,000 millones de dólares a fuentes oficiales bilaterales de financiamiento y aproximadamente 50,000 millones de dólares a otras fuentes.

La propuesta Baker sugiere que la banca comercial incremente sus empréstitos en 20,000 millones de dólares netos en los próximos tres años, es decir, en promedio, poco más de 2% anual. También sugiere que la banca multilateral de desarrollo aumente sus créditos a estos quince países por otros 20,000 millones de dólares netos en el próximo trienio, circunstancia que implica un incremento de 20% en los balances comprendidos entre 1986 y 1988.

En total son 40,000 millones de dólares netos durante los próximos tres años para aquellas 15 naciones que adeudan cerca de 430,000 millones de dólares y que erogan, a sus diversos acreedores, casi 40,000 millones de dólares anuales únicamente por concepto de intereses.

En esta estrategia no hay mención alguna a las contribuciones gubernamentales y nada se ofrece por parte del llamado Club de Paris. Para poder ser beneficiarias de este esquema, se presupone que las naciones elegidas deberían comprometerse a aplicar "estrategias de crecimiento", cuya evaluación estaría a cargo del Fondo Monetario Internacional y del Banco Mundial. Tal compromiso implicaría la apertura de las políticas comerciales, la privatización de las empresas del sector público y la liberalización de las normas que rigen la inversión extranjera directa. Todo ello, por supuesto, en el contexto de sólidas políticas fiscales y cambiarias.

A estas quince naciones se ofrecen, en promedio, financiamientos frescos por una tercera parte de sus pagos por concepto de interés y se les requiere generen los dos tercios restantes de dichos pagos mediante el mantenimiento de enormes superávit comerciales. Se trata de una situación sumamente difícil y que contraviene las teorías más convencionales sobre crecimiento y desarrollo, dadas las transferencias negativas de recursos que implica.

Es cierto que en comparación con 1985, los flujos de recursos que implica el Plan Baker son un positivo paso adelante; sin embargo, 1985 fue el año más negativo hasta la fecha en términos de flujos de capital a países deudores. De hecho, hubo incluso pagos netos del principal por encima de los pagos por concepto de interés.

Nos alentó escuchar la propuesta del secretario Baker. Nos animó el énfasis que otorga al crecimiento. No obstante, creemos que es insuficiente para alcanzar el objetivo de reanudar el crecimiento y al mismo tiempo continuar con el servicio regular de la deuda. Con la iniciativa Baker se puede obtener lo último, pero no lo primero, y sin crecimiento el problema de la deuda no se desvanecerá.

También sabemos que no todos los países requieren nuevos créditos. El Plan Baker parte de apreciaciones globales, donde es posible que algunos países utilicen créditos que otros no requieren.

El Plan Baker sugiere que los países deudores continúen acumulando deuda para compensar los altos niveles históricos de las tasas de interés y el continuo deterioro de nuestros términos de intercambio. No se menciona ahí el otro aspecto fundamental del problema: la muy pesada carga del servicio de la deuda.

Mayor endeudamiento para resolver el problema del endeudamiento. Ello sería posible tan sólo si las tasas de interés fueran dos o tres puntos más bajas. De hecho, un nivel de tasas de interés tres puntos más abajo equivaldría al Plan Baker. Por tanto, estamos en presencia de una solución que se restringe a las consideraciones de flujo monetario. No provée los recursos necesarios para compensar las altas tasas de interés y el deterioro de los términos del intercambio, así como el financiamiento para el desarrollo.

Por lo que hace a la condicionalidad que implica, el Plan Baker también plantea serios problemas. Todos deseamos políticas de libre comercio, pero siempre y cuando se apliquen a todos los países y no únicamente a las naciones deudoras. Aun cuando la inversión extranjera sea bien recibida, deseamos preservar el derecho de nuestros gobiernos para asegurar que dicha inversión beneficiara completamente a nuestra propia industria en lugar de desplazarla. Coincidimos en que nuestros sectores primero deben ser fortalecidos y alentados. Sin embargo, tendría condicionantes políticas e históricas que deben ser reconocidas y respetadas y que limitan el alcance de la politización. Los conceptos son útiles y pueden orientar, pero el dogmatismo debe ser evitado a toda costa.

Únicamente enfatizando el crecimiento, crecimiento analítico, crecimiento sostenido, podrá ser políticamente aceptable para las naciones deudoras cualquier propuesta de solución al problema del endeudamiento externo.

Únicamente enfatizando las cuestiones fundamentales de las tasas de interés y del intercambio comercial solucionaremos realmente el problema de la deuda.

Este es el meollo de la declaración emitida por las naciones que integran el Consenso de Cartagena, apropiadamente llamada "Proposiciones de emergencia de las negociaciones en materia de deuda y crecimiento".

Enfrentamos una verdadera situación de emergencia, la cual haría ver al verano de 1982 como un periodo nuevamente sereno y tranquilo, si no actuamos con rapidez y sapiencia.

Los acontecimientos pueden rebasarnos muy fácilmente. En el caso particular de México, la situación descrita para América Latina en su conjunto se ve exacerbada por la reciente y drástica caída de los precios del petróleo que fácilmente pueden significar pérdidas por concepto de ingresos por exportaciones del orden de 250 a 300 millones de dólares anuales.

Ante esta situación, ¿cuál es el papel de un gobierno responsable?

México ha logrado reducir el nivel de inflación a la mitad de lo que era en 1982, es decir de 120% en ese año a 63% en 1985. El déficit presupuestal descendió 18% en 1982 y 9% en 1985. La balanza de la cuenta corriente pasó de un déficit de 13,000 millones de dólares en 1981 a superávit en 1983 y 1984 y a un virtual nivel de equilibrio en 1985, a un crecimiento acumulado del PIB de 1982 a 1985 positivo y el ingreso per cápita es negativo en un poco más del 8%. Los salarios reales han sufrido decrementos. Para diciembre de 1985 los términos del intercambio comercial significaban 77% del promedio alcanzado en 1980 y la caída de los precios del petróleo deteriora esta cifra día con día.

En efecto, hemos visto desviaciones de los planes originales. Las cifras de inflación y déficit de 1985 debieron haber sido inferiores, pero hemos reconocido plenamente estas desviaciones originadas tanto por razones internas y externas y se ha sometido al Congreso de la Unión un presupuesto muy austero para 1986, que pretende continuar con el proceso de ajuste y reducción de la inflación y del déficit presupuestal.

Si se toma en cuenta todo lo que he mencionado, se percibe una valerosa demostración de voluntad política, producto de nuestra propia convicción de que la inflación debe ser reducida considerablemente como requisito para un crecimiento sano y sostenido.

México mantiene sus planes originales de medio plazo. Nos hemos fijado una directriz y nos acogemos a ella. Se han ofrecido al sector privado empresas públicas no estratégicas y se ha promovido la inversión extranjera en industrias orientadas a la exportación.

Se ha instrumentado una drástica reestructuración de nuestras políticas comerciales a efecto de liberalizar las exportaciones y se han iniciado negociaciones para la inclusión de México al GATT. La tasa de cambio controlada está siendo continuamente ajustada para reflejar los diferenciales de inflación con nuestros socios comerciales y la tasa de cambio libre fluctúa cotidianamente sin ninguna intervención oficial.

Sin embargo, ¿cómo explicar a una sociedad que ha resistido este proceso de ajuste admirablemente, casi estoicamente, que se requieren aún más sacrificios para compensar la caída de los precios del petróleo y que podamos continuar pagando a nuestros acreedores tasas de interés que observan niveles históricamente elevados?

El límite de nuestra responsabilidad para con nuestros acreedores está determinado por la responsabilidad para con nuestro pueblo.

ANEXO 9

México, D. F., 17 de junio de 1986

Lic. Miguel de la Madrid Hurtado
Presidente Constitucional de los Estados Unidos Mexicanos
P r e s e n t e

Respetable señor presidente:

El primero de diciembre de 1982, recibí el alto honor de ser designado por usted, secretario de Hacienda y Crédito Público. Durante estos tres años y seis meses he buscado, con el mayor anhelo, colaborar con el gobierno de la República para hacer frente a una de las etapas más difíciles de nuestra historia reciente. A lo largo de este periodo, he querido prestar mis servicios con absoluta y total entrega a las causas superiores del país.

Sin embargo, por razones de carácter personal, me veo obligado a presentar a usted mi renuncia, con carácter irrevocable, al cargo que vengo desempeñando hasta el día de hoy. Al hacerlo, le expreso mi más sentido reconocimiento por haber tenido la oportunidad de colaborar con un presidente patriota. Asimismo, le manifiesto mis mejores deseos por el éxito de sus esfuerzos en los meses venideros y le reitero las seguridades de mi amistad invariable.

Atentamente

Jesús Silva-Herzog F.

VOCES INJUSTAS E INJUSTIFICADAS

***El Nacional*:**

La emergencia de la coyuntura y la importancia de los intereses populares y nacionales en juego, reclamaban celeridad en la acción; empeño y firmeza en los ajustes; imaginación, perseverancia y eficiencia en la negociación; trabajo congruente de equipo, solidario con los esfuerzos de otras dependencias; lealtad en el cumplimiento de las funciones y adhesión a las políticas del ejecutivo. El secretario de Hacienda y Crédito Público no cumplió con esas exigencias.

El Comité Ejecutivo Nacional del PRI, presidido por Adolfo Lugo Verduzco:

Ante las determinaciones presidenciales no caben titubeos ni puede haber falta de solidaridad en el equipo del presidente de la República [...]. La difícil circunstancia de México y la defensa de los intereses populares reclaman de los colaboradores del presidente de la República disciplina y lealtad con el jefe del ejecutivo. Demandan cohesión y solidaridad en el gabinete presidencial. Exigen, asimismo, celeridad y eficacia en la instrumentación de la política gubernamental [...]. Estos no son tiempos para cuidar imágenes personales: son tiempos para cumplir nuestra responsabilidad con México.

***Notimex*:**

El exsecretario de Hacienda no cumplió con las exigencias que la situación determinaba. La conducción nacional quedó sin apoyo técnico en el diseño y ejecución de acciones básicas para ajustar el servicio de la deuda, sin mecanismos para incrementar la captación fiscal y sin instrumentos para conducir la política crediticia y bancaria.

Un columnista prestigiado escribió pocos días después de mi salida:

Al día siguiente del despido de Silva-Herzog como secretario de Hacienda —17 de junio de 1986— recibimos la sugerencia de un funcionario de criticar a quien ya estaba fuera del gobierno, porque se trataba de un desleal que había traicionado la confianza del señor presidente. Nos negamos a ello.

ANEXO 10

XV ANIVERSARIO DE LA RECONSTITUCIÓN DE RELACIONES DIPLOMÁTICAS MÉXICO-ESPAÑA

Madrid, 27 de marzo de 1992

Jesús Silva-Herzog
Embajador de México en España
Sociedad de Estudios Iberoamericanos para la Educación y la Cultura

En el pabellón de México en la Exposición Universal de Sevilla sobresalen, como signo distintivo, dos equis grandes de 18 metros de altura. México es el único país en el mundo que lleva una x en su nombre y la "X en la frente", como dijera Alfonso Reyes, tiene un simbolismo que ha dado lugar a muy diversas interpretaciones.

Una de ellas resalta en la x el cruce de caminos, de culturas, el encuentro de dos mundos. Su base, elevada en la tierra, recibe la influencia de sus raíces profundas, de su historia; y las puntas, que miran al cielo, buscan el futuro y se orientan a los cuatro puntos cardinales.

El 13 de agosto de 1521 cayó Tenochtitlan ante las fuerzas de Hernán Cortés. No hubo vencedores, ni vencidos. Fue el nacimiento de un pueblo mestizo, que es el México de hoy.

La relación entre México y España se inicia, pues, en el momento mismo del primer encuentro. Después de tres siglos de colonia y después de que España reconoce la independencia de México, se iniciaron, alrededor de 1840, las relaciones diplomáticas entre los dos países.

Años más tarde, iba a tener lugar otro encuentro importante ante la convocatoria del presidente Lerdo de Tejada para hacer un himno nacional, el que se toca por primera vez en 1834. La letra, de Francisco González Bocanegra; la música, de Jaime Nunó, originario de San Juan de las Abadesas, pueblo de la reina catalana.

Las relaciones diplomáticas se mantienen abiertas y normales durante cerca de un siglo. Momentos estelares en el siglo xix después de la independencia. Durante la aventura invasionista europea promovida por Napoleón III, el general Prim jugó un papel fundamental a favor de México: no sólo logró convencer al gobierno de Madrid que se retirara, sino también influyó decisivamente para que Inglaterra desistiera de aquella empresa.

En la guerra civil española, México mantiene relaciones con el gobierno de la República durante casi cuarenta años. Abre sus brazos a los exiliados españoles y se enriquece de su aportación y su trastierro. Yo mismo fui beneficiario de la educación de los profesores republicanos.

La actitud de México es apreciada por algunos, no bien interpretada por otros. Pero pese a la inexistencia de vínculos diplomáticos formales, las relaciones entre los pueblos nunca se interrumpieron. Los lazos de amistad y en algunos casos familiares, sustituyeron de alguna manera los vínculos formales. Así, desde la difusión del folclore hasta intercambios económicos y culturales importantes tuvieron lugar entre los dos países.

Mañana 28 de marzo, se cumple el XV Aniversario de la Reanudación de Relaciones Diplomáticas entre España y México. El 28 de marzo de 1977, los cancilleres de México y España intercambiaban notas verbales en la capital francesa, por las que las relaciones entre ambos países se formalizaban, tras casi cuarenta años de haberse interrumpido.

Desde la reconstitución de relaciones, los contactos han sido constantes. Las visitas tanto de los jefes de estado y de gobierno como de funcionarios de ambos países se han sucedido prácticamente sin interrupción. En esta historia reciente de las relaciones se pueden distinguir cuando menos tres momentos distintos.

El primero, que iría desde el restablecimiento de vínculos en 1977 hasta 1982. En él destaca sobre todo el crecimiento del intercambio comercial. Es cierto que hacia 1979 México pasó de ser importador de energéticos a ser exportador de crudo y que el rubro del petróleo ocupaba y ocupa buena parte de la balanza comercial entre ambos países, pero no obstante llama la atención que en los cinco primeros años el monto del intercambio comercial se multiplicó por veintiséis. Desde el punto de vista político, ese primer lustro de relaciones coincidió en México con el sexenio del presidente López Portillo y en España con los gobiernos de la Unión de Centro Democrático (ucd), encabezados, primero, por Adolfo Suárez y, en el último periodo (1981-1982), por Leopoldo Calvo Sotelo.

España, tras la transición democrática, debía redefinir su política exterior, y a pesar de que buena parte de la atención se centraba en asuntos internos, procuró no limitar su horizonte en lo que a política exterior se refiere y asistía a foros internacionales como el Movimiento de Países No Alineados, donde sus posiciones con México eran convergentes. La dimisión de Adolfo Suárez en enero de 1981 y su sustitución por Leopoldo Calvo Sotelo marcó una nueva etapa en la política exterior de España. Tras la intentona golpista del 23 de febrero de 1981, el presidente Calvo Sotelo decidió el ingreso de España en la otan, argumentando que serviría como escudo de seguridad para evitar procesos involucionistas. Esta dedicación a las negociaciones con la otan aunadas a las ya iniciadas con la Comunidad Europea (ce) representaban las prioridades de la política exterior española y situaron a las relaciones con América Latina en un segundo plano.

Una segunda etapa en las relaciones bilaterales se puede decir que se inicia coincidiendo con el triunfo del psoe en otoño de 1982 y con el estallido de la crisis económica en México. Los intercambios comerciales bilaterales lógicamente se vieron afectados. Sin embargo, las coincidencias político-ideológicas en los idearios de los partidos en el poder dieron a las relaciones políticas un nuevo impulso. Había que sustituir con política el vacío que había dejado el intercambio comercial. Los apoyos que México recibió de España en su política hacia Centroamérica son ilustrativos. Basta recordar como España concedió el premio Príncipe de Asturias al Grupo de Contadora y la reunión que tuvo lugar en Madrid de los cancilleres de los países miembros de dicho grupo.

Con el inicio de la administración del presidente Salinas de Gortari se puede decir que se inicia una tercera etapa en las relaciones bilaterales. En el ámbito económico, las reformas iniciadas en el sexenio anterior comienzan a dar frutos y las expectativas son alentadoras tanto para el intercambio como para las inversiones y coinversiones. En el ámbito político, la firma de un tratado general de amistad y cooperación, en enero de 1990, es muestra patente de la voluntad de ampliar y profundizar los vínculos bilaterales.

El peso que tienen tanto México como España en el contexto iberoamericano imprimen a nuestros países una responsabilidad adicional en el proceso de integración del mundo iberoamericano. No es casualidad que la primera Cumbre Iberoamericana se haya celebrado en México y tampoco que la segunda vaya a tener lugar en Madrid en julio próximo. El objetivo de la creación de una comunidad iberoamericana de naciones comienza a ser una realidad, aunque haya que reconocer que el camino por recorrer es largo y que las dificultades son muchas.

En el ámbito de las relaciones interregionales, la posición de México y España dentro de sus respectivas áreas sitúa a ambos países en un lugar privilegiado para promover las relaciones entre Europa y América Latina. México, con todos los problemas que aún tiene por resolver, ha logrado sanear su economía. Los análisis económicos de instituciones como el Banco Mundial y el Fondo Monetario Internacional lo confirman. España, por su parte, como país comunitario se ha hecho valedor de un prestigio internacional donde sus relaciones especiales con América Latina y, en este caso, con México ha sido reconocido no sólo por los países del área y sus socios comunitarios, sino también por los mismos Estados Unidos, otrora tan celosos de lo que consideran su área de influencia. El presidente Bush ha declarado públicamente que España tiene un papel importante que desempeñar en América Latina.

Este somero repaso de la historia reciente de nuestras relaciones debe tener como objetivo la proyección hacia el futuro de nuestros vínculos. Las condiciones no pueden ser mejores, y aprovecharlas depende del trabajo de nosotros. Este año, 1992, reviste especial importancia para los dos países y creo que lo mejor que puedo hacer es dar lectura al mensaje enviado por el presidente Carlos Salinas de Gortari: "mexicanos y españoles tenemos un motivo de alegría y celebración. Hace quince años reanudamos, a nivel político, una amistad profunda que nunca dejó de existir."

Con España, con los españoles, este diálogo ha sido especialmente entrañable y productivo en la última década y media. Hemos confirmado lo mucho que nos vincula y nos hace entendernos y estimarnos mutuamente, y que revela la fibra de nuestros pueblos: de su temple, de su hospitalidad, de su historia y su cultura.

Han sido quince años en que ambos países han trabajado intensamente por acercarse más. Hoy podemos decir, con gran satisfacción, que nos encontramos en el mejor momento de nuestra relación bilateral.

Los especiales vínculos de entendimiento entre nuestros dos países están abocados a contribuir, de manera muy especial, en el proceso de construcción de una comunidad iberoamericana de naciones. La celebración de la II Cumbre Iberoamericana en julio próximo en Madrid es una nueva oportunidad para que México y España continúen colaborando estrechamente. Las transformaciones mundiales lo exigen y estamos respondiendo.

Permítanme expresar mi saludo afectuoso a su majestad el rey Juan Carlos, al presidente Felipe González y a todos los hermanos españoles. Pueblo y gobierno de México les desean el mayor éxito en las importantes actividades que han previsto para 1992. Nuestras relaciones de amistad sincera y cooperación fraternal tendrán una muy larga y dichosa vida.

ANEXO 11

MÉXICO HOY: RETOS Y OPORTUNIDADES

Jesús Silva-Herzog

México hoy es diferente al de hace sólo unos cuantos años. El cambio ha sido profundo y ha tenido lugar en un plazo muy breve. Tal vez, demasiado corto.

Hace diez años éramos un país en crisis. Nos tocó el difícil papel de hacer estallar la crisis de la deuda externa. La inflación amenazaba caer en cauces hiperinflacionarios, el desequilibrio fiscal era mayúsculo, las reservas internacionales se habían agotado y, lo más importante, la sociedad había perdido la confianza no sólo en la moneda, sino en las instituciones y en el futuro.

El camino a la normalidad no ha sido fácil. Ha requerido un gran esfuerzo de toda la sociedad. Un programa de ajuste económico y de reforma estructural, iniciado hace una década, sostenido e impulsado en fechas recientes, nos ha permitido salir del bache, corregir los problemas más inmediatos e iniciar un cambio radical en materia de política económica. En realidad, ha tenido lugar una reforma profunda, casi una revolución silenciosa y pacífica.

Dos cambios sobresalen por su trascendencia y significación. El primero se refiere al papel del Estado y, el segundo, a nuestra relación comercial con el exterior.

El enorme déficit gubernamental de hace diez años (17% del PIB) se ha convertido en un superávit en 1992. Este hecho nos coloca en la lista de los muy pocos países del mundo que tienen saldos positivos en sus finanzas públicas.

El proceso de privatización de empresas públicas se inició, de manera prudente y gradual, en 1983. En años más recientes se ha actuado con mayor celeridad en muy diversos sectores. El producto de la venta de estas empresas, una cifra que supera los 20,000 millones de dólares, ha sido utilizado para reducir la deuda pública, interna y externa, de modo considerable.

El enorme reto existente es y será encontrar el equilibrio adecuado entre crecimiento y equidad, en un país que padece todavía grandes carencias sociales.

Durante muchos años hemos sido una economía cerrada y altamente protegida; era necesario para dar los primeros pasos en la industrialización del país. La política de sustitución de importaciones se mantuvo por un tiempo excesivo y, además, el mundo externo cambió. Era indispensable modificar la estrategia. Había que mirar hacia afuera y no hacia adentro, como en el pasado. Había que alentar las exportaciones de bienes y servicios y buscar la mejor inversión posible, en los mercados mundiales.

Hoy somos una de las economías más abiertas del mundo. Nuestras posibilidades económicas futuras dependen, en alto grado, de nuestra capacidad para exportar y para atraer capitales de afuera. En este contexto, resulta más claro entender la negociación de un Tratado de Libre Comercio con Estados Unidos y Canadá. Hace apenas unos años era esa una idea que se descartaba con facilidad.

Así como fuimos los pioneros en la crisis, lo fuimos también en los primeros pasos de la recuperación y en el retorno al crecimiento. En el último trienio, la actividad económica ha crecido por encima del aumento de la población y ha permitido una modesta elevación en el ingreso por habitante, a pesar de un escenario externo poco favorable. El descenso de la inflación ha sido notable.

La crisis y los esfuerzos para salir de ella han tenido un elevado costo social. El salario real ha descendido y existe un deterioro en los indicadores sociales; es posible —no tenemos información fehaciente— que la distribución del ingreso haya empeorado. La corrección de estos problemas no será, tampoco fácil, ni en el corto plazo. Tomará tiempo, esfuerzo y acción deliberada.

La reforma económica de México —con toda su trascendencia— no es un esfuerzo aislado, sino que ha formado parte de toda una estrategia global de modernización del país, que abarca otros campos importantes del quehacer nacional. Con visión y espíritu audaz se han roto viejos moldes, tabúes y ataduras tradicionales.

La economía mexicana va bien. Las perspectivas a corto plazo son favorables. Existen preocupaciones sobre la influencia del entorno internacional, el abultado desequilibrio comercial, la persistencia de la inflación y el modesto crecimiento de la producción. Sin embargo, la ruta está trazada y con los ajustes propios a la dinámica de la realidad, el panorama es alentador. El compromiso con las mayorías de la población deberá atenderse con mayor vigor.

El TLC será un factor de aliento. Su entrada en vigor será en 1994.

En el ámbito político, los avances han sido más moderados. La sociedad se ha transformado y quiere participar más activamente en las grandes decisiones nacionales. La lucha electoral se ha iniciado y las elecciones presidenciales y generales de agosto de 1994, deberán mostrar las señales de modernización por las que hemos luchado.

En el entorno internacional y ante la reciente integración con Estados Unidos, conviene fortalecer el esfuerzo para diversificar las relaciones externas y mantener abiertas las ventanas a los cuatro puntos cardinales.

En suma, México está convencido que como dijo Benito Juárez hace más de un siglo: "Nadie hará por nosotros lo que nosotros no hagamos por nosotros mismos."

Febrero de 1993

ANEXO 12

IV REUNIÓN DE EMBAJADORES MEXICANOS ACREDITADOS EN EUROPA
NUEVAS IDEAS PARA UNA ESTRATEGIA DE MÉXICO CON RELACIÓN A EUROPA

Bruselas, 20 y 21 de septiembre de 1993

Introducción

A principios de 1990, el presidente Salinas regresó a México de su primer viaje a varios países europeos. Lo que ahí se observó —se dice— impulsó al gobierno mexicano a iniciar conversaciones para el establecimiento de una área de libre comercio con Estados Unidos y Canadá.

¿Cuáles son las perspectivas de nuestra relación con Europa? ¿Conviene fortalecerla? ¿Cuál sería la estrategia adecuada para lograrlo?

Estas notas constan de cuatro partes: en la primera, pretendo ofrecer un breve panorama de la relación económica de México con Europa; en la segunda y tercera, se hacen sendos análisis de los retos fundamentales que se plantean a nuestro país y a Europa en la actualidad y en los próximos años; en la cuarta y última, se incluyen algunas sugerencias y conclusiones para fortalecer nuestra estrategia con Europa.

La relación económica de México-Europa

1. La Comunidad Europea representa un tercio y un cuarto de la producción y el comercio mundial, respectivamente. Es el mayor donante y constituye el mercado más importante del mundo.
2. El comercio con la Comunidad Europea representa para México algo más de 10% del total, en ambas direcciones. La tendencia en el último lustro ha sido descendente, mientras la concentración del comercio con Estados Unidos ha aumentado. Para la Comunidad Europea, el comercio con México significa una proporción muy modesta.
3. En los últimos años, el valor del comercio se ha elevado, sobre todo, por las mayores compras mexicanas de productos europeos. Éstas se han elevado de 2,144 millones de dólares en 1985 a 7,425 en 1992, mientras que nuestras exportaciones a la Comunidad Europea han permanecido estancadas en algo menos de 4,000 millones de dólares. Además de otras consideraciones, la agresividad europea para vender ha superado, por mucho, a la mexicana.
4. Dos terceras partes de nuestras ventas a la Comunidad Europea están concentradas (1992) en España (32%), Francia (23%) y Alemania (10%). Por su parte, nuestras compras se concentran en casi un 80% en Alemania (38%), Francia (18%), España e Italia (12% cada uno).
5. A pesar de un descenso en su importancia relativa, el petróleo sigue siendo nuestro principal producto de exportación, en especial a España. Este hecho plantea retos importantes, sobre todo, por el acercamiento previsible de la Comunidad Europea con otros productores petroleros de Europa del Este. Por su parte, la industria automotriz y otras manufacturas han elevado, gradualmente, su importancia. La estructura de las importaciones procedentes de la Comunidad Europea, está más diversificada. La maquinaria y el equipo de transporte absorben más de la mitad de nuestras compras.
6. Después de Estados Unidos, la comunidad representa la segunda fuente más importante

de inversión extranjera directa; el Reino Unido, Alemania y España resaltan por su importancia en esta corriente. Una afirmación semejante puede hacerse en materia de deuda externa.

Retos principales de Europa

7. De la "euroesclerosis" de hace apenas unos años, hemos pasado por el "europtimismo" y hoy nos encontramos en un momento en que prevalece la incertidumbre.

   Es indudable que los impulsos formidables a la integración económica, monetaria y política de la Comunidad Europea, se enfrentan en la actualidad, a serios obstáculos.

   La recesión económica que se extiende por toda la comunidad, con diferentes grados de intensidad; el "no" danés a Maastricht, el escaso margen favorable del referéndum francés, las actitudes poco comunitarias del Reino Unido y la presencia cada vez más predominante de Alemania, han contribuido a un debilitamiento del proceso de integración. La inestabilidad financiera, las bruscas fluctuaciones cambiarias y el alto nivel de desocupación se suman a esos factores perturbadores. La crisis de los Balcanes vuelve a poner el tema de la seguridad en el tapete de las preocupaciones. La defensa de los "intereses nacionales" vuelve a ocupar un lugar destacado en las actitudes fundamentales. Y en consecuencia, la solución de los problemas internos de cada país comunitario —económicos, sociales y políticos— adquiere, hoy en día, una señalada preeminencia.

   Por otra parte, se aprecia un distanciamiento cada vez mayor en el cumplimiento de los indicadores de convergencia económica establecidos por la comunidad. España, por ejemplo, cumplía hace un año con tres de los indicadores básicos; hoy, sólo con uno.

   Todo lo anterior no pretende, ni mucho menos, transmitir la idea de que el proceso de integración europea sea reversible y que los obstáculos a los que se enfrenta sean infranqueables. Lo que sí se quiere subrayar es que el proceso se ha complicado, tomará más tiempo y afectará la actitud europea frente a sí misma y frente al resto del mundo.

8. Desde el punto de vista de las relaciones con el exterior, la Comunidad Europea se enfrenta al reto de ampliar el número de sus miembros con algunos países de la vieja Asociación Europea de Libre Comercio y eventualmente, con los países antes socialistas de Europa del Este. A pesar que el deslumbramiento inicial que provocó el derrumbe soviético ha sido superado, es incuestionable que en las próximas décadas, el "problema" de Europa del Este —incluyendo, de manera clara, el reto de las migraciones— ocupará atención prioritaria de la Comunidad Europea. Vale la pena reiterar que una de las grandes interrogantes para la próxima década será el grado de acercamiento de la Comunidad Europea con la exUnión Soviética y los países del este y, por supuesto, la política frente a terceros países, derivada de estos vínculos.

   Es claro que estos países ocupan la prioridad dentro de la política exterior de la Comunidad Europea; la zona del mediterráneo ocupa un segundo término, seguido de aquellas naciones conocidas como acp; América Latina, ocupa, hay que reconocerlo, un lugar secundario. Dentro de nuestra región, se aprecia un criterio selectivo, en donde sobresale Chile, Argentina y, de manera especial, México.

   Existen varios elementos no resueltos que tienen y van tener una particular relevancia: la política comercial de la Comunidad Europea, la llamada política agrícola común y el desenlace de la Ronda Uruguay del GATT.

9. Por lo que hace al impacto del mercado único europeo —que, a mi juicio, será una realidad tarde o temprano—, es necesario reconocer que tendrá efectos positivos y negativos y que, difícilmente, se puede aventurar una conclusión en un sentido u otro. El

mayor crecimiento esperado de las economías europeas puede significar, sin duda, mayores oportunidades de exportación, aún cuando habrá que incorporar las posibles dosis de desviación de comercio.

Lo que sí parece cierto es que no es posible permanecer pasivos si se quieren aprovechar esas oportunidades que ofrece el proceso complicado del mercado único europeo.

Retos principales de México

10. Nuestro país ha atravesado, en los últimos años, por un profundo proceso de transformación. El ajuste económico y el cambio estructural que han tenido lugar a partir de 1982 son ampliamente apreciados en Europa. Existen interrogantes alrededor de nuestro sistema político.

    La nueva estrategia económica que hemos seguido parece irreversible. Se requiere, sin duda, consolidar lo logrado, mantener el equilibrio macroeconómico, evitar excesos en la desregulación y en la "desestatización" y atender las carencias sociales con mayor vigor. El país se ha abierto, y busca su mejor inserción en los mercados mundiales, pero la prioridad sigue siendo lo interno.

11. En lo externo, tenemos demasiado concentrada la mirada en el norte. Es necesario tener presente que no conviene poner todos los huevos en una canasta. Europa y más concretamente la Comunidad Europea ocupa un lugar secundario en nuestras prioridades. Le hemos puesto poca atención.

    Así como en 1990 se identificaron pocas posibilidades *reales* con Europa y ello nos convenció de la conveniencia del TLC, ahora que ello será pronto una realidad nos obliga a mirar hacia Europa como un factor de auténtico e importante punto de equilibrio comercial, financiero y político.

    Fomentar y alentar inversiones en el país y estimular las exportaciones de mercancías y servicios, se han convertido en los pilares de nuestra estrategia económica. Fueron las razones que propulsaron el TLC. Europa tiene, sin duda, un papel importante que jugar en los dos campos. Son también razones, ahora más que antes, para propulsar la mayor y mejor relación con Europa. Es necesario. Nuestra tradición política pluralista lo exige.

Algunas sugerencias y conclusiones

12. México *necesita* estimular la diversificación de sus relaciones con el exterior. En el plano político, comercial, económico, financiero, tecnológico. Para ello, hay que intensificar los contactos con América Latina, la Cuenca del Pacífico y Europa. Europa, tal vez, ofrece la mejor opción, desde varios puntos de vista.
13. En la actualidad, México goza de una muy buena imagen en Europa. Conviene aprovecharla, ahora.
14. El fortalecimiento necesario de nuestra capacidad exportadora puede aprovechar las oportunidades que ofrece la Comunidad Europea. Será necesario mejorar y diversificar nuestra oferta exportable y conocer, con detalle las modalidades de la política comercial europea. La identificación de nichos de exportación mexicana, a través de un mejor conocimiento del mercado y de una mayor información, es un reto aprovechable.

    Es posible que para que esto ocurra haya necesidad del reconocimiento por parte del exportador mexicano —lo cual toma tiempo— que es necesario diversificar y aventurarse en otros mercados menos cómodos y menos conocidos. Para ello, es indispensable alentar una actitud dinámica y activa.

15. Alrededor de la mitad de nuestras exportaciones a Europa son productos del petróleo. La incorporación de algunos países exsocialistas al proyecto europeo puede representar un desplazamiento de la fuente de oferta petrolera mexicana. Es necesario, fortalecer las relaciones de largo plazo con los importadores de hidrocarburos y estimular alianzas estratégicas con ellos. Es este un campo que merece una atención especial en la estrategia mexicana.
16. La posibilidad de realizar proyectos de inversión mixta —europeos y mexicanos— en terceros países ofrece un interés particular. América latina representa, en este sentido, un campo atractivo.
17. La empresa europea se está percatando de la necesidad de abrir ventanas y salir del marco europeo, para mantener su competitividad global. América latina —y, en especial, México— ofrece atractivos interesantes. No creo exagerado afirmar que Europa requiere de México para asegurar su presencia en América Latina.
18. El TLC, sin duda,significalaposibilidaddeaprovecharelmercadomexicanoyacceder,demanera más fácil y sin obstáculos, al gran mercado de Estados Unidos y Canadá. La inversión en México se puede traducir en un incremento de la competitividad europea global; además, ello sería una manera segura de estimular la corriente de intercambio comercial.

    Para un aprovechamiento cabal de esta oportunidad, es necesaria, una estrategia especial de fomento de inversiones, con identificación clara de los campos más promisorios.
19. La presencia de entidades financieras europeas en nuestro país, puede ser un instrumento valioso para el fomento del comercio recíproco y el flujo de capitales. En este sentido, cabe pensar en algún tratamiento de atracción especial y, en cierto modo, anticipada a las disposiciones del TLC.
20. México, sin pretenderlo, juega un papel de liderazgo económico y político dentro de la región latinoamericana. Puede ser puente e interlocutor con el resto de los países regionales y con Estados Unidos. Esto se reconoce en Europa y puede ser un elemento de acercamiento en el diálogo político con Europa, que es, sin duda, una potencia global en ascenso.
21. Problemas globales nuevos, el tráfico de drogas y el terrorismo, plantean nuevas necesidades de colaboración bilateral.
22. Nuestra riqueza cultural y artística debe ser aprovechada de manera más sistemática y ordenada, para promover un mejor conocimiento de nuestra realidad. Es este un instrumento, al que, con frecuencia, no se le da la importancia que en verdad tiene.

    La evolución reciente de las corrientes turísticas ofrece también perspectivas muy favorables que conviene impulsar.
23. Las necesidades internas de la Europa comunitaria, incluyendo los enormes requerimientos de Europa del Este, pueden debilitar los flujos de capital hacia América Latina y hacia México, por lo menos en el corto o mediano plazo. Sin embargo, en un horizonte de tiempo más amplio, las perspectivas son ampliamente favorables. Los atractivos adicionales que ofrece el TLC pueden compensar aquellos factores.
24. Conviene reconocer que la Comunidad Europea no es un todo homogéneo y que se mantienen particularidades importantes entre los países miembros. El mantenimiento y fortalecimiento de la relación bilateral, con sus elementos propios, es fundamental. Alemania representa la mejor alternativa económica y, probablemente, España lo sea en el terreno político.
25. Hay quien piensa que dado que México busca la integración comercial con Estados Unidos y Canadá y que Europa busca lo mismo con el resto de su continente y con Rusia, la década de los noventa no parece propicia para un acercamiento de México con Euro-

pa. Empero, México, requiere, de manera esencial, fortalecer la diversificación de sus relaciones con el exterior. A la Comunidad Europea le sucede lo mismo, aun cuando con menor intensidad. Para lograrlo, es necesario alentar iniciativas y tomar muy diversas medidas que eleven la presencia recíproca en todos los órdenes y dentro de un programa global y deliberado. Por encima de todo, se requiere una gran decisión política. Me parece que todavía es una asignatura pendiente.

26. Termino: dicen que Jacques Delors señaló hace poco que "la CE se ha convertido en un socio al que se debe respetar, cortejar y temer." Sin duda, hay algo de verdad en la afirmación.

Anexo 13

La migración de mexicanos a Estados Unidos

El embajador Jesús Silva-Herzog, junto con el entonces subsecretario Rodríguez Arriaga tomó la iniciativa de crear en 1995 la oficina de representación de la Secretaría de Gobernación en la embajada de México en Washington, cargo para el cual fui designado. Esta decisión iba a sentar un precedente cuyos efectos en esos momentos nadie podía prever. Llama la atención el hecho de que no obstante que el asunto migratorio siempre se había atendido en la representación diplomática, no existía una oficina de asuntos migratorios como tal.

La medida se justificaba porque unos años antes se había iniciado en Estados Unidos un nuevo embate contra los migrantes indocumentados, en especial de los mexicanos. El gobernador de California, Pete Wilson, había logrado su reelección a base de acusar a los migrantes mexicanos de abusar de los servicios médicos y educativos de su estado, a la vez que acusaba al gobierno federal de su país de haber perdido el control de la frontera sur de Estados Unidos.

Es en ese contexto que Silva-Herzog acuerda con el secretario de Gobernación abrir esta oficina, que actuaría, en coordinación con la cancillería, como enlace con las autoridades migratorias estadunidenses, a fin de iniciar un diálogo que permitiera enfrentar este asunto de la mejor manera posible.

Esta decisión se justificaba porque Gobernación tiene entre sus funciones:

a) Ser la dependencia responsable en México de recibir a los mexicanos deportados por las autoridades migratorias de Estados Unidos;
b) Dirigir y coordinar el desempeño de los llamados "grupos beta", fuerzas policiales dedicadas a la protección de migrantes en la zona fronteriza, quienes eran los interlocutores principales de la patrulla fronteriza para combatir el tráfico de personas y prevenir abusos, ataques, o inclusive, fallecimientos de los migrantes.
c) Tener la responsabilidad institucional de salvaguardar la frontera sur de México, lugar por el que se internan miles de transmigrantes centroamericanos y de otras regiones a fin de llegar a Estados Unidos.[1]

Mi primera experiencia con el embajador fue una visita que hicimos al senador Alan Simpson de Wyoming, poderoso y reconocido legislador en política migratoria que lideraba en ese momento el debate iniciado en el congreso de ese país para reformar las leyes migratorias vigentes. En México se tenía una clara percepción de que se perfilaba una legislación agresiva, con especial énfasis en limitar los derechos de los indocumentados en Estados Unidos y, sobre todo, de reforzar las medidas de control en la frontera de México.

Enseguida transcribo el diálogo que sostuvieron entre ambos:

JSH: Hemos seguido con interés las discusiones que están teniendo lugar en el congreso sobre la reforma migratoria. Estamos preocupados por la tendencia antimigrante que prevalece y sus repercusiones en México. La migración entre ambos países es un asunto bilateral por definición.

[1] Años después, a raíz de los ataques terroristas del 11 de septiembre de 2001, Gobernación se volvió el interlocutor del nuevo Departamento de Seguridad Interna.

AS: Menciona usted los efectos en México y la "bilateralidad" del tema. Sin embargo, esta reforma migratoria no se refiere a México, y la política migratoria en Estados Unidos ha sido, y seguirá siendo, una decisión unilateral.

JSH: ¿Cómo puede ser unilateral si las repercusiones de esta política afectan a la frontera común y la migración internacional, es por definición, un asunto que involucra por lo menos a dos países? Además, los migrantes mexicanos son un beneficio para la economía estadunidense, y ustedes no lo están reconociendo.

AS: Muchos migrantes mexicanos violan las leyes de Estados Unidos al venir a este país sin los papeles requeridos. La protección de las fronteras es un asunto soberano que sólo el gobierno de Estados Unidos decidirá cómo conviene hacerlo.

JSH: La experiencia demuestra que los dos países ganan cuando se establecen reglas del juego de común acuerdo, por eso acabamos de firmar el Tratado de Libre Comercio y tenemos mecanismos bilaterales para combatir el narcotráfico.

AS: Voy a ser franco embajador, llevo más de veinte años siendo senador de mi país y he presenciado múltiples encuentros entre los presidentes de México y Estados Unidos; en cada ocasión me solicitan de la Casa Blanca mi opinión sobre la manera en que mi presidente debería abordar el tema migratorio. Nunca han seguido mi consejo.

"En cambio, he observado cómo cada presidente mexicano se limita a elaborar grandes discursos en defensa de los derechos humanos y la dignidad de sus migrantes, a lo cual el mandatario estadunidense reacciona expresando su compromiso de hacer todo lo posible para que ello se cumpla; acto seguido, ambos cambian rápidamente la conversación. Eso no va a cambiar nunca."

Esa conversación sintetizó una realidad que, si bien ha existido entre México y Estados Unidos desde hace décadas, adquirió una relevancia sin precedente a partir de los años en que Silva-Herzog fungió como embajador en Washington.

Durante su gestión se inició un cambio gradual en la posición del gobierno mexicano hacia este tema. Después de años en que se había optado por limitar la atención a este asunto a recriminaciones mutuas, ambos gobiernos iniciaron un diálogo institucional, sistemático y permanente que tenía como objetivo propiciar un acercamiento para intercambiar puntos de vista y encontrar formas que permitieran a ambos gobiernos administrar mejor los problemas que son propios de la migración indocumentada.

Silva-Herzog desarrolló una estrecha relación profesional con la comisionada del Servicio de Inmigración y Naturalización Doris Meissner, reconocida especialista en el tema migratorio. En los múltiples encuentros que sostuvieron se fue desarrollando un ambiente de confianza y respeto que permitió superar los tradicionales perjuicios y recelos que existen en la relación bilateral.

En el nivel operativo nos facilitó establecer mecanismos de diálogo y cooperación entre los consulados mexicanos con sus contrapartes migratorias; de esa manera se pudo avanzar en el ejercicio de la protección consular y ordenar la repatriación de los mexicanos indocumentados detenidos y devueltos al territorio nacional.

Para Silva-Herzog y los que colaboramos en este tema, los migrantes mexicanos nos dieron muchas lecciones. El embajador buscaba reunirse con los paisanos en cada visita de trabajo que hacía fuera de Washington. En una ocasión, haciendo un recorrido con la patrulla fronteriza en la zona de San Diego para conocer de primera mano los operativos que se llevan a cabo para detener a los migrantes que se internan por esa zona, Silva-Herzog pidió entrevistarse en privado con un joven que acaba de ser detenido y se encontraba en una estación de la patrulla fronteriza esperando ser devuelto a Tijuana.

El diálogo que sostuvieron fue el siguiente:

JSH: ¿De dónde viene, paisano?
PAISANO: De San Luis Potosí.
JSH: ¿A dónde iba?
PAISANO: A Los Angeles.
JSH: ¿Qué iba hacer allá?
PAISANO: A buscar trabajo.
JSH: ¿Y por qué decidió venirse en estas condiciones?
PAISANO: Por el pinche gobierno que usted representa.

Así como este encuentro, el embajador sostuvo muchos otros. Pláticas con trabajadores agrícolas, obreros, meseros y albañiles; también con la comunidad mexicana ya establecida en Estados Unidos, integrada a esa sociedad, que acude siempre a los encuentros que puede tener con el embajador mexicano, pues mantienen un gran interés y cariño por su país.

De 1995 a 1997, cuando el licenciado Silva-Herzog terminó su gestión en la embajada, el congreso de ese país había aprobado, y el presidente Clinton había firmado, una legislación migratoria considerada por los expertos de ese país como la más restrictiva de su historia.

Además, el Servicio de Inmigración y Naturalización empezó a recibir amplios incrementos en su presupuesto, que se tradujeron en triplicar el número de agentes de la patrulla fronteriza asignados a lo largo de la frontera mexicana, aumentar las detenciones de migrantes indocumentados, a la vez que propiciar que el cruce se volviera más difícil y, sobre todo, mucho más peligroso, causando en promedio, una muerte diaria de migrantes mexicanos.

Los mecanismos de diálogo y cooperación que se llevaron a cabo en esa época demostraron su utilidad al permitir que los consulados mexicanos intervinieran para evitar abusos e injusticias o abiertas violaciones de los derechos humanos y la integridad física de miles de mexicanos.

La tarea desarrollada en esos años sentó las bases para la iniciativa que en 2001 tomaría el nuevo gobierno mexicano de solicitar a su contraparte estadunidense iniciar negociaciones para establecer un régimen migratorio más acorde con la vecindad geográfica y la sociedad económica y comercial plasmada en el Tratado de Libre Comercio.

Tal vez el momento más amargo para Silva-Herzog en Washington fue cuando se descubrieron los vínculos del general Gutiérrez Rebollo con el narcotráfico. Ello sucedió un poco antes de la visita oficial del presidente Clinton a México. Varios miembros de su gabinete presionaron para cancelar el viaje. La solución fue negociar con México un acuerdo por el cual se iniciaba una colaboración sin precedente para combatir el tráfico de drogas y de los carteles.

En las tareas preparatorias, altos funcionarios de la Casa Blanca, entre los que se encontraba el consejero de Seguridad Nacional, Sandy Berger, condicionaron la visita a la adopción de ese documento. Esto ponía al gobierno mexicano en una delicada posición, al ser el narcotráfico el único tema que abordarían los presidentes.

Silva-Herzog planteó que, a cambio de ello, se incluyera también el tema migratorio, asunto de interés prioritario para México. El resultado fue la suscripción el 6 de mayo de 1997, de la declaración presidencial conjunta sobre migración, documento inédito ya que, como bien le había dicho el senador Simpson, nunca antes los mandatarios de ambos países se habían expresado por escrito sobre este asunto.

Diez años después, la migración ocupa un lugar central en la relación entre México y Estados Unidos y sigue siendo una signatura pendiente.

Gustavo Mohar
Abril de 2005

ANEXO 14

EL PASO POR WASHINGTON

El comentario de que el embajador Jesús Silva-Herzog no era un embajador "de carrera" sino "a la carrera", resultó de lo más apropiado cuando el presidente Zedillo lo nombró como embajador de México en Washington, donde verdaderamente se anda a la carrera todo el día y todos los días, y aunque esto parezca una exageración, basten sólo algunos datos para dar prueba de la intensidad que se vive en los asuntos de la relación bilateral que deben atenderse desde Washington.

Tan sólo en las primeras cuatro semanas de trabajo, el embajador tuvo que lidiar con eventos como: la orden de arresto para los líderes del Movimiento Zapatista en Chiapas (9 de febrero de 1995); la firma del acuerdo de ayuda financiera con el que se logró reunir un apoyo de 20,000 millones de dólares para evitar el colapso financiero de México y el colapso de los mercados financieros emergentes (21 de febrero de 1995); el anuncio por parte del procurador Lozano Gracia, sobre la existencia de un segundo tirador en el asesinato de Luis Donaldo Colosio, reviviendo con ello la teoría de una conspiración (25 de febrero de 1995); la certificación de México en la lucha contra el narcotráfico (28 de febrero de 1995); el arresto de Raúl Salinas como presunto autor intelectual del asesinato de José Francisco Ruiz Massieu (28 de febrero de 1995); el arresto de Mario Ruiz Massieu en Newark (3 de marzo de 1995).

Interpretar y explicar el impacto de estos acontecimientos a nuestros principales interlocutores en Washington, se convirtió en tarea permanente del embajador, muchas veces sin recibir retroalimentación por parte de la cancillería.

La tarea resulta desafiante si consideramos que entre los principales interlocutores en Washington se encuentran líderes de opinión, centros de investigación, especialistas (mexicanólogos), congresistas y sus asistentes, periodistas (mexicanos y estadunidenses), funcionarios de gobierno, etcétera.

Al llegar a Washington todavía encontramos rastros de los documentos que se prepararon para negociar el paquete de ayuda financiera a México como consecuencia de la crisis de diciembre de 1994. El desgaste político del presidente Clinton por utilizar un fondo de recursos cuya aplicación sólo dependía del ejecutivo, fue evidente. Sin embargo, el mayor costo para México lo facturó el Congreso, quien se sintió birlado por el presidente y por los mexicanos al perder la oportunidad de vender caro su voto para apoyar a otro país.

La factura la pagamos en gran medida con el estéril e innecesario pero muy ruidoso debate anual sobre la certificación en la lucha contra el narcotráfico.

La difícil postura de México en Washington tenía que ser compensada con elevados niveles de cooperación con Estados Unidos y con el acercamiento a todos los grupos de opinión e interés que se relacionaran con nuestro país.

Hasta 1996, las relaciones de México con los grupos organizados de la comunidad hispana se daba desde México a través de la entonces dirección general de Comunidades Mexicanas en el Extranjero. El embajador decidió entonces abrir una oficina de asuntos hispanos que se encargara de consolidar la relación de la embajada y del embajador con las organizaciones hispanas en Estados Unidos. La embajada estuvo presente en todas las convenciones de organizaciones hispanas y fortaleció sus lazos con importantes líderes de la comunidad, no sólo mexicana, sino de otros países latinoamericanos. Se logró conformar una base de datos que más tarde sirvió para hacer llegar mensajes específicos a la comunidad, como en el caso de la posición del gobierno de México ante la brutal golpiza a un grupo de migrantes mexicanos en Riverside, que fue transmitida por televisión el 2 de abril de 1996.

Las relaciones tuvieron momentos de tensión especialmente difíciles pero ninguno como el que provocó la detención de nuestro zar antidrogas, acusado de proteger a líderes del narcotráfico. La detención del general Gutiérrez Rebollo desmoralizó al equipo en Washington, dañó severamente nuestros niveles de credibilidad, les dio importantes armas a nuestros enemigos en Estados Unidos, pero sobre todo, revitalizó la sensación de desconfianza entre los dos países. La muestra más clara de ello fue cuando, en julio de 1997, la DEA confirmó la muerte del narcotraficante Amado Carrillo Fuentes, adelantándose a la pgr y creando la sensación de profunda desconfianza en las instituciones mexicanas. El embajador respondió calificando al director de la dea como un "cretino" sin tacto político. El calificativo mereció llamadas de la chancillería, pero a juicio de muchos, sirvió para revalorar la utilidad de no manejar la relación bilateral, sobre todo en materia de narcotráfico, ante los medios de información.

Para algunos considerado como síntoma de audacia política, para otros calificado de intención protagónica, la realidad es que el manejo de los medios de información por parte del embajador muchas veces era el resultado de la falta de interlocución con la cancillería. La combinación de un canciller cercano al presidente, un subsecretario que quiere ser secretario y un embajador con luz propia, han sido en muchas ocasiones la fórmula perfecta para el conflicto burocrático entre nuestra embajada en Washington y la cancillería.

En alguna ocasión le preguntaron al embajador sobre el famoso "error de diciembre" a lo que él contestó que había existido un error de noviembre, uno de diciembre y uno de enero. Al día siguiente le llegó un mensaje en el sentido de que el presidente se había molestado por sus comentarios. Inmediatamente me llamó el embajador para dictarme una carta confidencial, que aún conservo, en la que explicaba las razones por las que había hecho esas declaraciones y presentaba su renuncia como embajador en Washington. Afortunadamente para mi estabilidad laboral, las cosas se aclararon y el embajador no tuvo que enviar esa carta.

Javier Medina
Mayo de 2005

ANEXO 15

DISCURSO DE JESÚS SILVA-HERZOG F., EMBAJADOR DE MÉXICO EN ESTADOS UNIDOS EN LA CEREMONIA DE GRADUACIÓN DE ESTUDIOS INTERNACIONALES DE LA UNIVERSIDAD DE CALIFORNIA, BERKELEY

21 de mayo de 1995

Señor Richard M. Buxbaum,
Director de Estudios Internacionales
Distinguidos profesores
Miembros del grupo de graduados
Señoras y señores:

Me presento hoy en Berkeley con una profunda satisfacción personal. Esta universidad es reconocida no sólo por la excelencia de sus proyectos académicos y el profesionalismo de sus graduados, sino también por ser un poderoso símbolo de conciencia social en nuestros días. Berkeley ha estado a la vanguardia en los importantes, y a menudo radicales, cambios que han contribuido a la transformación de nuestras instituciones y de nuestra manera de pensar en las últimas décadas.

En efecto, pocos centros de educación superior han hecho tan importantes contribuciones como Berkeley a la formación de la identidad de las generaciones recientes. Aprecio la oportunidad de dirigirme a esta promoción de graduados que, estoy seguro, lleva consigo el legado de compromiso que ha sido tradicionalmente la valiosa contribución de Berkeley a las vidas de hombres y mujeres del mundo entero.

Como graduados de una universidad que ha privilegiado consistentemente la universalidad sobre el provincianismo y el compromiso sobre la apatía, ustedes tienen la obligación moral de mantener los principios que su alma máter tanto estima. Estoy seguro de que la promoción de graduados del día de hoy no decepcionará a Berkeley ni a ninguno de nosotros, que creemos que ustedes han adquirido una gran responsabilidad con su sociedad, su nación y el mundo. Ahora deberán convertirse en nuevos faros de esperanza, conocimiento, compromiso y tolerancia.

También es un particular honor para mí, como embajador de México en Estados Unidos, que se me haya solicitado dirigirme a ustedes en este día tan importante. Considero esta invitación como un reconocimiento de la creciente necesidad de conocernos mejor y de intensificar el diálogo que debe existir entre dos vecinos.

Nuestros dos países, y nuestras dos sociedades, se han acercado más en el pasado reciente y están en proceso de definir un nuevo tipo de relación para los años por venir. Como foro para el desarrollo de ideas e imaginativas respuestas a los muchos retos que enfrentaremos en el futuro, la Universidad de California en Berkeley puede y debe desempeñar un importante papel en ese proceso.

Forma parte de la desafortunada naturaleza de la política que, en periodos de crisis, problemas y dificultades tiendan a adquirir dimensiones desproporcionadas. Sin embargo, los momentos críticos también realzan las facetas positivas y perdurables de nuestra relación, y suelen ser un terreno de prueba para los compromisos que hemos asumido como naciones.

La relación entre México y Estados Unidos experimenta ahora una de sus más críticas pruebas en la historia reciente. Tanto nuestras dificultades como nuestras oportunidades han cobrado un nuevo significado, y es imperativo que las comprendamos correctamente. Es por eso que el día de hoy deseo referirme a algunos de los desafíos que enfrentan nuestras dos naciones, y proponer algunas ideas para un nuevo marco de entendimiento que permita prosperar a nuestros dos pueblos.

Se admite en general que estos últimos años han presenciado una marcada mejoría en la naturaleza de la relación bilateral entre México y Estados Unidos. El nivel de cooperación en un gran número de asuntos ha aumentado drásticamente, y la interacción entre nuestros dos gobiernos ha llegado a niveles sin precedente. Apenas la semana pasada, por ejemplo, se celebraron entrevistas de alto nivel entre representantes de nuestros poderes ejecutivos en una reunión binacional que congregó a más de quince secretarios de ambos países; de los gobernadores de los estados que colindan en el Golfo de México, y de nuestros cuerpos legislativos, en un mecanismo de encuentros interparlamentarios de tres décadas de antigüedad.

Entre las muchas iniciativas que en el pasado han llenado los vacíos entre nuestros dos países, el Tratado de Libre Comercio de América del Norte (TLCAN) suele citarse como el mejor ejemplo de esta nueva y mejorada relación, pues nos ha acercado económicamente y ha elevado el nivel de vida a ambos lados de la frontera.

Sin embargo, sería un error suponer que el TLCAN es la panacea en la que operarán perpetuamente las relaciones entre nuestros países. Por importante que sea y siga siendo el TLCAN para el futuro de nuestras naciones, se le debe ubicar en su contexto y perspectiva adecuados para evitar dos errores extremos: por una parte, creer que antes del TLCAN no existió nada y que el tratado ha sido el momento decisivo en la relación, acreditándole así el clima general de diálogo franco y abierto que hoy existe; y, por la otra, usar los problemas que frecuente e inevitablemente tensan una relación tan compleja como la nuestra como una prueba demostrativa de lo que el TLCAN no ha logrado o, peor aún, de por qué no debió negociarse en primera instancia.

Además, pese a afirmaciones de que hemos dejado atrás resentimientos históricos y prejuicios cíclicos, nuestra relación aún experimenta retrocesos que ponen en peligro el avance que orgullosamente proclamamos. Las actitudes antinmigrantes incitadas por ventajas políticas en el pasado reciente ejemplifican este problema.

Probablemente el mayor desafío que enfrentan los políticos de nuestros dos países sea cómo hacer compatible la conciencia de los beneficios de una relación basada en la cooperación y el respeto con los siempre presentes legados de desconfianza y antagonismo que tienden a contaminar nuestras relaciones. Aunque no sería realista, ni honesto, dar la impresión de que no tenemos problemas, creo justo decir que, con la apropiada voluntad política, nuestras dificultades pueden ser abordadas en forma serena, madura y calculada.

México y Estados Unidos tienen que crear una nueva visión que contribuya a tratar nuestros problemas con una generosa dosis de realismo. Aunque en asuntos específicos nuestros intereses nacionales no necesariamente podrían coincidir, esto no tiene por qué reducir los intereses que nuestras dos naciones comparten en su relación en su conjunto.

Permítaseme sugerir que son tres las principales razones de esto:

1. La creciente interdependencia de nuestros dos países.
2. Los beneficios por obtener de una actitud de cooperación antes que de confrontación.
3. El simple hecho de que hoy enfrentamos muchos problemas que sencillamente no pueden resolverse en forma unilateral.

Primeramente, ninguno de nuestros países vive aislado del otro. Por el contrario, cada vez es más evidente que hemos llegado a un nivel de interdependencia que era difícil imaginar hace apenas unos años. Mientras que la influencia de Estados Unidos sobre México siempre se ha considerado un hecho, debido a la enorme disparidad de riqueza y poder entre nuestras naciones, México es hoy un factor que también afecta a la sociedad estadunidense en una amplia variedad de maneras. Podría señalarse la influencia cultural visible en la región fronteriza, aunque esta influencia también se extiende mucho más allá, a todos los rincones de Estados Unidos.

Nunca había sido tan claro que lo que ocurre en mi país tiene un impacto directo en Estados Unidos como en la reciente crisis financiera que afectó a México. Se ha dicho mucho sobre la naturaleza del paquete financiero lanzado por el presidente Clinton para ayudar a la débil economía de México. Pero se ha concedido poca atención al hecho de que México es el tercer socio comercial de Estados Unidos, con más de cien mil millones de dólares de comercio anual, y de que más de setecientos mil empleos estadunidenses dependen del comercio con México. Así, al ayudar a la recuperación de la economía mexicana, Estados Unidos protege los beneficios reales y potenciales de una relación cada vez más redituable.

Quizá una de las mejores maneras de medir el impacto de lo que ocurre en México sobre Estados Unidos sea la atención sin precedente recientemente concedida en los medios estadunidenses a las dificultades económicas al sur de la frontera. Un estudio reciente demostró que en los tres primeros meses de este año, el número de artículos sobre México en cuarenta periódicos de Estados Unidos sólo fue inferior al de los referidos al presidente Clinton. Esta gran atención en los medios impresos, que rebasó incluso la obsesión por O. J. Simpson, es una evidencia clara de la relevancia que los hechos en México tienen ahora en Estados Unidos.

El debate sobre el paquete de asistencia financiera instrumentado por el presidente de Estados Unidos, originalmente propuesto como una responsabilidad conjunta con el Congreso, también es una prueba de una nueva tendencia en nuestra relación bilateral. Para bien o para mal, México y el efecto de lo que ocurre ahí sobre Estados Unidos forman parte ahora de un debate más amplio acerca de los asuntos internos de este país. El inconveniente de esto es que muchas decisiones referidas a algunos de los más importantes asuntos de la relación dependen, y en algunos casos son rehenes, de los imperativos de la política electoral o del mandato percibido del electorado estadunidense.

Éste es un nuevo acontecimiento que indudablemente va a tener consecuencias impredecibles en el manejo de nuestra relación. Desde el punto de vista de México, tenemos que insistir en que estas cuestiones deben tratarse con visión de Estado, un alto sentido de responsabilidad y la consideración de las implicaciones generales para la relación en su conjunto.

En segundo lugar, también hay mucho que ganar adoptando una actitud de cooperación en el tratamiento de los numerosos asuntos de interés mutuo. Estados Unidos y México han trabajado eficaz y constructivamente en foros multilaterales relacionados con asuntos que van del proceso de paz en Centroamérica a la no-proliferación de armas nucleares. También hemos promovido nuestros intereses comunes en foros económicos internacionales como la Organización de Cooperación y Desarrollo Económico (OCDE) y el Mecanismo de Cooperación Económica Asia-Pacífico (Asia-Pacific Economic Cooperation, APEC por sus siglas en inglés). En estos y otros casos, hemos sido capaces de resolver nuestras diferencias y llegar a arreglos que nos permitan alcanzar metas deseadas por ambas partes.

En el nivel estrictamente bilateral, la experiencia también está a favor de los beneficios de una actitud de cooperación. Esto es particularmente cierto a lo largo de nuestra frontera común, de más de tres mil kilómetros, donde millones de personas dependen de la coordinación de ambos gobiernos para abordar asuntos tan vitales como la protección del medio ambiente compartido y la asignación de recursos comunes.

La mayoría de las ciudades a lo largo de la línea divisoria están unidas en términos de interacción económica, el cruce regular de millones de personas en ambas direcciones e influencia cultural. Así, mientras que algunos podrían concebir esta región como fuente de muchos problemas bilaterales, también es un área llena de oportunidades para mejorar la vida de quienes residen a uno u otro lado de la frontera.

En tercer lugar, una buena relación también es vital para los intereses de ambas naciones por la simple razón de que muchos de nuestros problemas están interrelacionados y demandan esfuerzos conjuntos para ser resueltos. Dos cuestiones de particular preocupación para nuestros dos países son el mejor ejemplo a este respecto.

En la última década, nuestros esfuerzos de combate al narcotráfico se vieron entorpecidos por un error conceptual. Había una tendencia a responsabilizar a nuestros países de algún aspecto del problema --productores o consumidores, por ejemplo--, y esas distinciones demostraron ser engañosas y oponerse a la necesaria cooperación en la guerra contra las drogas. La realidad es mucho más compleja y el problema debe abordarse en su integridad, desde la producción hasta el consumidor, incluyendo rutas de tránsito, lavado de dinero, corrupción y tráfico de armas. Además, el necesario reconocimiento de que ningún país es responsable de un único eslabón de esta cadena es igualmente importante.

México está haciendo su parte en la guerra contra las drogas por tres principales razones, esbozadas por el presidente Ernesto Zedillo: porque es un problema de seguridad nacional, porque es un problema de salud pública y porque estamos comprometidos con ese combate en virtud de la cooperación internacional. El gobierno de México ha dedicado al cumplimiento de esos objetivos recursos sustanciales, incluida la trágica pérdida de muchas personas que han dado la vida para ganar las batallas de este conflicto. Sin embargo, estamos plenamente conscientes de que nuestros esfuerzos siempre serán insuficientes mientras otros países no asignen los recursos ni tomen las difíciles decisiones políticas que esta lucha implica. Cualquier esfuerzo sin un compromiso resuelto es insuficiente y fracasará.

Reconocemos que México es una importante ruta de tránsito de drogas a Estados Unidos. Pero también sabemos que éstas no se evaporan al cruzar la frontera. Desafortunadamente, los dividendos representados por el mercado de consumo son un poderoso imán que sólo será desactivado por una considerable voluntad política. Aunque nuestra cooperación bilateral en muchos aspectos de este problema merecería el elogio, mucho más debe hacerse aún, en forma coordinada y cooperativa.

La segunda cuestión a la que quiero referirme es la de la inmigración. Éste es un problema crucial para Estados Unidos y México, y es el asunto que, sobre todos los demás, amenaza con nublar el horizonte de nuestras relaciones.

México no ignora el impacto de la migración en ambos lados de la frontera. Por una parte, comprendemos perfectamente la preocupación de Estados Unidos por el cumplimiento de sus leyes de inmigración. Pero, al mismo tiempo, estamos penosamente conscientes de que un porcentaje tan alto de fuerza de trabajo perdida priva a nuestro país de algunos de sus más emprendedores y prometedores jóvenes hombres y mujeres.

No hay recetas fáciles para tratar la migración. Cualquier solución debe elaborarse con paciencia, tolerancia y moderación. Paciencia, porque las soluciones sólo pueden basarse en medidas de largo plazo; tolerancia, porque el debate de la inmigración se ha empañado en Estados Unidos de xenofobia, racismo y agendas políticas locales, y moderación, porque debemos pugnar por buscar soluciones comunes.

Nunca debemos olvidar que nuestra frontera común es una región en sí misma que atestigua las mejores oportunidades de nuestra relación, pero también es donde los desafíos pueden convertirse en problemas críticos. La inmigración podría resultar el problema crítico de nuestro futuro. Medidas unilaterales, la construcción de muros o la presunta militarización de la frontera suelen dañar más los lazos que existen entre las comunidades fronterizas y nuestras naciones en su conjunto. Esas medidas son un reto a la cooperación y afectan profundamente nuestra confianza y amistad mutuas. Estoy totalmente convencido de que esas unilaterales medidas no pueden promover los intereses de corto o largo plazo de nuestras naciones.

La cuestión de la inmigración es de apremiante naturaleza política porque representa un desafío a nuestros valores. Para nosotros, en México, representa el imperativo de crear las condiciones de oportunidad de empleo y remuneración que disuadan a los migrantes en potencia. Para ustedes, en Estados Unidos, el movimiento antinmigración mina los fundamentos y principios mismos de este país y desafía sus nociones de decencia, tolerancia y aceptación, esenciales para la democracia estadunidense.

Adicionalmente, este asunto va más allá de las relaciones entre Estados Unidos y México y tiene implicaciones para el hemisferio en su conjunto. El debate de la inmigración tiene un impacto en el espíritu que une a América Latina con Estados Unidos. Las naciones del continente están confundidas y preocupadas por los efectos que la xenofobia y la intolerancia tendrán en las iniciativas que fomentan el diálogo y la integración hemisféricos, tal como se les concibió en la reciente Cumbre de las Américas. La voluntad política que fructificó en la cumbre hemisférica debe convertirse en la regla, no la excepción, en las relaciones interamericanas.

Éstos son los parámetros que definen nuestra relación. Debemos acompañarlos de una sensación de propósito y destino, y volverlos a nuestro favor. Con base en ellos deben crearse y mantenerse nuevos paradigmas. Permítaseme sugerir tres: *1*) la inevitabilidad de la interdependencia y la vecindad; *2*) la necesidad de cooperación, y *3*) el realismo, para evitar la contaminación de la agenda bilateral en su conjunto a causa de controversias en asuntos específicos de nuestra relación.

Nuestro liderazgo político demanda que convirtamos nuestra interdependencia en corresponsabilidad; que dejemos atrás tentaciones de confrotación para buscar la cooperación; que abandonemos ideologías estrechas para que podamos actuar con un sentido de pragmatismo en el tratamiento de las preocupaciones implicadas por nuestros proyectos comunes. Nuestras dos naciones tendrán que igualar ideales con acciones y visión con compromisos.

Al dejar las aulas de la Universidad de Berkeley, ustedes deberían llevar consigo la sabiduría necesaria para actuar con un alto sentido de humanismo y el valor indispensable para combatir los prejuicios. De muchas maneras, su futuro, el futuro de Estados Unidos, está irremediablemente ligado al de México. Todos debemos trabajar juntos, con una sensación común de destino, por alcanzar el ideal de una relación próspera y constructiva. Debemos forjar nuestras orgullosas identidades y cumplir nuestro propósito nacional sin exclusiones que discriminen ni ambiciones que empequeñezcan a nuestro vecino.

Así como hoy se marchan con una educación basada en la tolerancia y la razón, todos debemos empeñarnos en enseñar esos valores a la sociedad en general. En esto reside el mayor desafío de nuestro futuro. Estoy seguro de que hoy estamos un paso más cerca de vencer ese desafío.

Felicidades y muy buena suerte.

ANEXO 16

X CONGRESO NACIONAL "IDENTIDAD Y GLOBALIZACIÓN", OAXTEPEC, MORELOS

28 de noviembre de 1996

Diversa y amplia, compleja e intensa, la relación de México con Estados Unidos representa formidables retos, desafíos y oportunidades. Es difícil encontrar un ejemplo de otros dos países tan diversos en su cultura, historia y visión que hayan logrado establecer una relación que se caracteriza más por sus beneficios y ventajas que por sus necesarias dificultades. Si hay una constante en las relaciones entre nuestros dos países, ésta es la incesante, permanente, búsqueda de esquemas de convivencia pacífica y constructiva. Simultáneamente, el desafío cotidiano que enfrentamos es la tentación o, en su caso, los intentos, por vulnerar soberanías o imponer voluntades. Mantener los equilibrios de la relación nunca ha sido fácil, y continua siendo la tarea diaria de la diplomacia mexicana.

La relación bilateral México-Estados Unidos abunda en ejemplos que la definen en forma positiva. Cada día nuestra frontera común es testigo de más de un millón de cruces legales; la gran mayoría sin incidentes o contratiempos. Ello habla elocuentemente del permanente contacto entre nuestros dos pueblos y sociedades, de una frontera puente y no de una línea divisoria. En materia comercial, nuestro volumen de intercambio es de los mayores en el mundo. Este año el comercio bilateral ascenderá a unos 140,000 millones de dólares, superando la cifra de 120,000 para 1995. Somos el tercer socio comercial de Estados Unidos y, de mantenerse las tendencias actuales, seremos el segundo en importancia al inicio del próximo siglo. Hoy por hoy, el comercio de Estados Unidos con México es superior al que mantiene con el resto de los países del hemisferio en su conjunto. Asimismo, el monto de la inversión directa de Estados Unidos en México está por encima de la de cualquier otro país.

En el marco de una relación tan intensa y amplia, es ingenuo pensar que no habría problemas. Los hay, y sin duda son importantes, pero en todo caso no se debe perder de vista su magnitud relativa en comparación con el conjunto de la relación.

Nuestra frontera común es el punto neurálgico de la relación. Es ahí donde se manifiestan con mayor intensidad los conflictos existentes, quince millones de personas viven cara a cara, compartiendo aspiraciones y dificultades comunes que requieren acciones concertadas de ambos países. Proteger y mejorar el medio ambiente, facilitar el cruce de personas y bienes, combatir problemas sociales de criminalidad y drogadicción, y evitar las tensiones generadas por el contacto cotidiano son sólo algunos de los retos más importantes en esta región. En la medida en que los dos países podamos ser exitosos y dar respuestas efectivas para las necesidades de la región, se estará dando un paso fundamental para mejorar el ambiente general de la relación bilateral.

La migración continuará siendo un punto sensible en el desarrollo de nuestros vínculos. Es un problema estructural cuya solución no se puede fincar en bardas, policías o actitudes xenófobas. Mientras exista un excedente de mano de obra mexicana, y una demanda de la misma en Estados Unidos, el flujo de personas continuará. Las nuevas medidas restrictivas adoptadas en Estados Unidos no alteran la realidad de la situación: es más, la desconocen. Tratar de cerrar el flujo migratorio sin atender las causas primarias que lo originan, no sólo no resuelve el problema, sino que crea el escenario idóneo para abusos y violaciones que ofenden e indignan a

México, pero que también vulneran las normas de convivencia civilizada tan preciadas por la sociedad estadunidense. Por ello, nosotros continuaremos abogando por el respeto a los derechos humanos, sociales y laborales de los mexicanos en Estados Unidos, independientemente de su situación migratoria.

La otra gran demanda estadunidense, la de drogas, también es un problema que requiere de soluciones compartidas y no de acusaciones demagógicas. En esto hemos avanzado en la concepción del narcotráfico como un fenómeno integral que abarca desde la producción hasta la comercialización y consumo. Hemos creado un mecanismo que ya empieza a dar frutos al definir con claridad la naturaleza del problema y subrayar la necesidad de atenderlo en forma conjunta y compartida. El Grupo de Contacto de Alto Nivel, como se le denomina, ha demostrado que cuando existe voluntad política y disposición hacia la colaboración, aún los problemas más complejos de la relación pueden ser atendidos en forma adecuada.

No todos nuestros problemas tienen solución, por lo menos no en el futuro cercano. Sin embargo, es posible administrar la relación para encauzarla por una vía positiva y constructiva. Nuestro gran desafío hacia el futuro, como la parte vulnerable de la ecuación bilateral, es garantizar que los problemas existentes no se conviertan en excusa para vulnerar nuestra identidad y soberanía. Administrar la relación también es del interés de Estados Unidos: no existe otro país en el mundo más importante para Estados Unidos que México. Por la magnitud de nuestra relación económica; del flujo de personas, legales o no; o por el simple hecho de que para resolver cuestiones de interés fundamental para la sociedad estadunidense se requiere de la voluntad y la cooperación de México, nuestro país es de la mayor importancia para el bienestar, seguridad y prosperidad del vecino del norte.

ANEXO 17

DEBATE POR LA CIUDAD, UNA MUY APRETADA SÍNTESIS
DOCE FOROS TEMÁTICOS

Del 9 de febrero al 28 de marzo de 2000

Al final de cada una de las reuniones, el candidato intervenía, tratando de reunir los puntos principales de las diversas ponencias. He aquí algunas de esas conclusiones.

Seguridad y justicia

El reclamo y la preocupación más sentida de los capitalinos.

Causas principales de la inseguridad:

- Impunidad. Sólo 4% de las denuncias llegan a conocimiento de un juez.
- Corrupción policiaca.
- Problemas económicos.
- Instituciones desgastadas, atrasadas y debilitadas.
- Ausencia de una cultura de la legalidad.

Estrategia general:

- Enfoque integral.
- Aplicación de la ley, sin excepciones.
- Recuperar la confianza en el ministerio público.
- Máxima prioridad.

Acciones inmediatas:

- Actualización jurídica y modernización administrativa.
- Combate frontal a la impunidad.
- Sistema de inteligencia policiaca.
- Mejoramiento y rescate del poder judicial.
- Profesionalizar al personal.
- Actuar en el sistema penitenciario. El actual es una desgracia.
- Alentar la participación ciudadana.
- Operativos policiales.

Desarrollo urbano y vivienda

- Se requiere una visión metropolitana con visión estratégica y de largo plazo.
- Necesidad de mejorar servicios e infraestructura.
- Programa de regeneración urbana
- Aprovechamiento de las zonas de la ciudad que ya cuentan con servicios.
- Planeación urbana con participación ciudadana.

- Estímulo al crédito hipotecario de todo el sistema financiero.
- Mano firme frente a los asentamientos humanos irregulares, precedida de negociación y alternativas.
- La iniciativa privada está lista para participar en el esfuerzo.
- Hacer de la vivienda el eje fundamental de la política económica de la ciudad.

Desarrollo rural, ecología y medio ambiente

- Más de la mitad del territorio de la ciudad es todavía campo.
- Diseño de políticas y acciones de carácter metropolitano.
- Nuevos mecanismos de evaluación en estas materias. Sustituir los recursos erogados por avances reales.
- Entre todos hay que cuidar a la ciudad, su medio ambiente y sus recursos naturales.
- Aplicación rigurosa de las leyes para proteger las zonas verdes, los bosques y los mantos acuíferos.
- Creación de una fiscalía especial para la atención de delitos ambientales.
- Programa emergente de desarrollo rural y agropecuario. Regularización y ordenamiento de la propiedad rural.
- Defender la cultura rural, ante las presiones del desarrollo urbano.

Transporte y vialidad

- El transporte colectivo es insuficiente, lo cual estimula el uso del transporte individual.
- Se requiere un impulso enérgico al transporte colectivo en sus distintas modalidades, con un enfoque regional y metropolitano.
- El metro debe ser la columna vertebral del transporte.
- Realización de la sexta etapa del metro.
- Sustitución de combis y microbuses por autobuses de mayor capacidad.
- Impulso al tren suburbano.
- Hace veinte años que no construimos una vialidad importante y hoy los que circulamos somos el doble: saturación.
- Conclusión de las vías de acceso controlado: el anillo periférico y el circuito interior, ejes viales, entre otros.

Agua y otros servicios urbanos

- El abasto, calidad y suministro del agua en la ciudad representa un problema crítico y una prioridad inaplazable.
- No hay suficiente agua y la que tenemos la desperdiciamos
- Casi 40% de la oferta de agua se desperdicia, tanto en las redes como en las tomas domiciliarias.
- El acuífero del valle de México está sobre-explotado.
- La mitad de las tomas domiciliarias de agua no tienen medidores.
- El tratamiento de aguas residuales es mínimo.
- Es urgente crear una cultura del agua.
- Se requiere la participación vigorosa del sector privado (cobro de las cuotas, tratamiento, recuperación, etcétera).

Educación, cultura, deporte y recreación

- Un mejor mañana y una mejor escuela, son realidades inseparables.
- Consolidar la descentralización educativa.
- El problema ya no es de cantidad, sino de calidad en la educación.
- Promoción del mejoramiento de la infraestructura educativa.
- La propuesta para crear una universidad de la ciudad de México requiere un mayor análisis.
- Respeto absoluto a la autonomía universitaria.
- Sistema permanente de evaluación.
- Iniciativa de una ley de educación para el Distrito Federal.
- El ciudadano necesita oxígeno, libertad y espacios para expresar su creatividad y cultura.

Comercio y servicios

- El comercio y la prestación de servicios son la vocación de largo plazo de la ciudad de México.
- El 45% del PIB de la ciudad de México lo representan los servicios.
- Entrarle de lleno al problema del comercio informal y al ambulantaje, que se han convertido en un problema grave. Resolver el problema con diálogo y negociación, y no a palos.
- Rescate del centro histórico.
- Permitir el inicio de actividades de ciertos giros y cumplir, después, con los trámites requeridos: desregulación.
- Modernizar el registro público de la propiedad.
- El turismo en la ciudad puede significar un gran nicho de crecimiento. Hay que fomentarlo.
- Programa especial de protección al turista.
- La inseguridad ha ahuyentado a los visitantes nacionales y extranjeros.

Salud y bienestar social

- La salud es un elemento imprescindible del bienestar social y condición vital para el desarrollo de la sociedad.
- Diseñar una verdadera política pública en materia de salud.
- Se requiere una fuerte inyección de recursos financieros para mejorar la infraestructura, capacitar y pagarle mejor al personal, adquirir equipo y tecnología y abastecer medicamentos suficientes.
- Atender, de manera prioritaria, los problemas de la tercera edad.
- La clave es prevenir.
- Programas especiales de atención a la mujer y a la juventud.
- El bienestar social, antes que nada, requiere dignidad y respeto.
- El 40% de los capitalinos no cuenta con un sistema de seguridad social específico.

Empleo, capacitación y desarrollo de los trabajadores

- La tasa de desempleo abierto en el Distrito Federal es mayor al promedio nacional.
- El gobierno de la capital debe convertirse en un verdadero promotor de la inversión —pública y privada— y del empleo.

- Creación de una nueva Secretaría de Trabajo y Productividad.
- Los estados y las ciudades compiten hacia el exterior con una arma única: su gente.
- Capacitación y educación son sinónimos de progreso y oportunidades para los capitalinos.
- Vamos a trabajar por la igualdad plena de la mujer en los hechos de la vida cotidiana.
- Programa emergente de capacitación, adiestramiento y empleo para los discapacitados.
- Requerimos sindicatos más representativos, más democráticos y mejor organizados.
- Impulso al servicio civil de carrera.

Desarrollo administrativo y finanzas

- Eliminar obstáculos y trámites que fomentan la discrecionalidad y la corrupción. Para limpiar la administración hay que comenzar por simplificarla.
- Llevar modernidad y tecnología a la labor del gobierno.
- Promover un clima de responsabilidad pública.
- Modernización integral de los sistemas registrales.
- Crear la figura del abogado de la ciudad.
- El buen manejo financiero será una actividad prioritaria.
- Cuatro problemas fundamentales: la reforma fiscal, la reforma de la administración tributaria, el ejercicio del gasto público y su fiscalización.
- No se trata de gastar más, sino de gastar mejor.
- Órgano superior de fiscalización, autónomo e independiente de los intereses de partido.

Ideología, gobierno y participación social

- Es la ley la que puede equilibrar el orden con la democracia y el respeto por los derechos de todos.
- Acciones conjuntas para velar por el largo plazo de nuestra ciudad como un centro urbano regional.
- Pauta invariable de conducta: transparencia y rendición de cuentas.
- Revisión del estatuto de gobierno para precisar atribuciones y responsabilidades entre gobierno central y delegaciones.
- Revisión integral de la ley de participación ciudadana.
- Tanto gobierno como sea necesario, y tanta sociedad como sea posible.
- Fortalecer los esquemas de organización vecinal.
- No queremos un gobierno demagógico o populista que haga de la pobreza y la marginación una bandera de manipulación.
- El gobierno puede volver a significar responsabilidad y compromisos.

AÑO	EL MUNDO	AMÉRICA LATINA	MÉXICO
1968	• El presidente estadunidense Lyndon Johnson anuncia, como consecuencia de su fracaso en Vietnam, que no buscará la reelección. • El senador Robert Kennedy, precandidato demócrata a la presidencia de Estados Unidos, es asesinado en Los Angeles. • Represión con uso excesivo de la fuerza de las protestas en Chicago durante la convención del Partido Demócrata. • Richard Nixon, republicano, es electo como el 37º presidente de Estados Unidos con la promesa de acabar con la guerra en Vietnam. • En Checoslovaquia, la política reformista de Alexander Dubcek desemboca en la invasión del país por el ejército soviético. • Asesinato del líder estadunidense de los derechos civiles Martin Luther King. • Protestas estudiantiles en Europa, Estados Unidos y América Latina. • La nave *Apolo 7* permite a tres astronautas estadunidenses orbitar la Tierra durante once días. Más tarde los astronautas del *Apolo 8* giran en torno a la Luna. Los soviéticos, por su parte, logran el acoplamiento por radar de dos satélites. • El personaje de Walt Disney, Mickey Mouse, cumple 40 años; la minifalda pierde terreno frente a la midifalda.	• El dictador de Paraguay, Alfredo Stroessner, envía tropas a Vietnam en apoyo a la política estadunidense en ese país. • En octubre tienen lugar dos golpes militares, uno en Perú y otro en Panamá. En el primero, toma el poder el general Juan Velasco Alvarado; en el segundo, el general Omar Torrijos, ambos significarán un viraje hacia la izquierda. • En Venezuela, Rafael Caldera, de la democracia cristiana, es electo presidente. • En Guatemala, la guerrilla asesina al embajador estadunidense John Mein.	• Las protestas pacíficas de los estudiantes contra la represión policiaca iniciadas en julio se transforman en manifestaciones antigubernamentales y terminan con la masacre de estudiantes por fuerzas del gobierno el 2 de octubre. • El 12 de octubre se inauguran los juegos olímpicos en la ciudad de México, evento que el gobierno usa para proyectar una imagen de éxito del régimen posrevolucionario.

AÑO	EL MUNDO	AMÉRICA LATINA	MÉXICO
1969	• Richard Nixon, presidente de Estados Unidos, inicia el retiro de sus tropas de Vietnam. • Charles de Gaulle renuncia como presidente de Francia. Le sucede Georges Pompidou. • Dubcek es forzado a renunciar en Checoslovaquia y se impone la línea dura, pro soviética, en el nuevo gobierno. • Entra en vigor el Tratado de Tlatelolco, que proscribe las armas nucleares en América Latina. • En la URSS, el escritor Alexander Solzhenitsyn es expulsado de la Unión de Escritores debido a que su obra no es compatible con la ideología del régimen. • Una encuesta muestra que 70% de los estadunidenses considera que la importancia de la religión está disminuyendo en ese país. • El festival de música y contracultura a campo abierto en Woodstock, en Estados Unidos, congrega a más de 300 mil personas. • Un astronauta estadunidense pone pie en la Luna. • La inflación aparece como un problema mundial.	• En Argentina tiene lugar "el cordobazo" de mayo, una violenta represión del ejército como respuesta a las protestas en Córdoba en contra del régimen militar. • Colapso del Mercado Común Centroamericano como resultado de la llamada "guerra del futbol" entre Honduras y El Salvador. • En Bolivia, el gobierno del presidente Siles Salinas es derrocado mediante un golpe de Estado, que sería el inicio de una serie por venir.	• Muere, en un sospechoso accidente aéreo, el dirigente político disidente Carlos A. Madrazo. • El ambiente de represión a la disidencia continúa, pero el gobierno disminuye a 18 años la edad para ejercer los derechos políticos ciudadanos. • En la ciudad de México se inaugura el sistema subterráneo de transporte colectivo (Metro). • Se tensan las relaciones de México con Estados Unidos a raíz de la decisión unilateral de ese país de llevar a cabo la Operación Intercepción, que semiparaliza los cruces fronterizos para interceptar contrabando de drogas.
1970	• El Partido Conservador, con Edward Heat a la cabeza, gana las elecciones en Gran Bretaña. • La URSS y Alemania occidental firman un tratado en Moscú; un paso más en la disminución de las tensiones de la guerra fría.	• Salvador Allende, socialista, es electo presidente de Chile. • En Argentina, el grupo guerrillero Montoneros secuestra y mata al expresidente Pedro Aramburu. Poco después, el general Onganía es obligado a renunciar a la presidencia.	• Se deroga el artículo que durante la segunda guerra mundial configuró el delito político de "disolución social" y varios líderes de izquierda, como Demetrio Vallejo y Valentín Campa, recobran su libertad. • Luis Echeverría Álvarez, exsecretario de

AÑO	EL MUNDO	AMÉRICA LATINA	MÉXICO
	• Estados Unidos disminuye su presencia en Vietnam al reducir a menos de 400 mil sus efectivos en ese país. Las protestas contra la presencia estadunidense en Vietnam dejan varios muertos en la Universidad Estatal de Kent, Ohio. Huelga en 448 universidades estadunidenses. • La guerra civil en Jordania concluye con la expulsión de los refugiados palestinos. • Gran caída en las bolsas de valores. • El escritor soviético disidente, Alexander Solzhenitsyn, recibe el premio Nobel de literatura. • Los soviéticos mandan un robot a la Luna para recoger muestras del suelo y logran hacer llegar una nave a Venus.	• En noviembre, el ejército declara Estado de sitio en Guatemala. • El científico argentino Luis Federico Leloir gana el premio Nobel de química.	Gobernación, asume el poder presidencial. • Se constituyen el Consejo Nacional de Ciencia y Tecnología (CONACYT) y el Instituto Mexicano de Comercio Exterior. • Se llevan a cabo los juegos de la copa mundial de futbol.
1971	• En agosto, Estados Unidos abandona el sistema de tipos de cambio fijos al oro. El dólar se devalúa 50% frente a las monedas fuertes en los siguientes meses. La inflación empieza a ser significativa en todo Occidente. • El secretario de Estado estadunidense, Henry Kissinger, viaja en secreto a China como parte de una política de acercamiento con ese país. Al final China es admitida en la ONU, y Taiwán, expulsado. • Guerra de India y Pakistán. Bangladesh se declara independiente de Pakistán. • Se usa por primera vez el nombre "Silicon Valley" para hablar de la zona de alto desarrollo tecnológico de California. Se construye el primer microprocesador en un chip. Se envía el primer correo	• Nacionalización en Chile de todos los recursos mineros y combustibles del país y de la banca. • A fines de 1970, Salvador Allende logra, por mayoría relativa, ganar la presidencia de Chile. • Agustín Alejandro Lanusse, presidente de Argentina.	• En junio, una manifestación estudiantil es reprimida con extrema violencia por un grupo paramilitar conocido como "Halcones". • Inicia la "atonía" económica. Resultado de la crisis económica mundial. • Se crea la Comisión Nacional Tripartita (gobierno, empresarios y obreros). Antecedente del INFONAVIT.

AÑO	EL MUNDO	AMÉRICA LATINA	MÉXICO
	electrónico. Aparece el primer "disco flexible".		
1972	• Richard Nixon, presidente estadunidense, visita China. Ambos países tienen interés en neutralizar a la URSS. • El grupo terrorista palestino Septiembre Negro secuestra y asesina a atletas judíos en las olimpiadas de Munich. • Comienza el escándalo de Watergate (espionaje político ilegal) que le costará la presidencia de Estados Unidos a Nixon. • Aparece la "tomografía axial" computarizada. • Gran éxito de la película estadunidense *El padrino.*	• Nicaragua: un terremoto causa la muerte de más de diez mil personas y apresura una crisis en el gobierno.	• Luis Echeverría propone la "Carta de Derechos y Deberes de los Estados". • Salvador Allende, presidente de Chile, visita México. • Creación del INFONAVIT. • Muere Genaro Vázquez Rojas, dirigente de la guerrilla rural en Guerrero. Es sustituido por Lucio Cabañas. • Se funda el SUTERM (Sindicato Único de Trabajadores Electricistas de la República Mexicana). • El gobierno adquiere el grueso de las acciones de Teléfonos de México y anuncia que incrementará en más de 16% la inversión pública.
1973	• Luis Carrero Blanco es nombrado presidente de España. Es asesinado por ETA. • Guerra de Yom Kippur. Israel resiste. La OPEP reacciona al apoyo estadunidense a Israel y decreta un embargo de crudo. Éste sube su precio de 3 a 12 dólares por barril en menos de tres meses. • Estados Unidos retira sus tropas de Vietnam. • Mueren el pintor Pablo Picasso y el poeta Pablo Neruda.	• Héctor José Cámpora, presidente de Argentina. • Regresa Juan Domingo Perón a Argentina. • En septiembre, Augusto Pinochet comanda un golpe de Estado en contra de Salvador Allende, quien pierde la vida defendiendo el palacio de gobierno, en Santiago de Chile. • Se establece en Uruguay la dictadura militar encabezada por Juan María Bordaberry.	• Fundación de la Liga Comunista 23 de Septiembre, principal actor de la guerrilla urbana. • En septiembre, es asesinado el empresario Eugenio Garza Sada, en un intento de secuestro por parte de la Liga 23 de Septiembre. Luis Echeverría es agredido al asistir al sepelio. • Se acelera notablemente la inflación. • El gobierno abre las puertas del país a los perseguidos políticos de Chile.
1974	• Revolución antiautoritaria (de los "claveles") en Portugal. Es el inicio de la llamada "tercera ola democrática" en Europa y América Latina.	• Muere Juan Domingo Perón en Argentina y lo sucede su esposa. • Ernesto Geisel, presidente de Brasil. • El grupo guerrillero argentino Monto-	• Creación de la Universidad Autónoma Metropolitana (UAM). • En Guerrero, la guerrilla de Lucio Cabañas secuestra a Rubén Figueroa, can-

AÑO	EL MUNDO	AMÉRICA LATINA	MÉXICO
	• Richard Nixon dimite a causa del Watergate. • Grecia invade Chipre. • Se inicia un periodo de recesión económica mundial. • Primer torneo de ajedrez entre computadoras (Estocolmo). • Primera discusión sobre cambio genético (modificaciones del DNA de la bacteria *E. Coli*).	neros declara la guerra abierta al gobierno.	didato del Partido Revolucionario Institucional a la gubernatura. • Muere Lucio Cabañas en enfrentamiento con el ejército. • En el Vaticano, el presidente Echeverría tiene una entrevista sin precedentes con el papa. • Muere el último de los grandes muralistas: David Alfaro Siqueiros.
1975	• El Khmer Rojo toma el poder en Camboya. Será una de las dictaduras más sangrientas de la historia. • En Vietnam, el Vietcong toma Saigón y finaliza la guerra. • Inicia guerra en Líbano. • En noviembre, muere Francisco Franco. El gobierno español queda en manos del príncipe Juan Carlos I. • Primera computadora personal, Altair 8800, para armar en casa. • La ONU decreta 1975 como año internacional de la mujer.	• La OEA deja en libertad a sus países miembros para reanudar relaciones con Cuba.	• Rompimiento de relaciones comerciales con España (como respuesta a la condena a muerte de cinco vascos en ese país). • Luis Echeverría visita la UNAM. Hay tumulto y es expulsado a pedradas, una de las cuales lo golpea en la cabeza. • En Naciones Unidas se aprueba una resolución que considera al sionismo como una versión de racismo. México vota a favor de la resolución. A cambio, la comunidad judía lleva a cabo un boicot contra México, que afecta al turismo. México dará marcha atrás y renuncia el secretario de Relaciones Exteriores. • Desmembramiento de la Liga Comunista 23 de Septiembre.
1976	• La socialdemocracia en Suecia pierde el poder por primera vez en cuarenta años. • En enero, muere en China Chou Enlai; en septiembre, muere el líder máximo de este país y líder de la revolución, Mao Tse-tung.	• Golpe militar en Argentina. El general Jorge Videla, presidente de Argentina. Se inicia la "guerra sucia" contra la izquierda.	• Enfrentamiento entre el presidente saliente y los líderes del sector privado, que lo acusan de socialista. • En julio, José López Portillo (JLP) gana la elección presidencial, en la que no hay siquiera competencia formal, pues el PAN se negó a presentar candidato.

AÑO	EL MUNDO	AMÉRICA LATINA	MÉXICO
	• Siria se involucra en la guerra del Líbano. • Alzamiento y masacre en Soweto, Sudáfrica. • James Carter, presidente de Estados Unidos. • Adolfo Suárez, presidente de España. • El "eurocomunismo" acentúa la independencia de los comunistas europeos frente a la URSS. • Se construye la primera computadora Apple. • Primera supercomputadora, Cray I. • Aparece la videocasetera.		• En julio, un movimiento interno en el periódico *Excélsior*, fomentado por Luis Echeverría, expulsa a la dirección, encabezada por Julio Scherer. • En septiembre, el peso mexicano se devalúa, de 12.50 a 18.50 pesos por dólar. Hay rumores de golpe de Estado. • JLP asume la presidencia en diciembre. Se anuncia la gran riqueza petrolera en el golfo de México. La plataforma de producción de petróleo pasará de 800 mil barriles diarios en 1976 a 2.8 millones de barriles diarios en 1982.
1977	• Indira Ghandi y el Partido del Congreso pierden las elecciones en India. • El presidente de Egipto, Anwar el-Sadat visita Israel y acepta el derecho de ese Estado a existir. • Se funda Apple Computers. Se funda Microsoft. • Primera transmisión de TV por fibra óptica. • Muere Elvis Presley, el rey del rock.	• Se firma un tratado entre Panamá y Estados Unidos en virtud del cual se devolverá la soberanía del canal interoceánico a los panameños en 1999.	• Reforma política, legalización del Partido Comunista. Nuevos partidos son aceptados para competir en las elecciones de 1979. • JLP sustituye a los secretarios de Hacienda y de Programación y Presupuesto, después de serias dificultades para definir el rumbo económico del país. • Se anuncia un plan para reducir el crecimiento demográfico a 2.5% anual para 1982 y 1% para 2000.
1978	• Golpe militar en Afganistán que instala un régimen comunista y es el inicio de una prolongada guerra civil con efectos internacionales de largo plazo. • Muere el papa católico Paulo VI. Le sucede Juan Pablo I, quien muere a los 33 días de pontificado. Juan Pablo II, primer papa no italiano en medio milenio.	• En Nicaragua, el Frente Sandinista de Liberación Nacional ocupa el Palacio del Congreso y comienza una rebelión.	• Termina el conflicto obrero en la industria eléctrica. La corriente sindical Tendencia Democrática, encabezada por Rafael Galván, es destruida. • Se crea el impuesto al valor agregado (IVA). • Ley de amnistía a favor de los acusados de rebelión o sedición. • Se concluyen relaciones diplomáticas

AÑO	EL MUNDO	AMÉRICA LATINA	MÉXICO
	• Nuevo ascenso en los precios del petróleo. • Acuerdos de paz para Medio Oriente, firmados en Camp David, Estados Unidos. • Nueva Constitución democrática en España; el franquismo pasa a la historia. • Se venden computadoras personales que se utilizan con la televisión (Tandy y Commodore). • Nace el primer "bebé de probeta" en Inglaterra. • Aparece la "cultura punk".		con el gobierno republicano español (en el exilio) y se reanudan con el gobierno de Madrid.
1979	• Margaret Thatcher es primer ministro inglés. Inicio del proyecto "neoliberal" en Inglaterra que pronto se expandirá al resto del mundo. • Revolución en Irán, los ayatolas toman el poder y deponen al sha. • Termina la guerra civil y racial en Rhodesia. • La Unión Soviética invade Afganistán para sostener el régimen comunista, pero enfrenta una feroz resistencia. • Accidente en la planta nuclear Three Mile Island en Estados Unidos. • Primera "hoja de cálculo" para computadoras. • Se prueban los primeros teléfonos celulares. • La madre Teresa de Calcuta recibe el premio Nobel de la paz.	• La guerrilla del Frente Sandinista de Liberación Nacional derrota al gobierno dictatorial de Anastasio Somoza, toma el poder y gobierna hasta 1984.	• El papa visita México. • México reconoce al nuevo régimen revolucionario de Nicaragua. • Griselda Álvarez, primera mujer que ocupa el cargo de gobernador. • Se anuncia que las reservas petroleras son unas de las más grandes del mundo.

AÑO	EL MUNDO	AMÉRICA LATINA	MÉXICO
1980	• Huelgas en los astilleros de Gdansk (Polonia), inicios del sindicato Solidaridad. • Muere el mariscal Tito; comienza la crisis que destruirá Yugoslavia. • Crisis de los rehenes estadunidenses en Irán. • Embargo de Estados Unidos a la URSS por la invasión de Afganistán. • Inicia la guerra entre Irak e Irán. • Ronald Reagan, presidente de Estados Unidos. • John Lennon, miembro del grupo musical The Beatles, es asesinado. • Se anuncia la desaparición de una enfermedad milenaria: la viruela. • Se descubre la posibilidad de leer el código genético (DNA), mediante rayos X.	• La guerra civil en Centroamérica se agudiza. Es asesinado por un "escuadrón de la muerte" de la derecha monseñor Óscar Arnulfo Romero, arzobispo de El Salvador, mientras oficiaba misa. • Miles de cubanos salen de Puerto Mariel, Cuba, rumbo a Miami.	• JLP sustituye al secretario de Programación y Presupuesto, Ricardo García Sáenz. En su lugar es nombrado Miguel de la Madrid. • Creación del Sistema Alimentario Mexicano (SAM). Tendrá éxito durante dos años. • Rosa Luz Alegría, primera mujer a cargo de una secretaría de Estado.
1981	• Golpe de Estado frustrado en España y reafirmación de la democracia. • Es asesinado por fundamentalistas islámicos Anwar el-Sadat, presidente de Egipto. • Se aplica un plan antinflacionario en Estados Unidos. Como resultado, las tasas de interés en ese país y en Inglaterra pasarán de 8 a 22%. • Victoria de los socialistas en Francia. • Baja en los precios mundiales del petróleo como resultado de mayor producción de Arabia Saudita. • Primera computadora personal de IBM. • Se desarrolla el sistema operativo MS-DOS. • Se reconoce la aparición del sida.	• Roberto Viola (militar), presidente de Argentina. • Matanza de El Mozote, en El Salvador, 800 personas son asesinadas por paramilitares. • Muere en un accidente Omar Torrijos, hombre fuerte de Panamá. • Belice se convierte en nación independiente.	• Declaración conjunta de México y Francia para reconocer al Frente Farabundo Martí para la Liberación Nacional como parte beligerante en El Salvador. • JLP anuncia que no devaluará el peso. • Miguel de la Madrid (MMH), candidato del PRI a la presidencia. • Se constituye el Partido Socialista Unificado de México (PSUM).

AÑO	EL MUNDO	AMÉRICA LATINA	MÉXICO
1982	• España ingresa a la OTAN. • La socialdemocracia regresa al poder en Suecia, con Olof Palme. • Helmut Kohl es elegido canciller en Alemania. El Partido Verde ingresa al parlamento. • Solidaridad es ilegalizado en Polonia. • Felipe González, socialista, gana las elecciones en España. • En la URSS muere Leonid Brezhnev, le sucede Yuri Andropov; se abren las posibilidades de cambio en ese país. • Israel invade Líbano. • Madonna aparece como la representante femenina de la cultura pop; Michael Jackson es la megaestrella masculina.	• Crisis de la deuda externa latinoamericana, como resultado del ascenso de las tasas de interés internacionales. • Guerra de Las Malvinas, entre Argentina e Inglaterra. Caída del gobierno militar a raíz de su derrota en esta guerra.	• Colapso de la economía. En su sexto informe de gobierno, JLP nacionaliza la banca y establece el control de cambios, como medidas de emergencia frente a la crisis. El peso mexicano se devalúa de 25 a 150 pesos por dólar en nueve meses. Estados Unidos hace un préstamo de emergencia a México por 3 mil millones de dólares.
1983	• Elección de Yuri Andropov como presidente del Soviet Supremo. • Es abatido un avión surcoreano en espacio aéreo soviético. Inicio del despliegue de los euromisiles en Europa. El presidente estadunidense califica a la URSS como "imperio del mal" y propone un gran sistema de defensa al que se bautizó como "guerra de las galaxias". • Lech Walesa, líder de la oposición en Polonia, premio Nobel de la paz. • Aislamiento del virus del síndrome de inmunodeficiencia adquirida (sida). • Se termina el protocolo TCP/IP que será la base de la internet.	• Invasión estadunidense de la isla de Granada para acabar con un gobierno de izquierda. • Victoria de Raúl Alfonsín en las primeras elecciones libres en Argentina tras la caída de la dictadura.	• Inicia la aplicación del Programa Inmediato de Reordenación Económica (PIRE). • Se crea el Fideicomiso de Cobertura de Riesgos Cambiarios (FICORCA), que permitirá a las empresas endeudadas en dólares tener acceso a divisas subsidiadas. • Creación del Grupo Contadora (México, Colombia, Venezuela y Panamá) para buscar la paz en Centroamérica.

AÑO	EL MUNDO	AMÉRICA LATINA	MÉXICO
1984	• Muere Yuri Andropov en la URSS. Le sucede Konstantin Chernenko. • Huelga de la minería británica. • Reelección de Ronald Reagan como presidente de Estados Unidos. • Asesinato de Indira Gandhi en la India. • Tragedia en Bhopal, India. Se fugan sustancias químicas; miles de muertos. • Aparece el CD-ROM en los mercados. • Se descubre la "huella digital" del DNA, secuencias que son diferentes para cada individuo.	• Fin de la dictadura uruguaya: presidencia de Julio María Sanguinetti. • Los sandinistas triunfan en las elecciones presidenciales de Nicaragua.	
1985	• Muere Konstantin Chernenko. Elección de Mijail Gorbachov como presidente de la URSS. • Primer encuentro Reagan-Gorbachov en Ginebra. • Aparece Windows 1.0, software de Microsoft. • Se crean moléculas de 60 carbonos (fullerenos). • Se confirma la existencia de un agujero en la capa de ozono que rodea a la Tierra. • La cultura del consumo de droga se reconoce como un problema serio en Estados Unidos y en el mundo.	• Daniel Ortega, presidente de Nicaragua. Embargo de Estados Unidos contra el régimen sandinista. • José Sarney, presidente de Brasil; inicia la democracia. • Planes antinflacionarios en América Latina. En Argentina, se sustituye el peso por el austral.	• En septiembre, un terremoto extremadamente fuerte azota a la ciudad de México. Miles de muertos y movilización ciudadana para el rescate de víctimas. • Se inicia el desmantelamiento del sector paraestatal, con la liquidación de 236 empresas paraestatales y la reducción de la burocracia federal. • México es aceptado en el GATT, con lo que se inicia la destrucción de la gran barrera proteccionista de la economía mexicana.
1986	• Entrada de España y Portugal en la Comunidad Económica Europea. • Elección de Mário Soares, socialista, como presidente de Portugal. • Firma del Acta Única europea. Previsión del mercado único para enero de 1993.	• Cae Baby-Doc Duvalier en Haití. • Se descubre el financiamiento encubierto de Estados Unidos a los contrarrevolucionarios en Nicaragua.	• En junio, Jesús Silva-Herzog sale de la Secretaría de Hacienda por diferencias serias en el gabinete económico. Carlos Salinas queda solo en la carrera presidencial. • Tensiones en el PRI. Se crea la Corriente Democrática dentro de ese partido,

AÑO	EL MUNDO	AMÉRICA LATINA	MÉXICO
	• Asesinato del primer ministro sueco Olof Palme. • Accidente nuclear en Chernobil, en la URSS. • Explosión de la nave *Challenger* (Estados Unidos). • Inicio del escándalo Irangate en Estados Unidos. • El escritor nigeriano Wole Soyinka se convierte en el primer novelista negro en recibir el premio Nobel.		que choca con las estructuras presidenciales. • Mundial de futbol en México.
1987	• Mijail Gorbachov inicia su campaña en favor del "glasnost" (apertura) y de la "perestroika" (reconstrucción). • Cumbre de Washington entre Reagan y Gorbachov y firma de un acuerdo por la reducción de armamento nuclear en Europa. • Las tropas sudafricanas se retiran de Angola y dejan de auxiliar a los rebeldes. • En octubre, desplome de los mercados bursátiles de todo el mundo. • Aparece la teoría "out of Africa". De acuerdo con los genetistas, el DNA de toda la población mundial derivaría de antepasados africanos. • Aparece el primer secuenciador de DNA automático. • La población mundial supera los 5,000 millones de personas.	• Chico Mendes, activista brasileño pro defensa de la selva amazónica, es asesinado. • El presidente de Costa Rica, Óscar Arias, gana el premio Nobel de la paz.	• La Corriente Democrática del PRI es expulsada. Cuauhtémoc Cárdenas es candidato a la presidencia por el PARM e inicia una gran movilización electoral. • Caída de la bolsa de valores en octubre, devaluación del peso. • En octubre, Carlos Salinas es designado candidato a la presidencia por el PRI. • En diciembre, inicio del Pacto de Solidaridad Económica (plan antinflacionario).

AÑO	EL MUNDO	AMÉRICA LATINA	MÉXICO
1988	• Reelección de François Mitterrand como presidente de Francia. • La URSS comienza su retirada de Afganistán y la disminución de su ejército en medio millón de efectivos. • Decisión de la Comunidad Económica Europea de iniciar la unión monetaria y económica a partir de 1990. • Elección de George Bush como presidente de Estados Unidos. • Los palestinos inician la intifada contra la ocupación israelí en la franja de Gaza. • En agosto, fin de la guerra Irán-Irak. • Venta de RJR Nabisco, la transacción más grande realizada a través de un take-over financiada con "bonos-basura". • La cadena estadunidense de comida rápida McDonald's abre veinte establecimientos en Moscú. • Auge del fax.	• Referéndum en Chile sobre la apertura democrática. Gana el "no" a la continuidad del general Augusto Pinochet en el poder. • Acuerdo entre el gobierno sandinista de Nicaragua y los contrarrevolucionarios.	• En julio, las elecciones presidenciales resultan muy competidas. Los resultados oficiales dan 50% de los votos al PRI, 30% al Frente Democrático Nacional y poco más de 15% al PAN. Serias acusaciones de fraude. • En diciembre, Carlos Salinas es presidente de la República.
1989	• Confirmación de Mijail Gorbachov como jefe de Estado por el Congreso de los Diputados del Pueblo. • Adopción de reformas políticas en la URSS. • Primer gobierno no comunista en Polonia. • Multipartidismo en Hungría. • Caída del comunismo en Bulgaria y Checoslovaquia. • Caída del Muro de Berlín. • Caída de Nicolae Ceausescu en Rumania. • Cumbre de Malta entre Mijail Gorbachov y George Bush.	• En Colombia, son asesinados cuatro candidatos presidenciales, entre ellos Luis Carlos Galán, a manos de narcotraficantes. • Elección de Patricio Alwyn como presidente de Chile. • Carlos Menem, presidente de Argentina. • Primeras elecciones democráticas en Uruguay desde 1971. • El dictador militar que gobernó Paraguay desde 1954, Alfredo Stroessner, es derrocado. Asume la presidencia Andrés Rodríguez. • Estados Unidos invade Panamá para derrocar y capturar a Manuel Noriega, al	• El líder petrolero Joaquín Hernández Galicia, la Quina, opositor de Carlos Salinas, es encarcelado, acusado de acopio de armas y asesinato. • Roberto Legorreta, dueño de una casa de bolsa, es encarcelado acusado de fraude (con motivo del derrumbe bursátil del año anterior). • En septiembre, México logra una nueva renegociación de la deuda externa.

AÑO	EL MUNDO	AMÉRICA LATINA	MÉXICO
	• Elección de Václav Havel como presidente de Checoslovaquia. • Aki Hito sucede a Hiro Ito en el trono de Japón. • Viaje de Mijail Gorbachov a Pekín. • Asesinato masivo de estudiantes en la plaza de Tiannanmen de Pekín. • Muerte del ayatola Jomeini. Lo sucede Alí Rafsanjani (Irán). • Inician reformas políticas en Sudáfrica. • Tragedia ecológica, el buque *Exxon Valdés* encalla y tira miles de barriles de petróleo al mar cerca de Alaska. • Aparecen los ataques de "virus" a las computadoras.	que acusa de complicidad con el narcotráfico.	
1990	• Irak invade Kuwait. En respuesta, Estados Unidos, con el apoyo de la ONU, ataca Irak. • Elecciones libres en Hungría, Rumania y Bulgaria. • Reunificación de las dos Alemanias. • Lech Walesa, el sindicalista que luchó contra el régimen comunista, es electo presidente en Polonia. • Después de proponer el "poll tax", Margaret Thatcher debe dimitir al puesto de primer ministro británico. John Major la sustituye. • Reformas para la implantación de la economía de mercado en la URSS. • Nelson Mandela, el líder moral de la lucha contra el apartheid, es liberado en Sudáfrica. El partido Congreso Nacional Africano declara el fin de la guerra contra el gobierno.	• Los sandinistas pierden las elecciones en Nicaragua. Violeta Chamorro, presidenta.	• Inician acercamientos para un posible acuerdo comercial con Estados Unidos. • Se aceleran los procesos de privatización de empresas de gobierno.

AÑO	EL MUNDO	AMÉRICA LATINA	MÉXICO
	• Tratado de París entre la OTAN y el Pacto de Varsovia. • Primer trasplante de genes a un ser humano (primer humano transgénico). • Aparición del Viagra, medicamento para la impotencia sexual masculina. • Lanzamiento del *Hubble*, telescopio satelital. • Tim Berners-Lee crea la www para el Consejo Europeo de Investigación Nuclear (CERN).		
1991	• Estados Unidos, al frente de una coalición legitimada por la ONU, ataca al ejército de Irak en Kuwait y en poco tiempo la guerra del Golfo Pérsico termina con una derrota total de Irak. • Conferencia de Maastricht. Se adopta el ecu como moneda única europea. • Disolución del Pacto de Varsovia. Disolución oficial del COMECON. • Disolución del Soviet Supremo tras la suspensión de las actividades del Partido Comunista en la URSS y el retiro de los poderes especiales a Mijail Gorbachov. Leningrado recupera su nombre anterior: San Petersburgo. • Fin de la existencia oficial de la URSS y creación de la Comunidad de Estados Independientes (CEI). Dimisión de Mijail Gorbachov. • Boris Yeltsin es elegido por sufragio universal presidente de la Federación Rusa. • Independencia de Croacia y Eslovenia e inicio de los enfrentamientos violentos en Yugoslavia.	• Nuevo plan contra la inflación en Argentina. Regresa el peso, que ahora es convertible uno a uno con el dólar. El Banco Central se convierte en consejo monetario (no tiene posibilidad de emitir pesos si no tiene reservas en dólares). • Pablo Escobar, el narcotraficante más importante de Colombia (y el más violento), se entrega y es recluido en una cárcel especial. Se fuga unos meses después, y muere en enfrentamiento con la policía en 1993.	• Se anuncia el inicio formal de negociaciones para un acuerdo comercial entre México, Estados Unidos y Canadá. • Privatización de Teléfonos de México. El nuevo dueño, Carlos Slim, se convertirá pronto en el hombre más rico de América Latina. • Inicia la privatización bancaria.

AÑO	EL MUNDO	AMÉRICA LATINA	MÉXICO
	• Intento de golpe militar en la URSS. Boris Yeltsin reconoce la independencia de Estonia, Letonia y Lituania. • Sitio de Dubrovnik por el ejército federal yugoslavo. Toma de Vukovar, símbolo de la resistencia croata frente a los serbios. • Asesinato del primer ministro indio, Rajiv Gandhi. • Creación de los "nanotubos", filamentos de carbono extremadamente pequeños.		
1992	• George Bush es derrotado en las elecciones presidenciales. Termina la era conservadora y republicana Reagan-Bush. William Clinton, del Partido Demócrata, es electo presidente de los Estados Unidos. • Firma del Tratado de Maastricht por todos los miembros de la Comunidad Económica Europea. • Reelección del conservador John Major en Gran Bretaña. • Proclamación de la nueva república de Yugoslavia por Serbia y Montenegro. Inicio de la ofensiva del ejército serbio contra Sarajevo. • Disturbios raciales en Los Angeles. • Firma de un acuerdo entre Serbia y Croacia para el reparto de Bosnia-Herzegovina. • El sindicato polaco Solidaridad retira su apoyo al presidente Lech Walesa. • Triunfa la huelga general de la mayoría negra en Sudáfrica.	• Golpe de Estado de Alberto Fujimori en Perú. • Captura de Abimael Guzmán, camarada Gonzalo, y desmembramiento de Sendero Luminoso en Perú. • Fernando Collor de Mello, presidente de Brasil, es destituido por corrupción. • Acuerdo de paz en El Salvador, fin de doce años de guerra civil (murieron 75 mil personas). • Rigoberta Menchú, india guatemalteca, gana el premio Nobel de la paz.	• Reforma al artículo 27 constitucional para poner fin a la reforma agraria. Reforma al artículo 130 constitucional para reconocer derechos a las Iglesias. • Modificación o creación de gran cantidad de leyes y firma de acuerdos internacionales, como preparación a la firma del TLC de América del Norte. • Finalizan negociaciones del TLC de América del Norte. • La llegada de William Clinton a la presidencia de Estados Unidos fuerza a nuevas negociaciones del TLC. Se introducen los "acuerdos paralelos" en materia laboral y ecológica.

AÑO	EL MUNDO	AMÉRICA LATINA	MÉXICO
	• Decisión china de avanzar en la revolución económica (aceptación de la economía de mercado) y rechazo de la apertura política. • Intervención estadunidense en Somalia. • La CERN libera la www para el público.		
1993	• Entrada en vigor del Acta Única en Europa. • La conferencia de paz de Ginebra intenta reunir a bosnios, croatas y serbios para negociar el cese de las hostilidades. • Estados Unidos logra un acuerdo entre Israel y la Organización para la Liberación de Palestina (OLP). • Intensificación de los combates entre croatas y serbios en la autoproclamada República Serbia de Krajina. • Celebración del referéndum sobre el Tratado de Maastricht en Dinamarca, con victoria de la accesión. • Elecciones generales en Polonia. Triunfo del antiguo partido comunista. • Enfrentamientos cruentos en Moscú entre los partidarios de Boris Yeltsin y los conservadores, atrincherados en el Parlamento. • Se disuelve Checoslovaquia y nacen dos repúblicas independientes. • Se crea la primera interfase gráfica para la www, "Mosaic". Más de 15 millones de personas se conectan regularmente al sistema para intercambiar información. • Las mujeres adquieren calidad de combatientes en el ejército estadunidense.	• Victoria de Eduardo Frei en las elecciones chilenas.	• En septiembre, reforma al artículo 82 constitucional; a partir del primero de enero de 2000 se permitirá a hijos de extranjeros asumir la presidencia de la República. • El 19 de noviembre, el senado estadunidense aprueba el TLC. • Luis Donaldo Colosio, candidato del PRI a la presidencia de la República.

AÑO	EL MUNDO	AMÉRICA LATINA	MÉXICO
1994	• Victoria de Silvio Belusconi, gran empresario, en las elecciones legislativas celebradas en Italia. • Por primera vez los ciudadanos negros de Sudáfrica votan. Victoria de Nelson Mandela en las elecciones. La mayoría negra toma definitivamente el poder en esa nación. • Medio millón de ruandeses son masacrados por rivalidades étnicas en África Central. • Francia e Inglaterra quedan unidas por un tren que cruza el Canal de la Mancha. • Aparece Netscape, software para "navegar" en internet. Crecimiento exponencial de la red mundial.	• Elección de Henrique Cardoso como presidente de Brasil. • Victoria de Julio María Sanguinetti en las elecciones uruguayas. • Con el apoyo de Estados Unidos, regresa a Haití el derrocado presidente Jean-Bertrand Aristide.	• Primero de enero, levantamiento armado en varios municipios de Chiapas. El grupo armado es el Ejército Zapatista de Liberación Nacional. El líder y vocero del grupo, el Subcomandante Marcos, resultará un éxito de comunicación. • 23 de marzo, Luis Donaldo Colosio, candidato del PRI a la presidencia, es asesinado en Tijuana. Ernesto Zedillo será candidato sustituto. • Reforma electoral, aparece la figura del "consejero electoral ciudadano" y el Instituto Federal Electoral empieza a adquirir independencia. • Agosto, Ernesto Zedillo gana la elección presidencial. • Septiembre, José Francisco Ruiz Massieu, secretario general del PRI, es asesinado en la ciudad de México. • Diciembre, Ernesto Zedillo toma posesión de la presidencia. Veinte días después, el Banco de México anuncia que se levanta la banda de flotación del peso. Hay una gran fuga de capitales. El banco abandona el mercado cambiario. La devaluación es brusca, y el gobierno no tiene recursos para afrontar la deuda de corto plazo. Inicia una crisis económica.
1995	• La ONU cumple 50 años de existencia. • Inicio de una guerra en la República de Chechenia, que pretende independizarse de Rusia. • Se crea la moneda única —el euro— de la Comunidad Económica Europea. • El Consejo de Seguridad de la ONU en-	• Reelección de Carlos Menem en Argentina. • Problemas financieros en América Latina como resultado de la crisis de México (el "efecto tequila").	• 2 de enero, se inicia la aplicación del Acuerdo de Unidad para Superar la Emergencia Económica (AUSEE). No tiene mayor efecto. Se solicita apoyo al congreso estadunidense en forma de garantías para solicitar un crédito por 40 mil millones de dólares.

AÑO	EL MUNDO	AMÉRICA LATINA	MÉXICO
	carga a la OTAN la misión de controlar el acuerdo de paz en Bosnia. • Israel y Palestina firman un cese de casi 50 años de enfrentamiento, con la creación de una región autónoma y una Alta Autoridad Palestina. El primer ministro israelí, Isaac Rabin, muere asesinado por un judío de extrema derecha. • Referéndum en Quebec sobre la soberanía de la región, que continúa en el seno de Canadá. • Se publica el primer mapa genómico de un organismo complejo (*Haemophylus influenzae*). • Se identifican dos genes asociados al mal de Alzheimer. • Se acoplan en el espacio, a 400 kilómetros de altura, una nave estadunidense y una rusa. • El cine cumple cien años.		• 28 de febrero, el congreso estadunidense se niega apoyo a México. • En marzo, William Clinton, usando sólo el poder de la presidencia, ofrece 20 mil millones de dólares a México, que se suman a 25 mil millones del FMI, el Banco Internacional de Pagos y el Banco Mundial. • 9 de marzo, se anuncia el Programa de Acción para Reforzar el Acuerdo de Unidad para Superar la Emergencia Económica (PARAUSEE). Se anuncia la entrada en vigor de las unidades de inversión (UDIS), unidad monetaria que incluye la inflación. • En abril, los bancos mexicanos en serios problemas. Los deudores no pueden pagar. Se anuncian programas de rescate, que entrarán en vigor en julio. • Raúl Salinas, hermano del expresidente Carlos, es detenido, acusado del asesinato de José Francisco Ruiz Massieu.
1996	• Boris Yeltsin es reelegido presidente de Rusia. • Yasser Arafat es electo presidente del Estado de Palestina con 88.1% de los votos. • El Partido Popular, liderado por José María Aznar, gana en España por escaso margen las elecciones legislativas anticipadas. • La coalición italiana de centro-izquierda L'Ulivo obtiene en las elecciones una clara mayoría con 43.4% de los votos; Romano Prodi forma un gobierno de coalición.	• Finaliza la larga guerra civil en Guatemala. • El presidente colombiano Ernesto Samper es acusado de connivencia con el narcotráfico. • El grupo Tupac Amaru secuestra a 72 invitados especiales en la embajada de Japón en Perú. El secuestro durará varios meses, y termina con el ataque de fuerzas especiales que liquidan al grupo y a varios rehenes.	• Reforma electoral que da lugar a que, por primera vez, sea posible un proceso electoral efectivamente imparcial a nivel federal.

AÑO	EL MUNDO	AMÉRICA LATINA	MÉXICO
	• Se celebra en Canadá la Conferencia Mundial contra el Sida.		
1997	• Toma posesión Kofi Annan, africano, de la Secretaría General de la ONU. • La Unión Europea plantea el ingreso de 10 nuevos países miembros en un futuro próximo, para llegar a 25. • El presidente serbio Slobodan Milosevic reconoce la victoria de la oposición en las elecciones de noviembre. • Muere el patriarca del régimen comunista chino, Deng Xiaoping, a los 92 años. Ziang Zemin, nuevo dirigente de China. • La rebelión zaireña pone fin a 36 años de mandato de Mobutu Sese Seko e instala en el poder al dirigente revolucionario Laurent Désiré Kabila; el país recupera el nombre de República Democrática del Congo. • El laborista Tony Blair consigue una aplastante mayoría en las elecciones británicas. • En Francia, un socialista, Lionel Jospin, se convierte en primer ministro. • Estado de guerra civil en la República Democrática del Congo. • Científicos escoceses anuncian la existencia de Dolly, una oveja clonada. • El Museo Guggenheim, en Bilbao, con su estructura de titanio, se convierte en la obra arquitectónica más representativa de finales del siglo XX. • La nave estadunidense *Pathfinder* llega a Marte y transmite con éxito información sobre la naturaleza del planeta.	• El exdictador Hugo Banzer es electo presidente de Bolivia. • Tres políticos se autoproclaman a la vez presidentes de Ecuador. Fabián Alarcón es, finalmente, nombrado presidente.	• En julio, el PRI pierde por primera vez en su historia la mayoría en la cámara de diputados. El viejo sistema autoritario inicia su etapa de liberalización. • En septiembre, hay un amago de golpe constitucional, al no presentarse la bancada del PRI a la apertura de sesiones del congreso. • En la primera elección para jefe de gobierno del Distrito Federal, es elegido Cuauhtémoc Cárdenas, del PRD. • Vicente Fox anuncia el inicio de su campaña presidencial para las elecciones de 2000.

AÑO	EL MUNDO	AMÉRICA LATINA	MÉXICO
1998	• Continúan las matanzas indiscriminadas en Argelia por parte de los integristas. • William Clinton, presidente de Estados Unidos, se ve envuelto en un escándalo sexual que pone en peligro su mandato. • Graves problemas étnicos en la comunidad albanesa de Kosovo. • La visita del presidente en turno de la Unión Europea, Robin Cook, a Jerusalén oriental crea un serio incidente diplomático entre Europa e Israel. • Gerard Schroeder, canciller alemán. • El fundamentalismo islámico ataca las embajadas estadunidenses en Kenia y Tanzania. • Mapa genómico de una lombriz. Se descubre que comparte 33% de sus genes con los mamíferos. • Aislamiento de las "células madre" en fetos humanos (stem cells). • Viagra, la droga contra la impotencia masculina, se convierte en un éxito de mercado.	• El papa visita Cuba; Fidel Castro libera a 200 presos políticos. • Augusto Pinochet es detenido en Inglaterra, a solicitud de un juez español que pretende juzgarlo por genocidio en Chile. • Hugo Chávez, un oficial que intentó un golpe militar en 1992, es elegido presidente de Venezuela.	• A raíz de la matanza de Acteal, Chenalhó, perpetrada en diciembre de 1997, renuncia el secretario de Gobernación. • En una manifestación, cien mil personas en la capital mexicana exigen una solución al conflicto en Chiapas. Se producen choques armados en ese estado y el gobierno expulsa a observadores extranjeros por sus actividades en la zona del conflicto. • Se descubren 289 cuentas bancarias en México y en el extranjero a nombre de Raúl Salinas de Gortari o de sus alias. • La inseguridad va en aumento y la "industria del secuestro" afecta a todos los sectores sociales.
1999	• Boris Yeltsin dimite, le sucede Vladimir Putin. • Muere el rey Hussein de Jordania. • La OTAN —que cumple 50 años— lleva a cabo una campaña de bombardeo de 78 días contra Serbia en defensa de los albaneses de Kosovo. • Los talibán controlan 90% de Afganistán. • Manifestación de "globalifóbicos" en Seattle, Washington, echa abajo la conferencia de la Organización Mundial de Comercio.	• Fernando de la Rúa gana las elecciones en Argentina.	• Negociaciones de todos los partidos de oposición para conformar una "gran alianza" para la elección de 2000. La disputa por la candidatura común entre Vicente Fox y Cuauhtémoc Cárdenas finalmente cancela la posibilidad de la coalición. Cada candidato conforma una alianza menor a su alrededor. • Francisco Labastida, candidato del PRI a la presidencia. • Una huelga en la UNAM se convierte en un conflicto de dimensiones nacionales.

AÑO	EL MUNDO	AMÉRICA LATINA	MÉXICO
	• Se secuencia el cromosoma 22 humano.		• El rescate de los bancos quebrados equivale a 19.3% del PIB.
2000	• En marzo comienza la caída del mercado bursátil, al reventarse la "burbuja" de los mercados de alta tecnología. Las bolsas de todo el mundo perderán más de la mitad de su valor en los siguientes meses. Hacia fines de año se inicia un proceso de contracción económica en todo el mundo, que finalizará la etapa de expansión más larga registrada en Estados Unidos (justo diez años). • George Bush, Jr. es elegido presidente de Estados Unidos, en una elección muy discutida. Se repite la votación en parte del estado de Florida, gobernado por el hermano de Bush. Esos votos le permiten derrotar a Al Gore, candidato demócrata. • Se secuencia el mapa genómico de la mosca de la fruta (*drosophila*). Sesenta por ciento de sus genes es similar a los mamíferos. • Se secuencia el cromosoma humano número 21.	• Crisis en Argentina. Fernando de la Rúa renuncia, cinco presidentes en una semana. Argentina se declara en default financiero.	• En julio, en las elecciones presidenciales, por primera vez es derrotado el PRI. • En diciembre, Vicente Fox toma posesión de la presidencia.
2001	• El republicano George W. Bush toma posesión de la presidencia de los Estados Unidos. • Se celebra, en Porto Alegre, Brasil, el Primer Foro Social Mundial, el cual reúne movimientos ciudadanos de todo el planeta frente al proceso de globalización. El objetivo principal de esta reunión es la elaboración de un modelo	• Tras ser difundido un video en el que Vladimiro Montesinos, principal asesor de Alberto Fujimori, aparece sobornando a un parlamentario opositor, se origina en Perú una crisis política y social. Como consecuencia de esto, Fujimori renuncia a la presidencia desde Japón. En las elecciones presidenciales, el candidato de Perú Posible, Alejandro	• El Subcomandante Marcos y otros 23 líderes zapatistas inician una marcha pacífica desde San Cristóbal de las Casas hacia la ciudad de México, donde llegan el 11 de marzo, tras haber recorrido doce estados. • Se aprueba la Ley sobre Derechos y Cultura Indígenas, la cual es considerada insuficiente por parte del EZLN y del

AÑO	EL MUNDO	AMÉRICA LATINA	MÉXICO
	de desarrollo alternativo al propuesto en Davos por el Foro Económico Mundial. • A finales de este año, se aprueba la Declaración de Laeken, la cual traza la situación de la Unión Europea frente al reto de la ampliación y la globalización, así como la importancia de simplificar y redistribuir los actuales tratados de la Unión, y la conveniencia de que éstos condujeran a largo plazo a la adopción de una Constitución. • El 11 de septiembre de 2001 un grupo de terroristas secuestran y estrellan dos aviones contra las torres gemelas del World Trade Center, en Nueva York. Al mismo tiempo, otra aeronave se impactaba en el Pentágono, a las afueras de Washington. Osama bin Laden, líder de la organización extremista islámica Al-Qaeda, fue señalado como el responsable intelectual de esos actos. • Ante la negativa de los talibán de entregar a Osama bin Laden, Estados Unidos ejerce una acción bélica en Afganistán que puso fin al régimen rigorista. • Se aprueba el ingreso de China a la Organización Mundial del Comercio (OMC). • Tras estar quince años en el espacio exterior, la estación *Mir* cae en el planeta Tierra de manera controlada. La mayoría de la estación se desintegra al entrar en contacto con las capas densas de la atmósfera; sus restos se hundieron en el oceano Pacífico.	Toledo, derrota al de la Alianza Popular Revolucionaria Americana (APRA), Alan García. • El 3 de diciembre entra en vigor la congelación parcial de depósitos bancarios decretada por el gobierno argentino para frenar una retirada masiva de dinero por parte de sus ciudadanos que amenazaba con quebrar el sistema financiero. La medida desató una oleada de protestas y violencia. • El presidente argentino, Fernando de la Rúa, anuncia la ratificación de todos sus ministros y la implantación del estado de sitio. Como respuesta, miles de ciudadanos salen a la calle haciendo sonar cacerolas. Ante la generalizada respuesta popular, renuncia el ministro de Economía y al día siguiente, el 20 de diciembre, el propio presidente, después de una jornada de violencia y caos en la capital del país. • El gobierno venezolano aprueba 49 decretos ley que propician un fuerte movimiento de protestas vinculado en un principio a los sectores empresariales. Dicho paquete legislativo incluye la Ley Orgánica de Hidrocarburos y la Ley de Tierras y Desarrollo Agrario, la cual posibilita la expropiación de los latifundios. • Debido al cáncer de pulmón, Hugo Banzer renuncia el 6 de agosto a la presidencia de Bolivia y es remplazado por quien hasta entonces fungió como su vicepresidente, Jorge Quiroga. Éste se	Congreso Nacional Indígena, pues limita el alcance del texto redactado en 1996 por la Comisión de Concordia y Pacificación, en el marco de los Acuerdos de San Andrés. • El gobierno mexicano hace una propuesta de reforma fiscal que incluye el gravar con 15% de IVA los libros, las medicinas y los alimentos.

AÑO	EL MUNDO	AMÉRICA LATINA	MÉXICO
	• El consorcio del Proyecto Genoma Humano y la empresa Celera publican los primeros borradores de la secuencia del genoma humano.	mantiene en el gobierno hasta el 6 de agosto de 2002, completando el quinquenio para el cual había sido elegido Banzer.	
2002	• Se establece el euro como la única moneda de curso legal en trece países de la Unión Europea. • Un nuevo referéndum ratifica a Saddam Hussein como presidente de Irak por siete años más. A modo de celebración, Hussein decreta una amnistía absoluta. • El deterioro de las relaciones diplomáticas entre España y Marruecos tiene como consecuencia la crisis de Perejil, islote situado a pocos metros de las costas de Marruecos, que fue ocupado el 11 de julio por militares de este país, cuyo gobierno puso así en discusión la soberanía española sobre el territorio; en ese mismo mes, fueron desalojados por tropas españolas. • España establece una alianza con Estados Unidos durante la crisis de Irak. • El gobierno de George W. Bush incluye a Irak entre sus objetivos en la guerra contra el terrorismo, afirmando que el régimen de Saddam Hussein apoya a estas organizaciones, además de que dispone de un arsenal de armas de destrucción masiva. • El 17 de enero fallece el escritor español Camilo José Cela, autor de *La familia de Pascual Duarte* y *La colmena*, entre otras obras.	• Tras el paso de tres presidentes en diez días, la presidencia de Argentina fue asumida el primero de enero por el peronista Eduardo Duhalde, quien decreta el fin de la convertibilidad entre el peso y el dólar, y la devaluación de la moneda argentina. • La ONU aprueba una resolución muy crítica con la situación de los derechos humanos en Cuba. • Durante el gobierno de Jorge Batlle Ibáñez, Uruguay padece una crisis en la que la devaluación del peso, el incremento de la deuda pública, el aumento del paro y el estancamiento salarial son algunas de las constantes. • En el mes de junio, la Asamblea Nacional del Poder Popular aprueba una reforma en la Constitución, que establece el carácter irrevocable del régimen socialista y afirma rotundamente que Cuba "no volverá más al capitalismo". • La devaluación del real, moneda oficial de Brasil, así como la elevada deuda pública, la dependencia del capital exterior, el desempleo, los bajos salarios y el alto índice de pobreza provocan que este país atraviese una severa crisis económica y social. • Luego de doce años de negociación, y bajo el gobierno de Ricardo Lagos, Chile	• Fidel Castro hace pública una grabación en la que se escucha a Vicente Fox pedirle que no moleste a George W. Bush durante la cumbre de mandatarios en Monterrey: "comes y te vas", le dice. • De acuerdo con datos proporcionados por el Banco Mundial, el PIB mexicano en 2002 se estimó en 637,203 millones de dólares, lo que suponía un ingreso per cápita de 6,320 dólares. • Un grupo de cubanos se refugia en la embajada mexicana en La Habana, tras derribar la verja de la legación diplomática.

AÑO	EL MUNDO	AMÉRICA LATINA	MÉXICO
		firma un tratado de libre comercio con Estados Unidos.	
2003	• José Luis Rodríguez Zapatero es electo presidente de Gobierno de España. • En marzo, una coalición internacional dirigida por Estados Unidos invadió Irak, con los objetivos de derrocar a Saddam Hussein y destruir los arsenales de armamento prohibido que existieran en su territorio. A mediados del siguiente mes, Bagdad y las principales ciudades del país fueron tomadas por las fuerzas aliadas, finalizando así el régimen de Hussein. • El Consejo de Seguridad de la ONU emitió su resolución 1,483, poniendo fin a las sanciones económicas que Irak padecía desde hacía trece años y que otorgaba total autoridad en el territorio a Estados Unidos e Inglaterra hasta que Irak recuperara plena soberanía y capacidad de autogobierno. • El ejército estadunidense captura a Saddam Hussein en un minúsculo escondite subterráneo de una granja cercana a Tikr t. Las autoridades interinas iraquíes manifiestan su compromiso de juzgarlo por crímenes contra la humanidad. • Se constituye un Consejo de Gobierno provisional, tras la caída del régimen de Saddam Hussein, el cual redacta una nueva Constitución provisional, finalmente aprobada en marzo de 2004. Este nuevo texto legal contempla una declaración de derechos que garantiza las	• El presidente de Brasil, Luís Inácio da Silva, conocido como Lula, da por finalizadas las privatizaciones en su país. • La Asamblea Nacional reelige como presidente del Consejo de Estado a Fidel Castro. Tres meses después, en junio, el régimen cubano encarcela a 75 disidentes y ordena fusilar a tres secuestradores. • El 17 de octubre, tras una grave crisis social, Gonzalo Sánchez de Lozada renuncia a la presidencia de Bolivia. Su sucesor fue el hasta ese momento vicepresidente del país, Carlos Mesa. • Brasil y Argentina firman el denominado Consenso de Buenos Aires, acuerdo que fortalece las políticas activas de ambos países frente al neoliberalismo y afianza su alianza en el seno del Mercosur, del que son miembros fundadores. • En mayo se reactivan las protestas de la sociedad peruana que reivindican las mejoras salariales. El presidente Toledo nombra a Beatriz Merino como primer ministro en junio, y a finales de 2003 la sustituye Carlos Ferrero, a la par que solicita la renuncia de su equipo ministerial. • El presidente colombiano Álvaro Uribe convoca a un referéndum para recortar el gasto público y reducir así la corrupción. Su propuesta fracasa debido a que no obtiene 25% de los votos en el plebiscito.	• Los resultados de los comicios para elegir senadores y diputados presentan un alto índice de abstencionismo. • El presidente de México, Vicente Fox, presenta ante la cámara de diputados su proyecto de reorganización del Estado. Entre las medidas propuestas se encuentra la incorporación a la Constitución Política del uso del referéndum y la iniciativa popular. • Ante el Consejo de Seguridad de Naciones Unidas, México adopta una posición contraria a la intervención bélica estadunidense en Irak al margen de la Organización de las Naciones Unidas. • Muere el muralista mexicano Alfredo Zalce. • Muere en la ciudad de México el escritor Augusto Monterroso.

AÑO	EL MUNDO	AMÉRICA LATINA	MÉXICO
	libertades individuales (incluidas las de expresión y credo). • El día 16 de abril de 2003, Polonia y otros nueve estados firmaron en Atenas, Grecia, el Tratado de Adhesión a la Unión Europea, protocolo previo a su ingreso, que se produciría de forma efectiva el primero de mayo de 2004.	• En diciembre, los paramilitares colombianos que a finales de 2002 anunciaron una tregua unilateral, comienzan a entregar sus armas; un año después inician las conversaciones entre el gobierno y los paramilitares para lograr el desarme definitivo de estos últimos.	
2004	• El primero de mayo, la Unión Europea admite el ingreso de diez nuevos países: Chipre, Eslovaquia, Eslovenia, Estonia, Hungría, Letonia, Lituania, Malta, Polonia y República Checa. • El republicano George W. Bush derrota en las elecciones al demócrata John Kerry, asegurando así cuatro años más en la presidencia de los Estados Unidos. • El 11 de marzo varias bombas explotan en diversos trenes de las líneas ferroviarias de cercanías de Madrid, causando la muerte de 188 personas. Las investigaciones policiales no descubrieron que este atentado, el más grave en la historia de España, fue perpetrado por terroristas islamistas. • Yasser Arafat, líder de la causa palestina, muere en un hospital militar en el mes de noviembre. Su sucesor político es Mahmmud Abbas. • En noviembre de 2004, tras una notable inestabilidad gubernamental, el presidente de la República de Portugal, Jorge Sampaio, disolvió la Asamblea y convocó elecciones generales a celebrarse el 20 de febrero de 2005.	• En las elecciones presidenciales de Panamá, Martín Torrijos obtiene 47% de los votos (su principal rival, el expresidente Guillermo Endara, 30.9%) y se convierte en presidente electo del país. Durante la campaña electoral previa, su programa político centró sus objetivos en la lucha contra la corrupción, la delincuencia, la pobreza y el desempleo. • La victoria de Tabaré Vázquez en las elecciones presidenciales de Uruguay termina con el secular control del poder por parte de los partidos Nacional y Colorado. • Se promulga en Chile una ley de matrimonio civil que sustituye a la anterior, la cual tenía 120 años de establecida. Esta nueva ley contempla por primera vez la posibilidad del divorcio. • La dolarización cubana, vigente en la isla desde que once años antes fuera consentida por el castrismo, llega a su fin el 8 de noviembre, día en que se suspende la circulación del dólar estadunidense en todos los establecimientos de la isla. El peso convertible sustituye a la moneda norteamericana.	• México vota en contra de Cuba en la Comisión de Derechos Humanos de la ONU. Como consecuencia, las relaciones diplomáticas entre ambos países sufren una crisis cuando el gobierno mexicano retira a su embajador en La Habana y expulsan al embajador cubano en México. • Muere el político y expresidente de México José López Portillo. • El cantante y actor César Costa es nombrado como el primer embajador de la Unicef para México.

AÑO	EL MUNDO	AMÉRICA LATINA	MÉXICO
	• El peor desastre causado por un tsunami ocurrió en diciembre, cuando un terremoto marino de magnitud 9.0 en la escala de Richter generó un tsunami que alcanzó las costas de catorce países, desde el sureste asiático hasta el noreste de África. De los más de doscientos cincuenta mil muertos, casi dos tercios fallecieron en Indonesia; también hubo víctimas en la India, Sri Lanka y Tailandia. • El escritor italiano Claudio Magris, autor de novelas como *Otro mar* y *Microcosmos*, así como de los ensayos *El mito habsbúrgico en la literatura austriaca moderna* y *Lejos de donde: Joseph Roth y la tradición hebraico-oriental*, es galardonado con el Premio Príncipe de Asturias de Letras. • El biólogo británico Francis Harry Compton Crack, quien junto con James Watson descubrió la estructura del ADN, fallece a la edad de 88 años.	• En Chile se realiza una importante reforma constitucional. Entre los cambios aprobados se encuentran la reducción del periodo presidencial de seis a cuatro años, así como el restablecimiento de la facultad presidencial para destituir a los comandantes en jefe de las fuerzas armadas. • El Salvador se convierte en el primer gobierno que ratifica el Tratado de Libre Comercio de América Central, el cual incluye a todos los países de la zona, así como a Estados Unidos y República Dominicana. • Se publica la nueva novela del escritor colombiano, ganador del premio Nobel, Gabriel García Márquez, *Memorias de mis putas tristes*.	
2005	• Como resultado de elecciones muy cerradas en Alemania, donde la alianza CDU-CSU obtuvo 226 escaños, por 222 del SPD, se establece un pacto de gobernabilidad entre democristianos y socialdemócratas, quienes forman un gobierno de gran coalición en el que la cancillería federal es ejercida por Angela Merkel, líder de la CDU. • Tras su victoria por mayoría absoluta en las elecciones de febrero, los socialistas regresan al gobierno en la República	• La Unión Europea suspende temporalmente las sanciones adoptadas contra Cuba dos años antes. Mientras tanto, en marzo, Uruguay restablece las relaciones diplomáticas con el régimen cubano, cuando el uruguayo Tabaré Vázquez toma posesión de la presidencia. • En los primeros días de junio, Carlos Mesa, presidente de Bolivia, convoca para el 16 de octubre elecciones para una Asamblea Constituyente y un referéndum autonómico; pero las antagó-	• El analfabetismo en México llega a 9.2%, y la media de años de formación académica alcanza los 8.2 por adulto. La educación pública primaria y secundaria (9 años de educación) es gratuita y obligatoria. • El huracán *Wilma* entra a Quintana Roo, dejando a su paso una estela de devastación y paralizando las actividades de aproximadamente un millón de habitantes de Cozumel, Lázaro Cárdenas, Solidaridad e Isla Mujeres. Las autori-

AÑO | EL MUNDO | AMÉRICA LATINA | MÉXICO

EL MUNDO

de Portugal. El líder de los socialistas, José Sócrates, será quien esté al frente del mismo.

- El 2 de abril, a la edad de 84 años, muere el primer papa no italiano, Juan Pablo II, quien duró más de 25 años al frente de la iglesia católica. Sus últimos meses de vida generaron polémica en el sentido de si debía continuar o no al frente del Vaticano.
- El cardenal alemán Joseph Ratzinger, exprefecto de la Congregación para la Doctrina de la Fe, es elegido en el mes de abril como el nuevo papa. El nombre que utilizará como pontífice será Benedicto XVI.
- Con la victoria por mayoría absoluta del Partido Laborista en los comicios del 5 de mayo, el británico Tony Blair asegura un tercer periodo como primer ministro del Reino Unido.
- El 29 de mayo, en Francia, se celebró un referéndum vinculante que decidiría la postura francesa frente a la Constitución europea. Casi 55% de los votantes optó por el "no". Estos resultados, que suscitaron una notable conmoción en la Europa de los 25, tuvieron como consecuencia inmediata la dimisión del primer ministro Jean-Pierre Raffarin y de su gabinete.
- Un día después de haber sido electa como sede para los juegos olímpicos de 2012, Londres es víctima de un atentado terrorista en el que varias bombas explotaron en tres estaciones del tren y en un

AMÉRICA LATINA

nicas posturas de las organizaciones populares del Altiplano y de los departamentos orientales se radicalizan, y Mesa dimite, siendo sustituido el día 9 de ese mes por Eduardo Rodríguez, presidente de la Corte Suprema.

- En octubre, Guatemala sufre uno de los peores desastres naturales de su historia. El paso por Centroamérica del huracán *Stan*, cuyas consecuencias serían peores que las producidas años atrás por el *Mitch*, siembra el caos en el país, ocasionando centenares de víctimas mortales y de desaparecidos, así como una incalculable cifra de damnificados.
- Hugo Chávez afirma que Washington activó una nueva conspiración en contra de Venezuela que no descarta la posibilidad del magnicidio.
- El expresidente de Perú, Alberto Fujimori, es arrestado la madrugada del 7 de noviembre, horas después de haber llegado a Santiago de Chile y tras el pedido de extradición del gobierno de Perú.
- Muere el escritor cubano Guillermo Cabrera Infante, creador de la novela *Tres tristes tigres*, con la que obtuviera el Premio Biblioteca Breve, y que en 1997 fuera galardonado con el Premio Cervantes.
- Fallece el escritor paraguayo Augusto Roa Bastos, autor de obras como *El ruiseñor de la aurora y otros poemas*, *El trueno entre las hojas* y *Yo el Supremo*, entre otras.

MÉXICO

dades inician la reconstrucción de hoteles y viviendas.

- Por primera vez en más de un siglo, México envía tropas militares a Estados Unidos, como parte del acuerdo de ayuda humanitaria tras el devastador paso del huracán *Katrina*.
- Investigadores mexicanos, estadunidenses y españoles descubren una estrella constituida por un aro de gas y polvo que es siete veces más grande que el sistema solar.
- El huracán *Stan* impacta las costas mexicanas, dañando las regiones de Costa y Soconusco de Chiapas, en donde varias comunidades son arrasadas por los ríos desbordados.
- Gracias al apoyo de las treinta economías más importantes del mundo, el excanciller mexicano José Ángel Gurría es elegido como secretario general de la Organización para la Cooperación y el Desarrollo Económico.
- Arturo Montiel y Roberto Madrazo son anunciados como candidatos para la elección interna del PRI que determinará quién contenderá por la presidencia de la República. Sin embargo, después de que Madrazo revelara información financiera de su contrincante, Montiel retira su candidatura.
- El poeta y ensayista mexicano de origen español Tomás Segovia es galardonado con el Premio de Literatura Latinoamericana y del Caribe Juan Rulfo.
- El Consejo Cultural Mundial otorga el

AÑO	EL MUNDO	AMÉRICA LATINA	MÉXICO
	autobús, dejando un balance de 55 muertos y más de setecientos heridos. • El huracán *Katrina* azota la costa estadunidense del golfo de México. Los estados más afectados fueron Louisiana, Mississippi y Alabama. La ciudad de Nueva Orleáns tuvo que ser evacuada, pues al romperse los diques del lago Pontchartrain, quedó completamente inundada. • La Unión Europea inicia negociaciones para la futura adhesión de Turquía y Croacia. • Irán reanuda sus actividades nucleares, ignorando las advertencias europeas de que tal decisión los obligaría a turnar el caso al Consejo de Seguridad de la ONU. • Tras 29 años de conflicto, los rebeldes de Aceh e Indonesia firman un acuerdo que pone fin a la lucha armada.		Premio Mundial de Artes Leonardo Da Vinci al arquitecto mexicano Enrique Norten. Este galardón es considerado el más importante después del premio Nobel. • Las islas y áreas protegidas del Mar de Cortés son declaradas Patrimonio de la Humanidad por la Organización de las Naciones Unidas para la Educación, la Ciencia y la Cultura.
2006	• El primer ministro indio, Manmohan Singh, y el presidente de Estados Unidos, George W. Bush, llegan a un acuerdo nuclear en la primera visita de Bush a la India. Estados Unidos brindará a ese país tecnología y combustible nuclear para ayudar a su crecimiento. • Tras el anuncio de la intención de edificar un muro que divida la frontera de México con Estados Unidos, 69% de los estadunidenses lo rechaza; no obstante, 62% está de acuerdo en que se deben promover reformas migratorias más estrictas.	• Después de haber obtenido más de 50% de los votos en las elecciones, Evo Morales, indígena aymara de 46 años de edad, se convierte en el primer presidente indígena de Bolivia. • El expresidente y premio Nobel de la paz Óscar Arias gana las elecciones presidenciales de Costa Rica por un margen de casi 20 mil sufragios. • La excandidata a la presidencia de Colombia Ingrid Betancourt cumple cuatro años de haber sido secuestrada por las Fuerzas Armadas Revolucionarias de Colombia.	• Tras un intento de desalojo de profesores en protesta por parte del gobierno estatal de Oaxaca, surge la Asamblea Popular de los Pueblos de Oaxaca (APPO) entre los días 17 y 21 de junio. • La APPO acusa al gobernador oaxaqueño Ulises Ruiz Ortiz, entre otras cosas, de malversación de fondos para apoyar la campaña presidencial de Roberto Madrazo Pintado (por parte del PRI) y de fraude electoral. • Felipe Calderón Hinojosa es proclamado vencedor en las elecciones presidenciales de la República mexicana.

AÑO	EL MUNDO	AMÉRICA LATINA	MÉXICO
	• La Unión Europea es acusada por una coalición de organizaciones no gubernamentales de alterar sus cifras de ayuda a las demás naciones en un tercio, pues entre sus resultados está incluyendo la cancelación de deudas. • Zacarias Moussaoui, único prisionero acusado en Estados Unidos por los atentados del 11 de septiembre de 2001, es sentenciado a cadena perpetua, sin la posibilidad de obtener libertad condicional. • El senado de los Estados Unidos, con un resultado de 83 votos a favor y 16 en contra, aprobó la enmienda para la construcción de un muro de 595 kilómetros que divida la frontera con México. • Con un total de 55.4% de votos a favor, la comisión electoral de Montenegro confirmó la victoria del bloque independentista en el referéndum para decidir si el país se separa de Serbia, constituyéndose así como Estado libre e independiente. • Tras haber sido capturado por el ejército estadunidense en 2003, el expresidente de Irak, Saddam Hussein, es juzgado y hallado culpable de cometer crímenes de guerra y condenado a morir en la horca. Antes de que finalice el año, es ejecutado.	• De acuerdo al último informe de Un-Hábitat, presentado en el marco del IV Foro Mundial del Agua, 44% de la población de América Latina vive en la pobreza, mientras que 19% subsiste en condiciones de indigencia. • En su segundo informe anual, la Organización Mundial del Trabajo afirma que por primera vez ha disminuido el número de niños que trabajan, principalmente en América Latina y el Caribe. En la región este problema afecta a 5.7 millones de niños. • El presidente venezolano Hugo Chávez anuncia la salida de su país del Grupo de los Tres (integrado por Venezuela, México y Colombia), con el fin de salvaguardar los intereses nacionales y "apuntalar al Mercosur". • Los institutos tecnológicos petroleros de Venezuela y Cuba firman un convenio de cooperación para mejorar la explotación, producción, industrialización y refinación del crudo. Dicho pacto contempla proyectos para mejorar los combustibles cubanos, mediante la optimización de los procesos de refinación. • Muere el exdictador chileno Augusto Pinochet.	• Argumentando que las elecciones presidenciales estuvieron arregladas, el candidato de la oposición, Andrés Manuel López Obrador, y sus simpatizantes bloquean por más de un mes una de las principales avenidas de la capital de la República. • El Tribunal Federal Electoral rechaza el recurso presentado por Andrés Manuel López Obrador y declara válidas las elecciones presidenciales. • México cierra 2006 con un déficit por cuenta corriente de unos 2,600 millones de dólares, y un déficit comercial de unos 5,700 millones de dólares.

Esta obra fue impresa en mayo de 2007
en los talleres de Acabados Editoriales Incorporados, S.A. de C.V.,
que se localizan en la calle de Arroz 226,
colonia Santa Isabel Industrial, en la ciudad de México, D.F.
La encuadernación de los ejemplares se hizo
en los talleres de Fusión Editorial, S.A. de C.V.,
que se localizan en la calle de Trigo 121,
colonia Granjas Esmeralda, en la ciudad de México, D.F.